公認会計士・税理士 貝沼 彩
公認会計士・税理士 北山 雅一
税理士 清水 博崇
司法書士・社会保険労務士 齊藤 修一

目的別

組織再編の最適スキーム

第3版

Scheme

法務・会計・税務

清文社

改訂にあたって

新型コロナウイルス感染症の流行､収束という前代未聞の経験を経て、これまでの経営方針や事業内容を見直す企業も増加しました｡その中で、経営統合の方法として組織再編が行われています。また、惜しくも業績悪化となり、会社を解散・清算するケースもあります。さらには、組織再編を進めていたけれども、新型コロナウイルス感染症の影響でこれまでとは全く異なる業績となり、今後の見込みも変わってしまったため、組織再編を中止するケースもありました。いずれも、組織再編に関する法律・会計・税務の知識が必要となります。

組織再編を進めていく上では、法律・会計・税務のいずれかのみの知識で進められるわけではなく、これらが相互に関連する影響を把握し進めていく必要があります。本書では、初版から引き続き、法律・会計・税務に関して1冊で全体像を把握できるところに特徴があります。さらには、組織再編に関する実務を進める上での手順に沿った内容になっているところが最大の特徴です。具体的には、たとえばクライアントからのリクエストに､専門家がどう応じていくか､どのような選択肢があり､何を理由にそこから手法をしぼっていくのかがわかるようになっています。実務を行う上で、皆さんの役に立てていただけると幸いです。

今回の改訂では、主に事業承継税制の改正を反映させた内容・事例に更新したとともに、株式交付制度についても内容を詳細にしました。その他の事例についても、最近の経済の動向を見ながら、より実務で留意が必要な事例を取り上げるように更新しています。特に事業承継税制に関しては、旧制度と新制度の有利不利も考えクライアントにアドバイスをすることが必要になり、選択肢を増やすものです。我々専門家としては最良の手法を適切にアドバイスできるよう、本書がその参考になればと思います。

最後になりましたが、本書の会計に関する記載についてアドバイスをくださいました公認会計士 布施 伸章氏、本書の執筆等にあたり示唆をいただきました公認会計士 大竹 裕之氏、別府 瞳氏、企画から刊行に至るまで担当してくださいました株式会社清文社 中村 麻美氏に心より感謝を申し上げます。

2023年11月

公認会計士・税理士　**貝沼　彩**

公認会計士・税理士　**北山 雅一**

税理士　**清水 博崇**

司法書士・社会保険労務士　**齊藤 修一**

はじめに

企業の経済活動が多様化していく中で、より組織的な経営が求められる時代となりました。また、グループ企業を持つ企業にとっては、グループ経営が主流です。

そのような中で、組織のあり方の見直しや戦略として、組織再編という組織的な改革がより活用されています。また、平成29年度税制改正においては、スピンオフ税制等の整備がなされ、より組織再編が有効活用される仕組みとなりました。さらに平成30年にも無対価組織再編や事業承継等についても改正が予定されており、組織再編の活用方法が注目されているところであります。

このような背景を受けて、専門家の方々にとっては、組織再編に関する相談や依頼に的確に対応していく必要があります。また、その相談や依頼については法務・会計・税務のあらゆる影響を検討しなければなりません。企業の管理部の方々にとっても同様に、多方面への影響を検討することが必要になります。

そこで本書では、組織再編に関する検討事項を、より実務の現場に沿った形で顧客からの相談形式に乗せて、さらには法務・会計・税務の三方向を検討する形で記載しています。網羅的・体系的に、法務・会計・税務などを整理した書籍や、事例が充実した書籍は多くありますが、本書は組織再編を実施するに至る目的に応じて、その適したスキームを構築する思考回路に沿って解説を進めている点で、類書にはない切り口となっています。それぞれのメリットやデメリットも理解できるため、これから組織再編を考える人がより適切な判断をするうえで有用な1冊です。

例えば、事業承継をする場合には、事業承継者の存在の有無によって、さらには事業承継者がいる場合にはその人達の間の関係も考慮にいれて事業承継スキームを検討する必要があります。そこで本書では、承継者ごとに会社を分離するスキームや家族内に事業承継者が不在の場合の要検討事項等、さらには当該会社を分離する際にも複数のスキームが考えられ、それぞれのスキームのメリット・デメリットを記載し、事案ごとのスキーム検討に役立てられる構造となっています。これにより、顧客からの相談に応じた適切なスキームを構築し提案する責任のある専門家の方々、企業の経営管理に携わる経営企画室や管理部の方々にとっての実務の現場に役立てられることと思います。

なお、本書は、最初に組織再編パターンを図で俯瞰できるようにしており、これに合った目的や考え方に適した項目を示してありますので、知りたいところから読み進めることも可能です。

※平成30年度税制改正の詳細は、税理士法人みなと東京会計（代表社員貝沼彩）のホームページにて、随時解説を行いますので、そちらをご参照下さい（http://www.total-consul.jp/）。

最後になりましたが、本書の会計に関する記載についてアドバイスをくださいました公認会計士 布施 伸章氏、本書の執筆等にあたり示唆をいただきました公認会計士 大竹 裕之氏、別府 瞳氏、企画から刊行に至るまで担当してくださいました株式会社清文社 中村 麻美氏に心より感謝を申し上げます。

2018年3月

公認会計士・税理士　**貝沼　彩**

公認会計士・税理士　**北山 雅一**

税理士　**清水 博崇**

司法書士・社会保険労務士　**齊藤 修一**

目　次

第2章 組織再編手法のアウトライン

第3章　目的からみる組織再編スキーム

第4章　実践編：具体事例

凡例

会法	会社法
会令	会社法施行令
会規	会社法施行規則
会計規	会社計算規則
法法	法人税法
法令	法人税法施行令
法規	法人税法施行規則
措法	租税特別措置法
消法	消費税法
消令	消費税法施行令
労働契約承継法	会社分割に伴う労働契約の承継等に関する法律
労働契約承継法施行規則	会社分割に伴う労働契約の承継等に関する法律施行規則
労働契約承継指針	分割会社及び承継会社等が講ずべき当該分割会社が締結している労働契約及び労働協約の承継に関する措置の適切な実施を図るための指針
金商法	金融商品取引法
金商法施行令	金融商品取引法施行令
連結財規	連結財務諸表の用語、様式及び作成方法に関する規則
企業結合会計基準	企業結合に関する会計基準（企業会計基準第21号）
事業分離会計基準	事業分離等に関する会計基準（企業会計基準第７号）
企業結合等適用指針	企業結合会計基準及び事業分離等会計基準に関する適用指針（企業会計基準適用指針第10号）
自己株式適用指針	自己株式及び準備金の額の減少等に関する会計基準の適用指針（企業会計基準適用指針第２号）
企業内容開示府令	企業内容等の開示に関する内閣府令

＊なお、本稿においては法令の条番号等を以下のように省略する。

条番号…１、２の10（通常の算用数字）

項番号…①、②、⑩（マル付き数字）

号番号…一、二、十（漢数字）

〈例〉

法２条の10第１項→法２の10①

令２条１項10号　→令２①十

＊本書は、令和５年11月１日現在の法令等によっています。

図解 組織再編パターン一覧

1 株式譲渡・第三者割当増資

(1) 株式譲渡

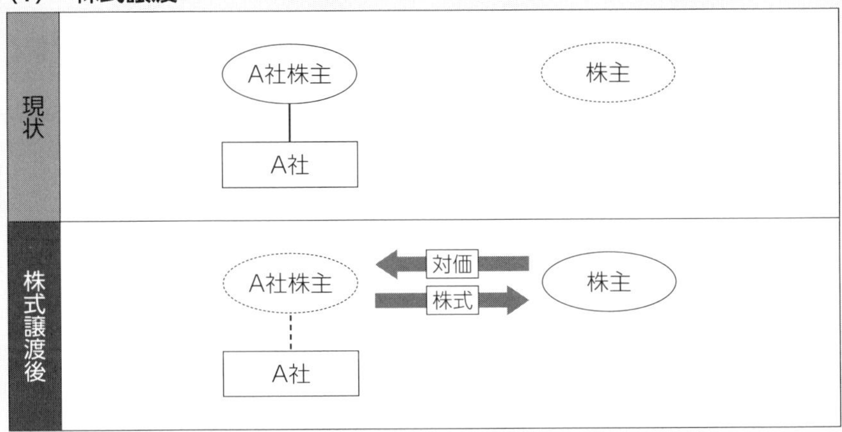

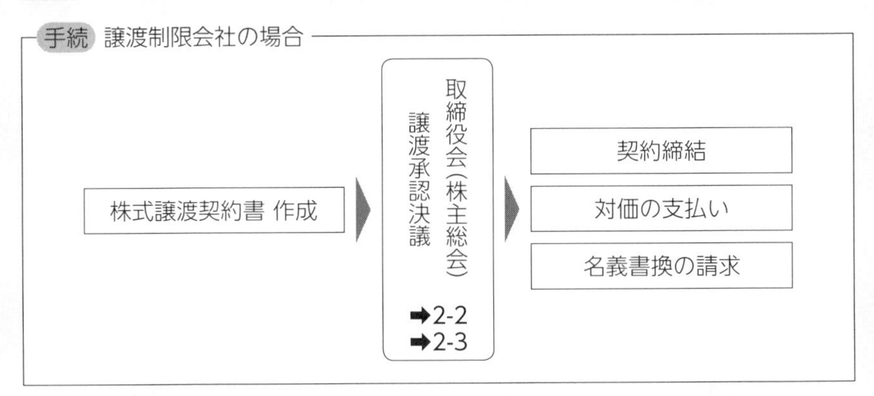

該当する設問

【第3章】

3-1 子会社から孫会社へ変更する組織再編

3-2 孫会社から子会社へ変更する組織再編

3-12 事業承継を目的とした組織再編

【第4章】

4-4 事業を売却(買収)する②

(2) 第三者割当増資

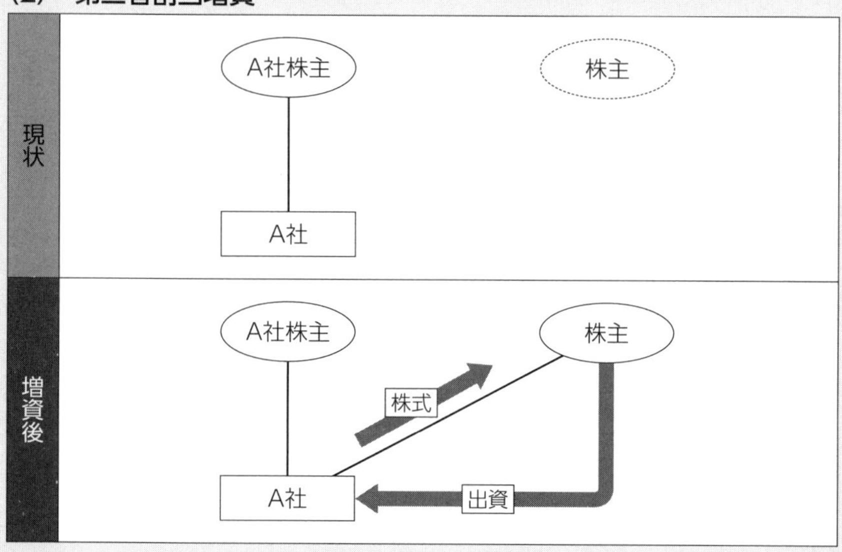

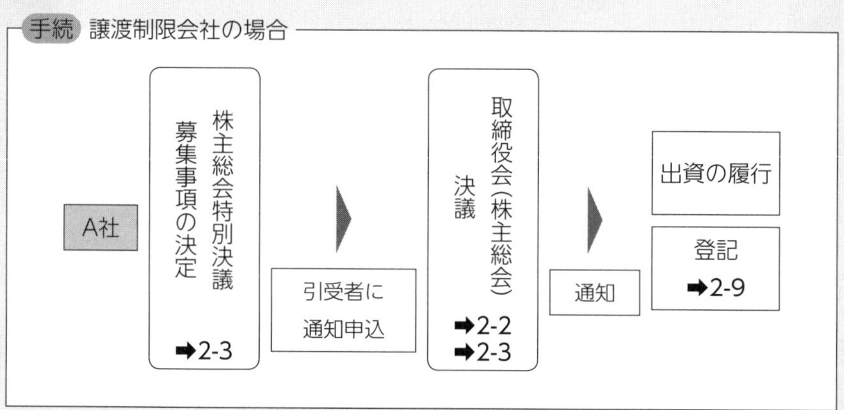

該当する設問

【第4章】

4-4 事業を売却（買収）する②

2 合併

(1) 新設合併

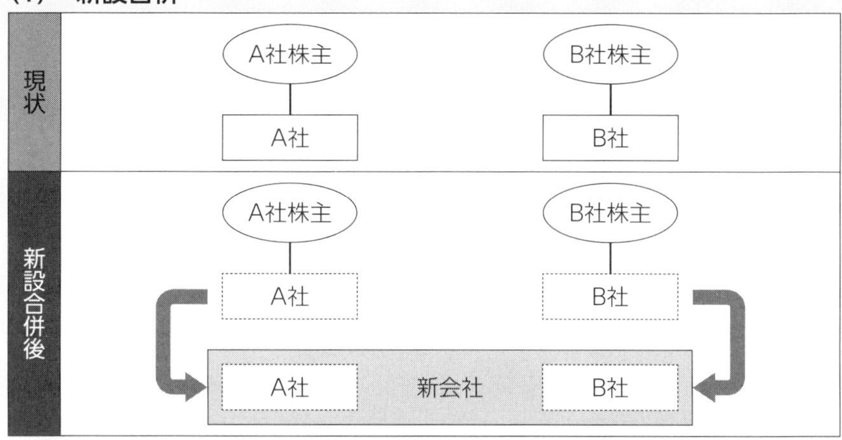

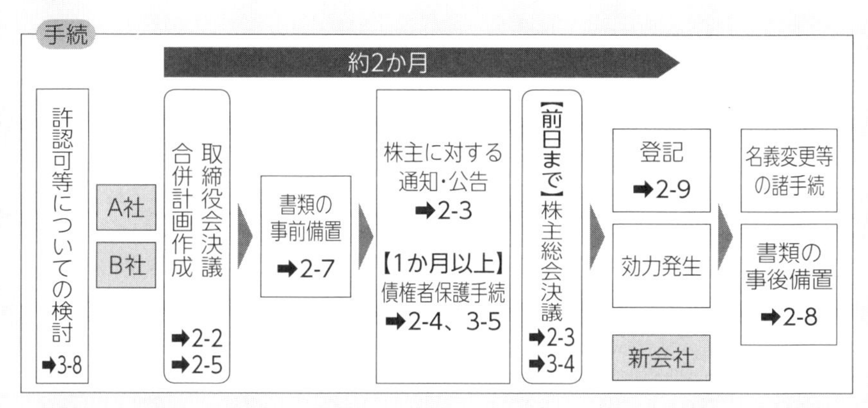

該当する設問

【第2章】

2-11・2-18・2-19・2-30・2-31

【第3章】

3-7　労働者の承継に関する問題
3-9　対価を発行しない組織再編
3-10　課税の有無による組織再編の見方
3-11　損益の発生の有無による組織再編の見方

(2) 吸収合併

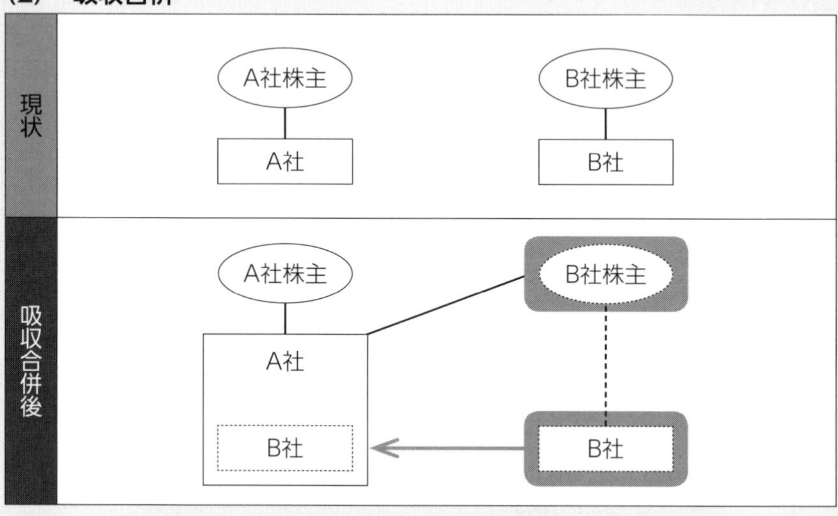

現状
A社株主
A社
B社株主
B社
吸収合併後
A社株主
A社
B社
B社株主
B社

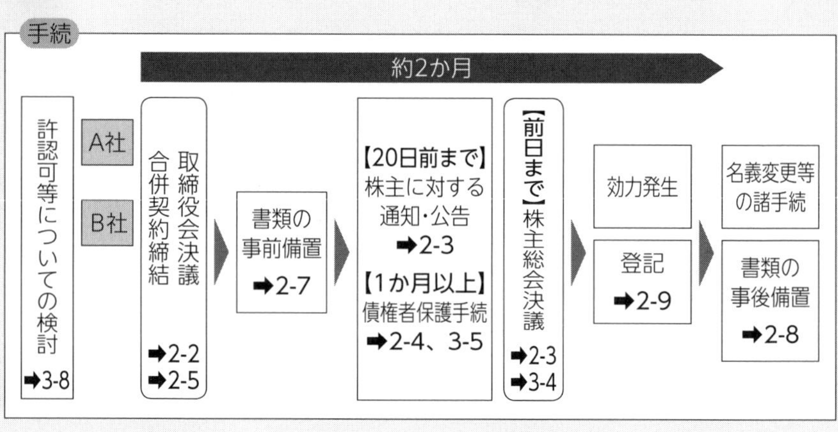

手続
約2か月
許認可等についての検討
➡3-8
A社
B社
取締役会決議
合併契約締結
➡2-2
➡2-5
書類の
事前備置
➡2-7
【20日前まで】
株主に対する
通知・公告
➡2-3
【1か月以上】
債権者保護手続
➡2-4、3-5
【前日まで】株主総会決議
➡2-3
➡3-4
効力発生
登記
➡2-9
名義変更等
の諸手続
書類の
事後備置
➡2-8

該当する設問

【第2章】

2-11・2-18・2-19・2-30・2-31

【第3章】

3-7　労働者の承継に関する問題

3-9　対価を発行しない組織再編

3-10　課税の有無による組織再編の見方

3-11　損益の発生の有無による組織再編の見方

3-13　事業承継における株価対策としての組織再編

【第4章】

4-4　事業を売却（買収）する②

3　会社分割

(1)　新設分割

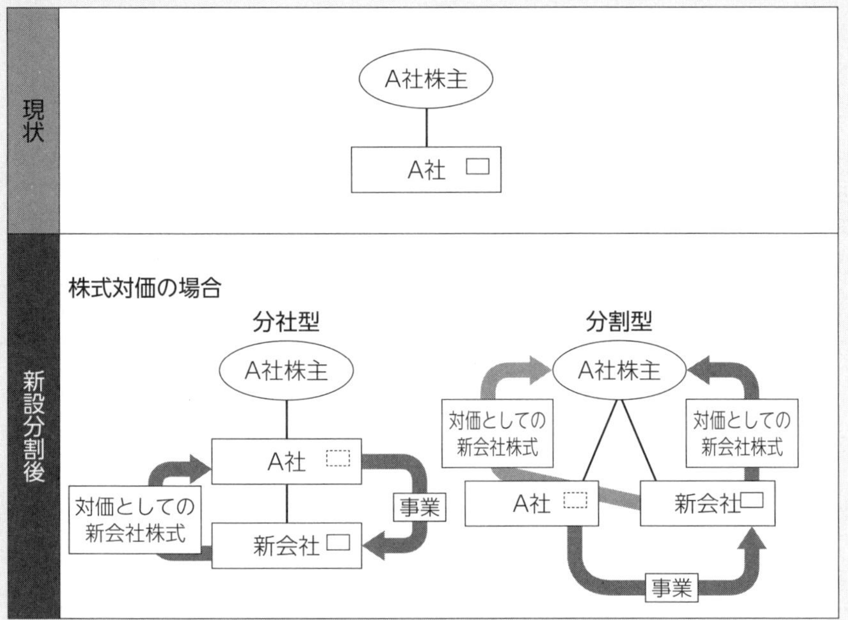

現状
A社株主
A社
新設分割後
株式対価の場合
分社型
A社株主
A社
新会社
対価としての
新会社株式
事業
分割型
A社株主
対価としての
新会社株式
対価としての
新会社株式
A社
新会社
事業

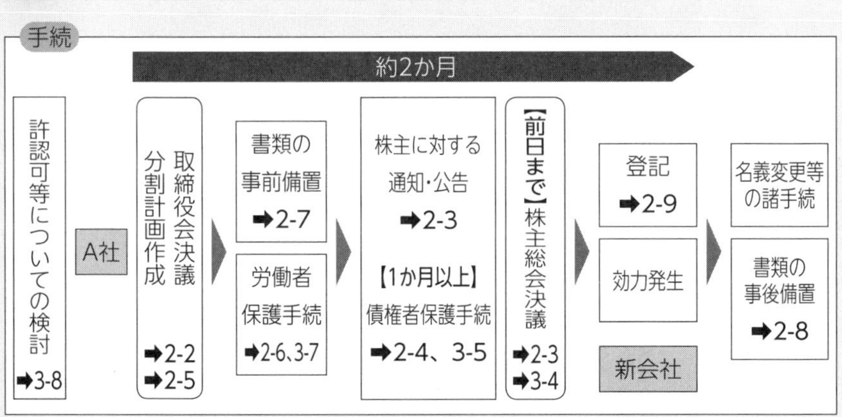

手続
約2か月
許認可等についての検討
➡3-8
A社
取締役会決議
分割計画作成
➡2-2
➡2-5
書類の
事前備置
➡2-7
労働者
保護手続
➡2-6、3-7
株主に対する
通知・公告
➡2-3
【1か月以上】
債権者保護手続
➡2-4、3-5
【前日まで】株主総会決議
➡2-3
➡3-4
登記
➡2-9
効力発生
新会社
名義変更等
の諸手続
書類の
事後備置
➡2-8

該当する設問

【第2章】

2-11・2-20・2-21・2-30・2-31

【第3章】

3-1 子会社から孫会社へ変更する組織再編
3-2 孫会社から子会社へ変更する組織再編
3-3 持株会社化に用いる組織再編
3-9 対価を発行しない組織再編
3-10 課税の有無による組織再編の見方
3-11 損益の発生の有無による組織再編の見方
3-12 事業承継を目的とした組織再編
3-13 事業承継における株価対策としての組織再編
3-15 効率的事業継承としての組織再編
3-17 事業再生における組織再編

【第4章】

4-3 事業を売却(買収)する①
4-4 事業を売却(買収)する②
4-5 事業承継:有利な新事業承継税制が終了するが…

(2)　吸収分割

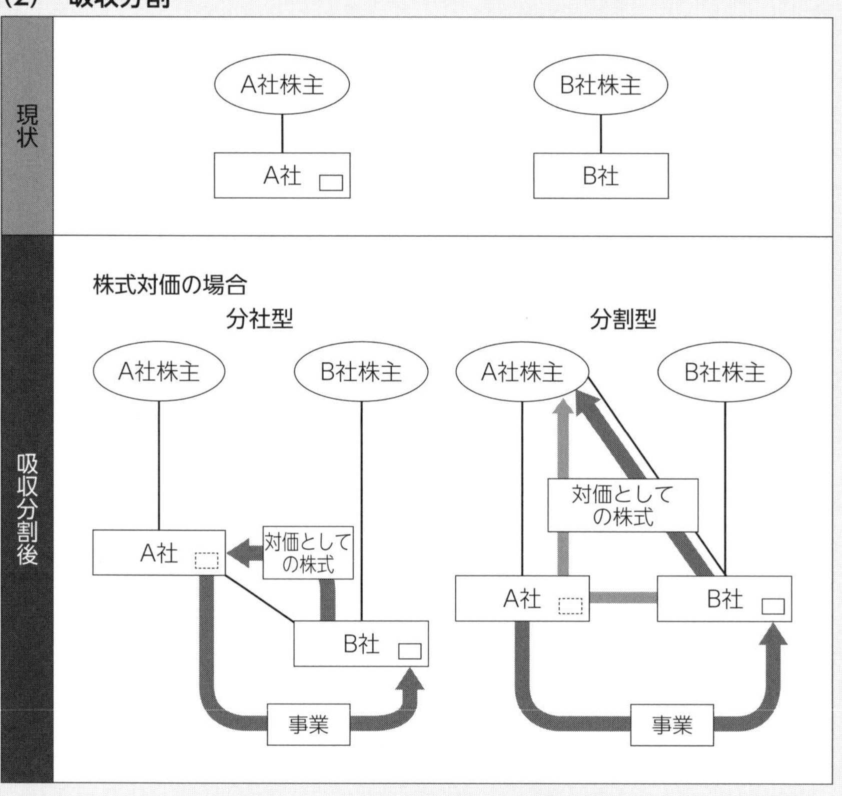

現状
A社株主
A社
B社株主
B社
吸収分割後
株式対価の場合
分社型
A社株主
B社株主
A社
対価としての株式
B社
事業
分割型
A社株主
B社株主
対価としての株式
A社
B社
事業

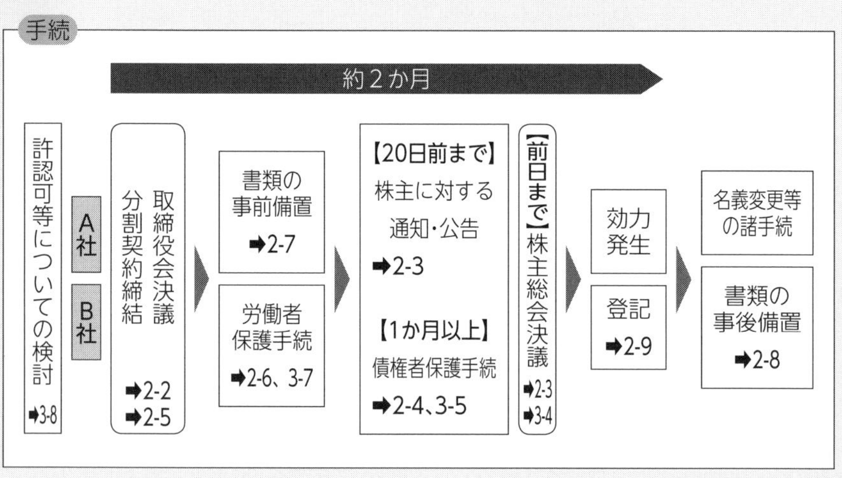

手続
約２か月
許認可等についての検討 ➡3-8
A社
B社
取締役会決議
分割契約締結
➡2-2
➡2-5
書類の事前備置 ➡2-7
労働者保護手続 ➡2-6、3-7
【20日前まで】株主に対する通知・公告 ➡2-3
【1か月以上】債権者保護手続 ➡2-4、3-5
【前日まで】株主総会決議 ➡2-3 ➡3-4
効力発生
登記 ➡2-9
名義変更等の諸手続
書類の事後備置 ➡2-8

該当する設問

【第2章】

2-11・2-20・2-21・2-30・2-31

【第3章】

3-1　子会社から孫会社へ変更する組織再編
3-2　孫会社から子会社へ変更する組織再編
3-3　持株会社化に用いる組織再編
3-9　対価を発行しない組織再編
3-10　課税の有無による組織再編の見方
3-11　損益の発生の有無による組織再編の見方

【第4章】

4-3　事業を売却(買収)する①
4-4　事業を売却(買収)する②

4　事業譲渡

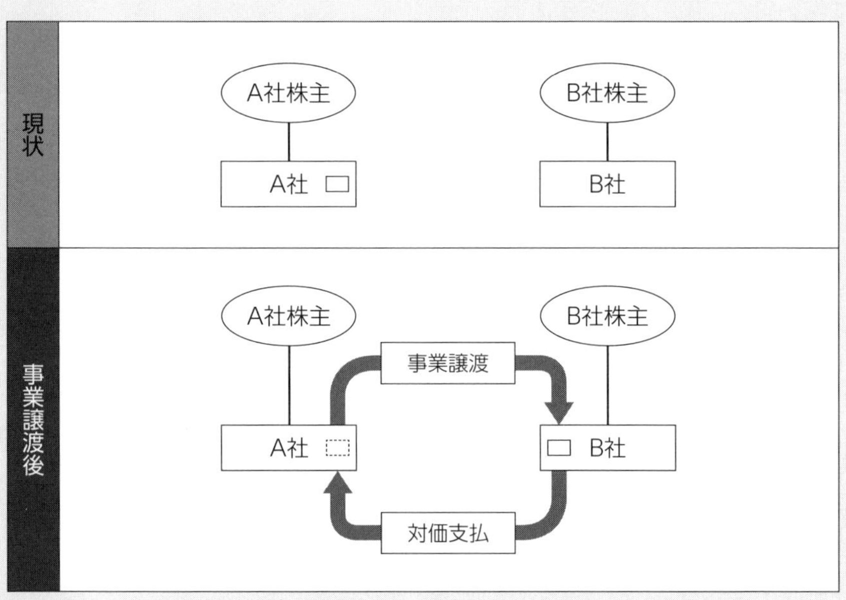
現状
A社株主
B社株主
A社
B社
事業譲渡後
A社株主
B社株主
事業譲渡
A社
B社
対価支払

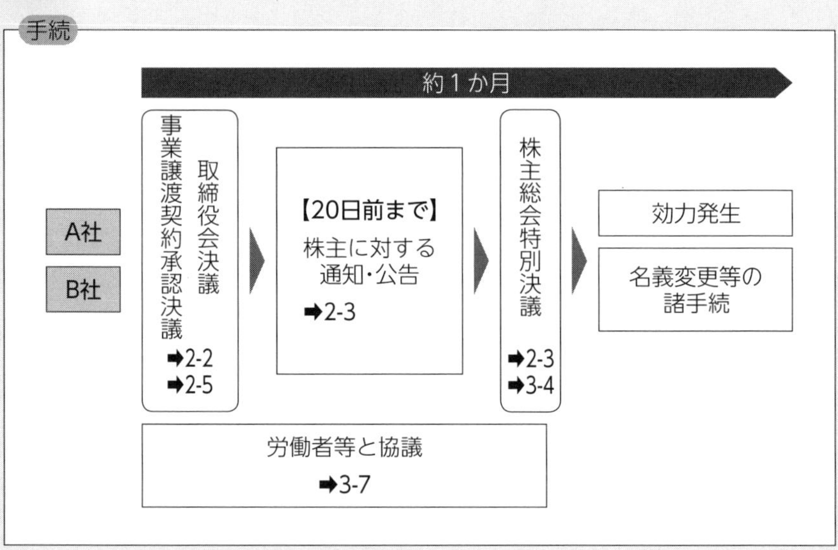
手続
約１か月
A社
B社
取締役会決議
事業譲渡契約承認決議
➡2-2
➡2-5
【20日前まで】
株主に対する通知・公告
➡2-3
株主総会特別決議
➡2-3
➡3-4
効力発生
名義変更等の諸手続
労働者等と協議
➡3-7

該当する設問

【第2章】

2-11・2-22・2-30・2-31

【第3章】

3-1　子会社から孫会社へ変更する組織再編

3-2　孫会社から子会社へ変更する組織再編

3-10　課税の有無による組織再編の見方

3-11　損益の発生の有無による組織再編の見方

3-12　事業承継を目的とした組織再編

3-17　事業再生における組織再編

【第4章】

4-4　事業を売却(買収)する②

5　株式交換・株式移転・株式交付

(1)　株式交換

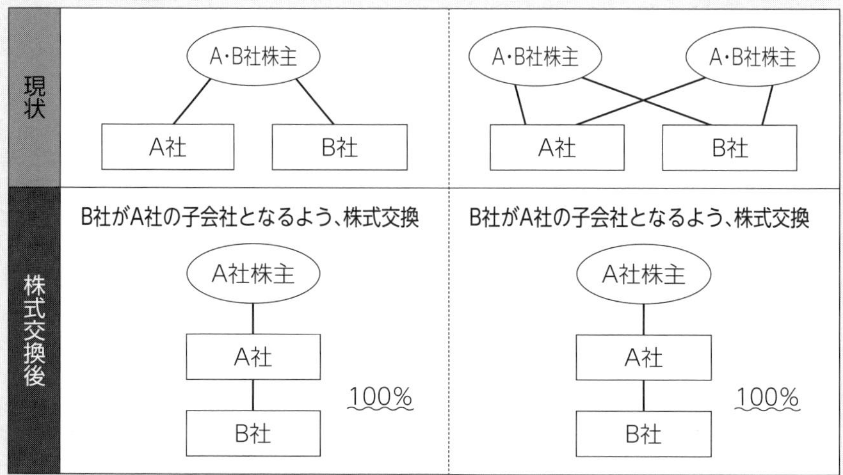

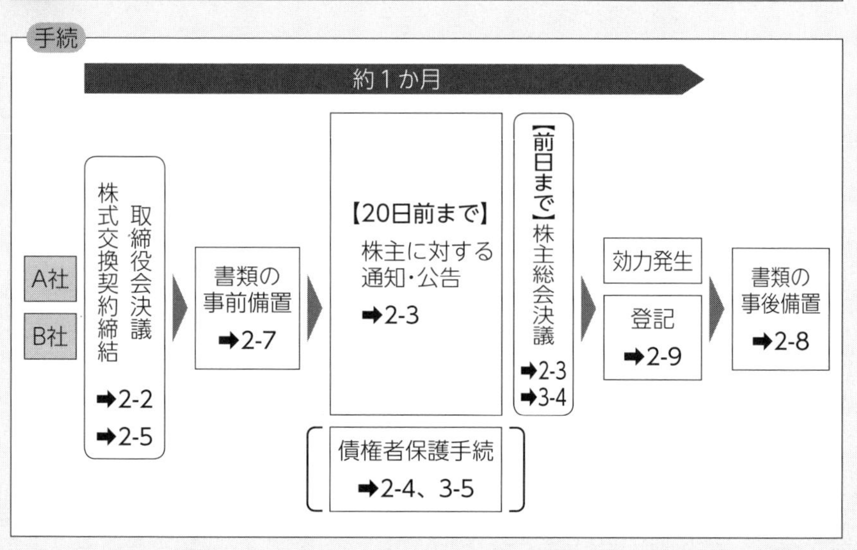

該当する設問

【第2章】

2-11・2-23・2-24・2-30・2-31

【第3章】

3-1　子会社から孫会社へ変更する組織再編
3-9　対価を発行しない組織再編
3-10　課税の有無による組織再編の見方
3-11　損益の発生の有無による組織再編の見方
3-13　事業承継における株価対策としての組織再編
3-19　スクイーズ・アウト（完全子会社化の手法）

(2) 株式移転

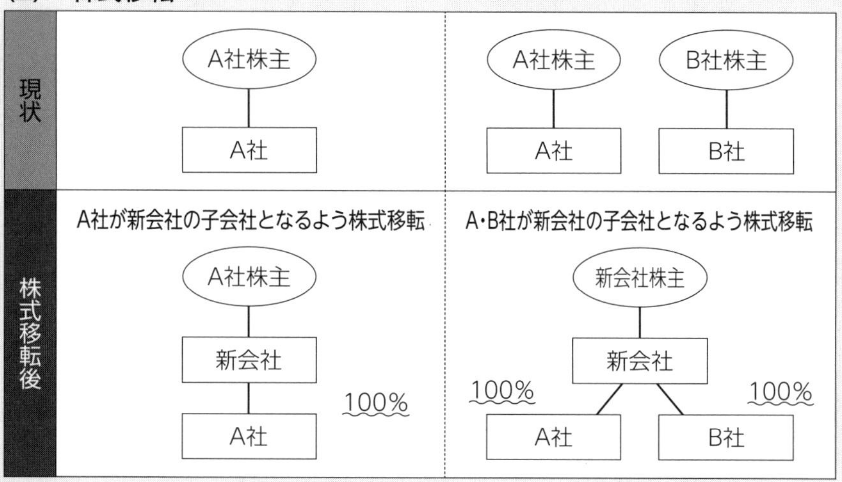
現状
A社株主
A社
A社株主
B社株主
A社
B社
株式移転後
A社が新会社の子会社となるよう株式移転
A社株主
新会社
100%
A社
A・B社が新会社の子会社となるよう株式移転
新会社株主
新会社
100%
100%
A社
B社

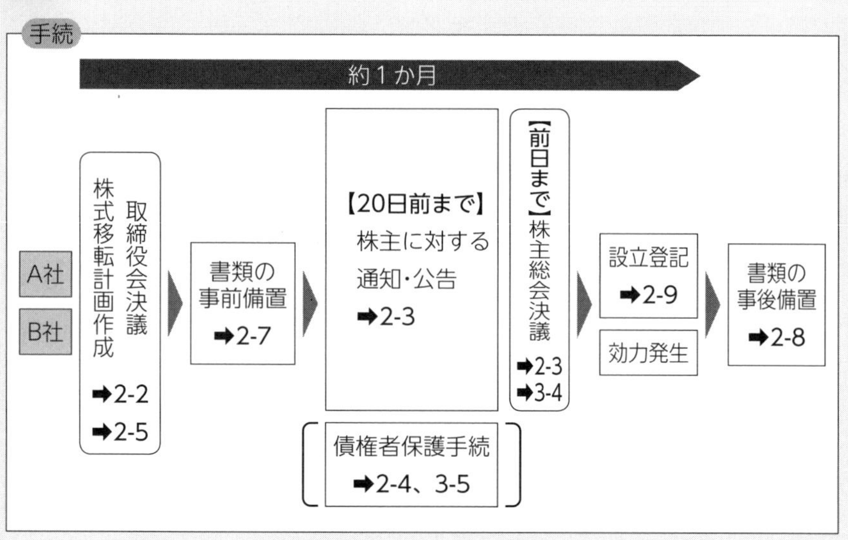
手続
約1か月
A社
B社
株式移転計画作成
取締役会決議
➡2-2
➡2-5
書類の事前備置
➡2-7
【20日前まで】
株主に対する
通知・公告
➡2-3
【前日まで】株主総会決議
➡2-3
➡3-4
設立登記
➡2-9
効力発生
書類の事後備置
➡2-8
債権者保護手続
➡2-4、3-5

該当する設問

【第2章】

2-11・2-23・2-24・2-30・2-31

【第3章】

3-3　持株会社化に用いる組織再編
3-9　対価を発行しない組織再編
3-10　課税の有無による組織再編の見方
3-11　損益の発生の有無による組織再編の見方
3-13　事業承継における株価対策としての組織再編
3-15　効率的事業継承としての組織再編

【第4章】

4-5　事業承継：有利な新事業承継税制が終了するが…
4-6　事業承継：株式移転により持株会社を設立し長男への承継を行う

(3)　株式交付

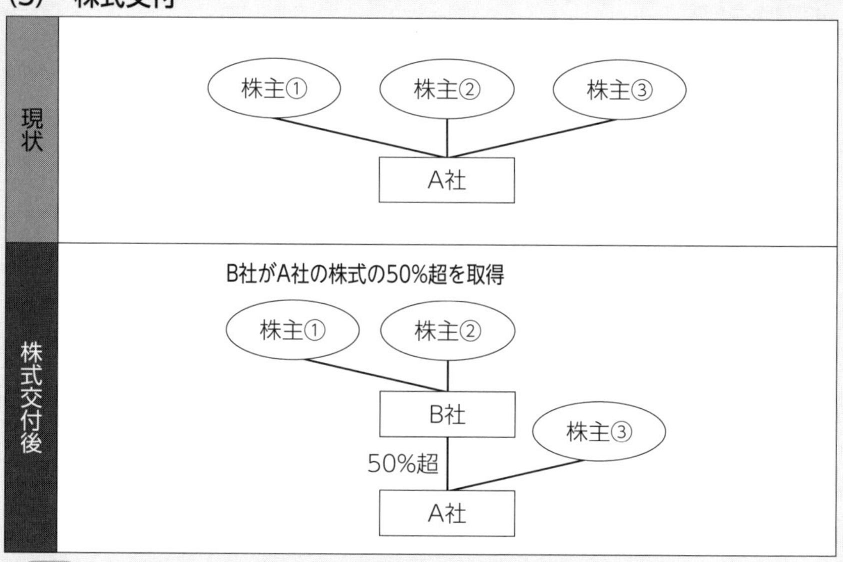

現状
株主①
株主②
株主③
A社
株式交付後
B社がA社の株式の50%超を取得
株主①
株主②
B社
株主③
50%超
A社

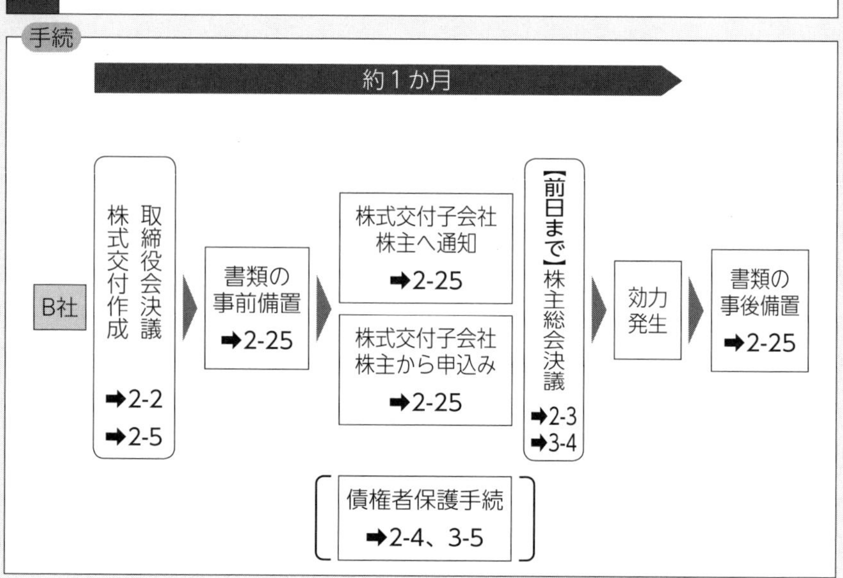

手続
約１か月
B社
取締役会決議
株式交付作成
➡2-2
➡2-5
書類の事前備置
➡2-25
株式交付子会社株主へ通知
➡2-25
株式交付子会社株主から申込み
➡2-25
【前日まで】株主総会決議
➡2-3
➡3-4
効力発生
書類の事後備置
➡2-25
債権者保護手続
➡2-4、3-5

該当する設問

【第2章】

2-25

【第3章】

3-20　子会社化の手法(完全子会社化を除く)

6　現物出資・現物配当（現物分配）

(1)　現物出資

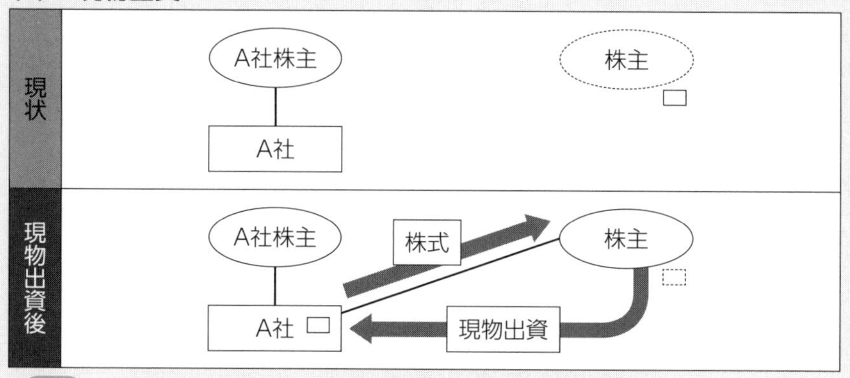

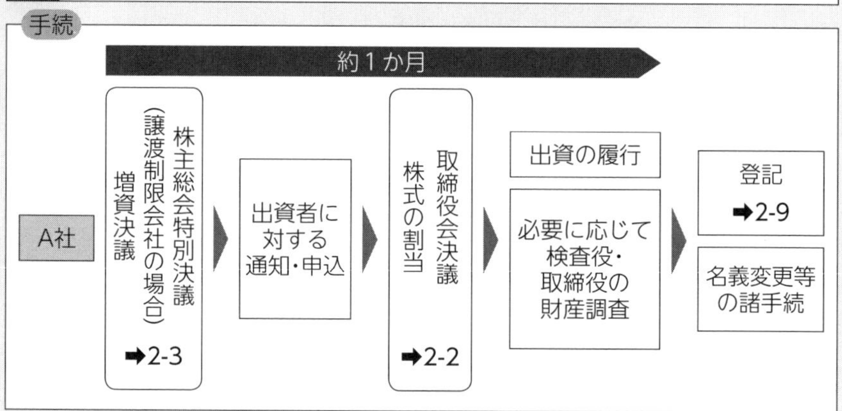

該当する設問

【第2章】

2-11・2-26・2-27・2-30・2-31

【第3章】

3-1　子会社から孫会社へ変更する組織再編
3-3　持株会社化に用いる組織再編
3-6　短期間で行える資産等の移転
3-8　許認可事業を行っている場合の対応
3-10　課税の有無による組織再編の見方
3-11　損益の発生の有無による組織再編の見方

(2)　現物配当(現物分配)

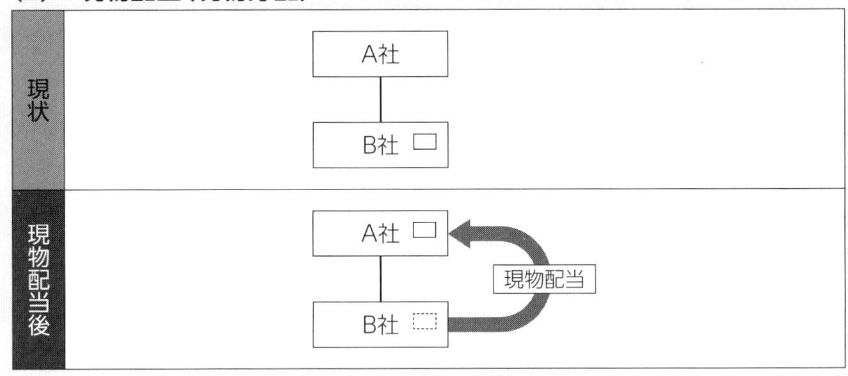

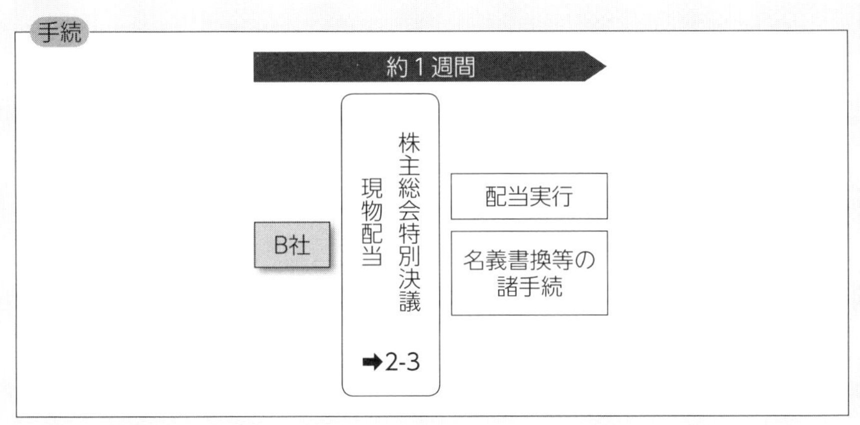

該当する設問

【第2章】

2-11・2-28・2-30・2-31

【第3章】

3-2　孫会社から子会社へ変更する組織再編

3-6　短期間で行える資産等の移転

3-10　課税の有無による組織再編の見方

7　解散・清算

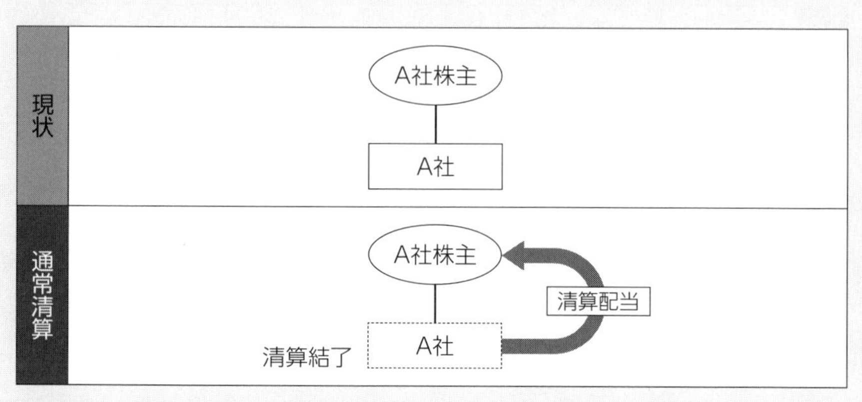

手続　通常清算の場合

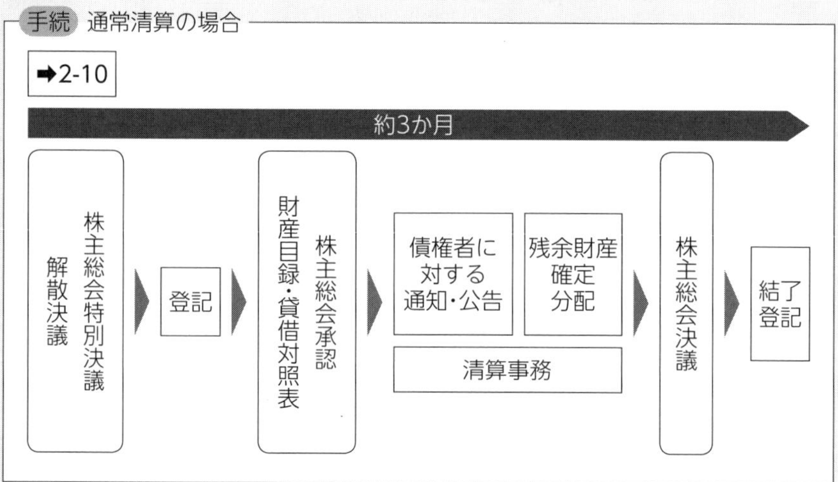

該当する設問

【第2章】

2-11・2-29・2-31

【第3章】

3-18　整理・清算における組織再編

第1章

総論

Scheme

1-1
組織再編総論

ここでは、組織再編の基礎知識についての説明を行います。組織再編においては法務、会計、税務ともに難解な表現が多く、概要を理解することでさえ容易ではありません。

そこで、組織再編の類型を説明した図を理解する前提として、

・組織再編を考える際に重要となるキーワードとその意味

・実務家が「法務」「会計」「税務」を検討するときに重要視しているポイント

を簡易に説明します。

組織再編スキームを考案し、実行するには正確な理解が必要となりますが、用語等の意義の厳密さよりわかりやすさに重点を置き、概念の理解を優先して説明します。詳細な説明については**第2章**を参照して下さい。

まず、組織再編の目的について考えてみましょう。

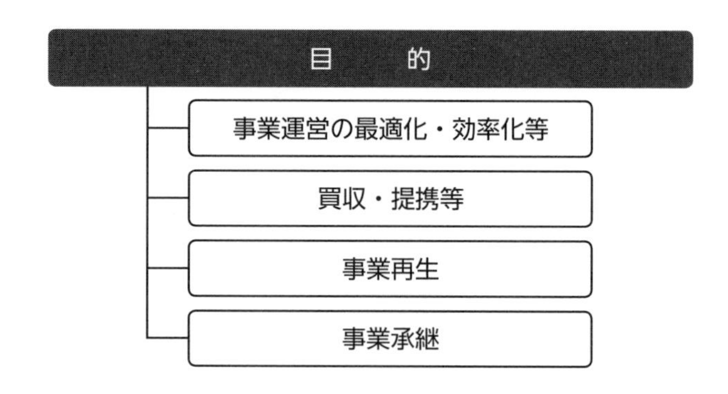

目的については様々な考え方があり、細分化をすると多くの論点がでてきますが、大きくは、

・事業運営の最適化・効率化等

・買収・提携等

・事業再生

・事業承継

に分けられるのではないでしょうか。

目的は組織再編スキームを考案する上で非常に大切で、達成したい目的次第で選択するスキームが異なってきます。

1-2
総論－法務

組織再編に携わる実務家がスキームを考案する際、スタートラインとして法務が検討対象となります。法務というと裁判等をイメージすることがありますが、組織再編では、

・どのような類型の組織再編ができるか
・どのような手続が必要か
・スケジュール

が論点となります。すなわち、組織再編の類型と手続を検討するのが組織再編法務といえます。そして、具体的には会社法をはじめとした組織再編に関連する諸法令にその内容が規定されているのです。

どのような類型の組織再編ができるか

では選択できる組織再編等を簡単に説明します。代表的な組織再編等の類型として、

・株式譲渡・増資
・合併
・会社分割
・株式交換・株式移転・株式交付
・事業譲渡
・現物出資・現物配当（現物分配）
・解散・清算・再生・破産

等があげられます。以下、類型ごとに具体的に説明します。

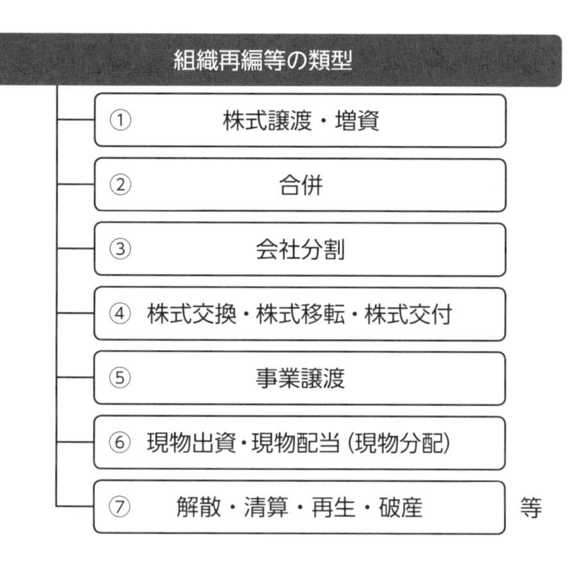

① 株式譲渡・増資

株式譲渡とは、その名の通り組織再編を行うにあたって株式を譲り渡す手法をいいます。

会社の支配権は保有する株式の議決権の数で決まります。そして、議決権を有する株式を、売買等で譲り受ける株式譲渡が最も基本的な組織再編手法といえるでしょう。

一方、増資、とりわけ**第三者割当増資**とは、特定の第三者が既存の会社に出資を行うことにより、新たに発行された株式を取得する手法です。

いずれも、組織再編を行う上で基本的な手法といえます。

キーワード　**株式譲渡、第三者割当増資**

② 合併

合併とは、2つ以上の会社が1つの会社になる手法で、**新設合併**と**吸収合併**があります。

新設合併とは、2つ以上の会社が1つになるにあたり、新しい会社が設立され受け皿となる合併をいいます。吸収合併とは、現存する会社の一方が存続し、他方の会社が現存する会社に吸収され消滅する合併をいいます。

キーワード　新設合併、吸収合併

③ 会社分割

会社分割とは、会社からある事業等を切り出す手法で、**新設分割**と**吸収分割**があります。

新設分割とは、切り出された事業を新たに設立される会社が引き継ぐ分割をいいます。一方、吸収分割は、切り出された事業を他の既存の会社が引き継ぐ分割をいいます。

吸収合併では、消滅会社が有していた権利義務の全てが引継ぎ対象となりますが、吸収分割では一部又は全部の事業等が引き継がれます。

そして、新設分割と吸収分割いずれも、**分社型分割**と**分割型分割**という類型に区分されます。

	新　設	吸　収
分社型	分社型新設分割	分社型吸収分割
分割型	分割型新設分割	分割型吸収分割

分社型分割は、会社から事業等を切り出し、その事業等を切り出した会社が切出し先から対価を受け取る分割をいいます。一方、分割型分割は、切出し先が交付する対価を、事業等を切り出した会社ではなく、切り出した会社の株主が受け取る分割をいいます。

キーワード　新設分割、吸収分割、分社型分割、分割型分割

④　株式交換・株式移転・株式交付

株式交換・株式移転は、持株会社体制等（完全親子会社関係）を構築する手続となります。株式交換は既存の会社が完全親会社となり、株式移転は新設された会社が完全親会社となります。

株式交付は、既存の会社の間で親子会社関係を構築する手続です。株式交換に似ていますが、完全親子会社には必ずしもならない点が異なります。

キーワード　株式交換、株式移転、株式交付

⑤　事業譲渡

事業譲渡は合併や会社分割などのような組織再編行為でなく、契約行為となります。

事業譲渡は、営業や資産、従業員等について、個々の契約関係を引き継ぐことにより事業を譲り受けます。そして、個別に契約を引き継ぐため、事業譲渡以前に存在していたリスクを分断できることがメリットとしてあげられます。その反面、個々の契約手続の切り替えを行わなければならないため、手続が煩雑となります。

キーワード　事業譲渡

⑥　現物出資・現物配当（税務上は現物分配）

現物出資とは、出資を現物、すなわち不動産や有価証券など金銭以外の財産をもって行うことをいいます。一方、**現物配当（現物分配）**は、会社が配当を行う際に、金銭ではなく、有価証券等の現物を株主に給付することをいいます。

キーワード　現物出資、現物配当（現物分配）

⑦　解散・清算・再生・破産

解散とは、その名の通り会社を解散し法人格の消滅へ向かう手続をいい、**清算**とは解散した会社の債権債務を確定し、法人格を消滅させる手続をいいます。

解散・清算手続には、裁判所が関与する**特別清算**と、裁判所が関与しない**通常清算**という手続が存在します。

会社を閉鎖するにあたり、会社が債務超過の状態で債権者に債務を返済する能力がない場合、裁判所が関与し、特別清算となります。

一方、債務超過でない場合や、債務超過であっても赤字の子会社を閉鎖する場合などは親会社が最終的に損失を負担する場合が多く、通常清算となり裁判所は関与しません。

また､特別清算と同じく裁判所が関与する閉鎖手続に**破産**があります。他方で会社を再生させる方法として、**民事再生、会社更生**といった手続があります。

キーワード　解散、清算、特別清算、通常清算、破産、民事再生、会社更生

どのような手続が必要か

実務家が組織再編スキームを考案する際には、どの時点で、どのような手続を踏まなければならないかを検討します。

例えば、株主総会決議が必要な場合、オーナー会社であれば社長をはじめ親族間で容易に決議ができるのに対し、上場会社であれば、外部の株主が多数存在するため決議を得るのが容易ではありません。

このように、実務家はスキームの目的を実現させる上で、手続上どのような問題が生じうるかを事前に検討する必要があります。

手続は主に会社法に規定されていますが、会社法だけでなく、関係する許認可に問題が生じないか、労働手続上問題が生じないかなど他の法令もあわせて確認しなければなりません。大規模な組織再編になると、独占禁止法や金融商品取引法等についても問題が生じないか、あわせて検討することが必要となります。

手続は多岐にわたるので詳細は**第２章**にて解説しますが、法務に関して実務家が気にするポイントとして、

・株主総会や取締役会等の**機関における決議**の必要性、タイミング

・公告や債権者への通知などの**債権者保護手続**

・**労働者保護手続**

・上記が必要とされない方法はないか（例えば、略式や簡易手続）

・スキーム全体でどの程度の期間が必要となるか

等があげられます。

キーワード　機関における決議、債権者保護手続、労働者保護手続

1-3 総論－会計

実務家が組織再編スキームを立案する際、会計処理方法も重要な要素となります。会計では、実行する組織再編が財務諸表上どのように表現されるかが問題となります。組織再編を行うと複雑な会計処理が必要となるため、利益や損失が計上されるのか、また、どのような開示が必要となるのかを考慮しながらスキームを立案しなければなりません。

具体的に会計を検討する際に重要となるのが、会社や株主等組織再編当事者において、組織再編の前後で投資が継続しているか否かの検討になります。

投資の継続と清算

例えばグループ内での組織再編のように、全体としてみると以前の投資が継続されているとみられるような取引、すなわち組織再編以前と実態が異ならない取引の場合には、**帳簿価額での取引**となるため、基本的には損益が計上されません。

一方、投資が清算された、すなわち組織再編以前と実態が異なると考えられる取引の場合には、**時価での取引**を行います。この場合、引き渡し元では交換損益（譲渡損益）が計上され、受け入れる側では、時価で受け入れます。

個々の要件の検討は複雑ですが、まずは投資が清算されているのか否かを検討することが実務上重要となります。

また、単体決算と連結決算で取扱いが異なることがありますので、**単体決算と連結決算での処理の方法の違い**を意識してスキームを考案する必要があります。

キーワード　帳簿価額での取引、時価での取引、
単体決算と連結決算での処理の方法の違い

1-4 総論－税務

スキームを立案する上での重要な要素として税務があります。組織再編を検討する上では、税金計算上の有利不利を判定する必要があるのです。

ポイントは、

- 会社や株主等組織再編当事者に税金が発生するか
- 組織再編を行うことにより、当事者の有していた繰越欠損金や発生した損失はどうなるのか
- 不動産取得税等の取引コストはどうなるのか

となります。

会社や株主等組織再編当事者に税金が発生するか

法人税等の税金が発生するかを検討する際、その再編が**税制適格組織再編**に該当するかどうかの判断が重要となります。

税制適格組織再編に該当しない場合は時価で資産等の移転を行わなければならないため、税金が発生してしまう可能性があります。一方、税制適格組織再編に該当する場合は、簿価での移転を行うため税金は発生しません。

では、税制適格となる状況はどのような場合でしょうか。税制適格は、例えば100%グループ内で行われる組織再編のように、組織再編を実行しても、経済的実態は以前と変わらない場合等をイメージするとわかりやすいと思います。

税制適格の要件は採用する組織再編によって異なる上、複雑ですので詳細は**第２章**を確認してください。

【税制適格：簿価で資産等を移転するので税金が発生しない】

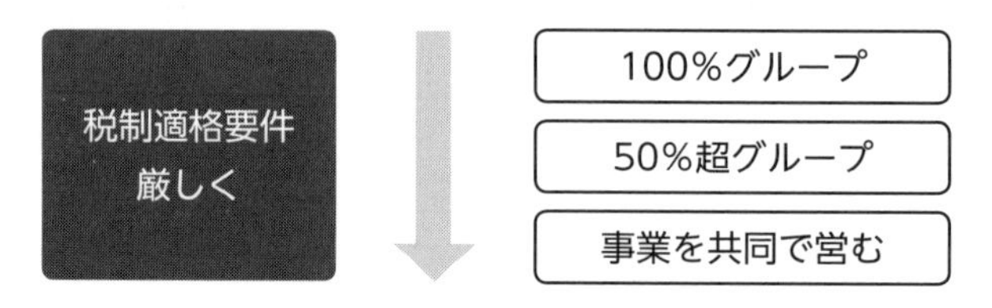

他方、**事業や資産を譲渡**することにより再編を行った場合にも、これにより課税所得が発生しないかを確認する必要があります。

この点、100% 支配関係にある法人同士での一定の取引については**グループ法人税制**が適用され、課税所得の発生が繰り延べられます。

また、株主としての課税関係についても気を付ける必要があります。

ポイントとしては、**配当による課税**を受けないか、**株式の譲渡所得課税**は発生しないか、組織再編後に**受取配当金等の益金不算入**を有効に活用しうるか等があげられるでしょう。

キーワード　税制適格組織再編、事業や資産を譲渡、グループ法人税制、配当による課税、株式の譲渡所得課税、受取配当金等の益金不算入

組織再編を行うことにより、当事者が有していた繰越欠損金や発生した損失はどうなるのか

グループ内組織再編を行う場合、組織再編の対象会社が有している繰越欠損金を別の組織再編当事会社に引き継ぐことができる場合があります。

繰越欠損金は将来の課税所得を減額する効果がありますので、これを引き継ぐことができるか否かは重要な検討課題となります。とりわけ事業再生の局面では、繰越欠損金が多額であるためにその取り扱いが再生を成功させるか否かにおいて極めて重要な要素となります。

繰越欠損金を引き継ぐためには、前提として**税制適格組織再編**に該当しなければなりません。まずは税制適格に該当するかどうかの判断を行った

上で、次に欠損金を引き継ぐことができるかを検討することになります。

そして、欠損金を引き継ぐことができるか否かを検討するには特別なルールがあります。簡単にいえば、支配関係が発生してから5年経過している場合は引継ぎを行うことができるケースが多いのですが、特定資産の譲渡損失の検討など複雑なルールが存在するので慎重に検討する必要があります。

また、繰越欠損金の引継ぎにかかる検討の他、**損失が計上できるか**も重要です。例としては、親会社が有している子会社貸付金を、事業再生等にあたり放棄しなければならない場合などがあげられます。貸付金は、法律上は放棄することに問題がない場合であっても**税務上は寄附に該当**してしまう可能性があり、当初の貸付行為等に経済合理性がなく寄附と認定されてしまうと損金になりません。

そこで、損失を計上できるか否かを検討するには、実質的に寄附金に該当していないかという観点で、慎重な判断が求められます。

キーワード　繰越欠損金を引き継ぐ、税制適格組織再編、損失が計上できるか、税務上は寄附に該当

不動産取得税等の取引コストはどうなるのか

税務を考える上では、不動産取得税や登録免許税、さらには消費税等の**取引コスト**が非常に重要となります。

例えば、多額の不動産を事業譲渡の手法で移転してしまうと莫大な不動産取得税が発生してしまいます。もし、税制適格組織再編の手法を用いることができれば取引コストを低く抑えるスキームを考案することも可能です。

組織再編を考える上では、実行の結果、損をすることにならないよう、法人税や所得税等だけでなく、取引コストもあわせて検討することが大切です。

キーワード　取引コスト

第2章

組織再編手法のアウトライン

Scheme

2-1 決算公告

1. 意 義

株式会社は、定時株主総会の終結後、遅滞なく貸借対照表（大会社*の場合は貸借対照表及び損益計算書）を公告しなければなりません（会法440①）。この公告のことを、決算公告といいます。株式会社では利害関係人が多数に及ぶことがあるため、これらの利害関係人に対して会社の決算内容を開示する必要があるということを趣旨として、この決算公告の制度が設けられています。

決算公告は組織再編手続等に直接関係するものではありませんが、組織再編の当事会社がそれまでに決算公告を行っていない場合、債権者保護手続（**2-4** 参照）の際、直近の貸借対照表等の開示をあわせて行う必要が出てきます。

* 大会社：次のいずれかに該当する株式会社のことをいいます（会法２六）。
① 最終の事業年度に係る貸借対照表上の資本金の額が５億円以上
② 最終の事業年度に係る貸借対照表上の負債の額が200億円以上

2. 決算公告の方法

決算公告には、下記の３種類の方法があります（会法939①）。

(1) 官報に掲載する方法

(2) 時事に関する事項を掲載する日刊新聞紙に掲載する方法

(3) 電子公告（インターネット上のウェブサイトに掲載）

通常、決算公告の方法は定款に定められていますが、定款に公告方法の定めがない場合は官報が公告方法となります（会法939④）。

3. 組織再編等における決算公告の問題点

1. において説明した通り、株式会社は毎事業年度の決算公告をしなければならないと法定されていますが、そもそもこの公告義務を認識していない会社も多く、実際には決算公告を行っていない会社が少なくありません。

他方、会社が組織再編を行う場合、一定の例外を除いて債権者保護手続を行わなければなりません。この債権者保護手続では、原則として①官報による公告及び②個別の債権者に対する催告を行わなければなりませんが、①②いずれにおいても、最終貸借対照表等の公告状況を記載しなければならないとされています。例えば、会社が決算公告を官報によって行っていた場合、その決算公告が掲載された号及び頁等を記載しなければなりません（**2-4** 参照）。

そうすると、決算公告を行っていない会社の場合が問題となりますが、決算公告を行っていない場合、①の公告及び②の催告と同時に決算公告としての貸借対照表等を掲載（公告）すれば足りるとされています。しかし、官報公告と決算公告を同時掲載する場合、通常の官報公告よりも掲載までに日数がかかってしまうことに注意が必要です。組織再編のスケジュールを組んだ後に決算公告を行っていないことが判明した場合、官報公告まで（つまり債権者保護手続の開始まで）に予想外の日数がかかりスケジュールの変更を余儀なくされることがあります。したがって、組織再編を企画する場合、決算公告を適法に行っているか否かについてはあらかじめ確認しておかなければなりません。

2-2 取締役会

1. 取締役会の職務

取締役会は、全ての取締役により構成される合議体です。取締役会は、業務執行の決定、取締役の職務執行の監督、代表取締役の選定等の職務を行う機関です。なお、公開会社等一定の場合を除き、取締役会を置かないことも可能です。この場合、原則として会社の業務は取締役の過半数で決定します。

2. 取締役会の手続

(1) 招集

取締役会は、原則として会日の1週間前までに各取締役・監査役に対して招集通知を発しなければなりません。ただし、定款で1週間を下回る期間（例えば5日前）を定めることができます（会法368①）。また、取締役及び監査役全員の同意があるときは招集の手続を省略することができます。後記のとおり、株主総会決議を省略できる場合（略式組織再編又は簡易組織再編）（**3-4** 参照）であっても取締役会決議を省略することはできませんので、スケジュールを組み立てる際には取締役会の日程を必ずおさえておく必要があります。

(2) 決議

取締役会決議は、議決に加わることができる取締役の過半数が出席し、その過半数の賛成によって行います（会法369①）。

(3) 議事録

会社は、取締役会の議事について議事録を作成し、取締役会の日から10年間、当該議事録を本店に備え置かなければなりません(会法371①)。また、取締役会議事録には一定の事項を記載し、出席取締役及び監査役が記名押印しなければなりません(会法369③、会規101)。

(4) 特別利害関係人

決議について特別の利害関係を有する取締役は、取締役会の決議に加わることができません(定足数にも入れません)。例えば、取締役総数が8名の場合、通常の決議における定足数は5名ですが、そのうち1名が特別利害関係取締役だとすると、7名の過半数4名が定足数となります。

3. 組織再編等における取締役会の決議事項

(1) 株主総会の招集

吸収合併契約等の組織再編に関する契約や計画は、原則として株主総会の決議を経なければなりません(会法795①等)。株主総会の招集は、取締役会の決議事項ですから、株主総会に先立ち、取締役会において株主総会を招集する旨等一定の事項を決議しなければなりません(会法298①④)。

ただし、簡易組織再編・略式組織再編に該当する場合は、組織再編に関する契約や計画について株主総会決議を要しないため、株主総会の招集をする必要はありません(**3-4**参照)。

(2) 組織再編等の承認決議

組織再編等の決定は、取締役会の職務である「業務執行の決定」に該当するため、取締役会の決議による承認が必要となります(会法362②一)。

簡易組織再編・略式組織再編の要件に該当する場合は株主総会決議が不要であることから株主総会の招集決議も不要ですが、組織再編行為を承認する取締役会決議は必要です。

2-3 株主総会・株主への通知又は公告・反対株主の株式買取請求・現物出資に関するその他の手続

1. 株主総会の意義

(1) 意義

株主総会は、株式会社の最高意思決定機関です。組織再編は会社の基礎に重大な変更をもたらしますから、原則として株主総会の決議が必要となります。なお、事業譲渡等一定の行為を行う場合も同様に株主総会の決議が必要となります。

(2) 種類

株主総会は、定時株主総会と臨時株主総会の2種類があります。定時株主総会は、毎事業年度終了後一定の時期に招集しなければなりませんが、臨時株主総会は必要があるときに招集することができます。組織再編等の承認決議については、定時株主総会、臨時株主総会いずれにおいても決議することができます。

(3) 組織再編等における株主総会の注意点

公開会社や株主の多い会社の場合、株主総会の開催準備に大きなコストがかかりますし、招集等に一定の期間を設けなければなりません。

しかし、簡易組織再編・略式組織再編（**3-4** 参照）の要件を満たせば、株主総会の決議は不要となります。株主総会決議を省略できれば組織再編等のスケジュールを大幅に短縮できる場合がありますので、スキームの策定の際には、株主総会を不要にすることができるか否かを検討する必要があります。

2. 株主総会の手続

(1) 招集

株主総会は、日時及び場所、目的である事項等を定め、代表取締役が招集します。取締役会設置会社においては、招集に関する事項は取締役会の決議により決定しなければなりません（会法 298 ④）。

(2) 招集通知

① 発送期限

株主総会を招集するには、次のいずれかの時期までに株主に対して招集通知を発しなければなりません（会法 299 ①）。

・公開会社 *1：総会の 2 週間前まで

・非公開会社：原則として総会の 1 週間前まで

ただし、

（例外 1）書面又は電磁的方法による議決権を認める場合
→総会の 2 週間前まで

（例外 2）招集期間を 1 週間未満とする旨定款で定めた場合
→その期間前まで

また、株主全員の同意がある場合は、招集手続を経ることなく株主総会を開催することが可能です（会法 300）。

*1 公開会社とは、発行する株式の全部又は一部に株式の譲渡制限に関する規定が設けられていない会社をいいます（会法 2 五）。これに対し、公開会社ではない会社、すなわち発行する株式の全部に譲渡制限が設けられている会社を非公開会社といいます。

②　招集通知の内容

組織再編等を議案とする株主総会の招集通知においては、当該組織再編等に関する議案の概要を記載しなければなりません（会法299④、298①五、会規63七リ～ヨ）。

(3) 決議

株主総会の決議には下記の4種類があり、決議する内容に応じて必要とされる決議の種類が異なります。組織再編等の手続においては、原則として特別決議による承認を受けなければなりません（会法309②十二）。

【株主総会決議の種類】

普通決議 (会法309①)	議決権の過半数を有する株主が出席し、その議決権の過半数
特別決議 (同309②)	議決権の過半数を有する株主が出席し、その議決権の3分の2以上
特殊決議① (同309③)	議決権を行使できる株主の半数以上が出席し、その議決権の3分の2以上
特殊決議② (同309④)	総株主の半数以上が出席し、総株主の議決権の4分の3以上

なお、下記ア・イのいずれかに該当する場合、取締役は存続会社（会社分割の場合＝承継会社、株式交換の場合＝株式交換完全親会社）の株主総会においてその旨を説明しなければなりません（会法795②③）つまり、この場合、存続会社（会社分割の場合＝承継会社、株式交換の場合＝株式交換完全親会社）の株主総会を省略することはできません。

ア．差損が生じる場合

イ．合併又は会社分割により承継する資産に、存続会社又は承継会社の株式が含まれている場合

(4) 議事録

株主総会の議事については、一定の事項を記載した議事録を作成しなければなりません（会法318①、会規72③）。この議事録は、総会の日から10年間本店に、写しを5年間支店に備え置かなければならないとされています（会法318②③）*2。

＊2　現行会社法上、株主総会議事録には出席取締役等の記名押印等の義務は規定されていません。したがって、会社法上は株主総会議事録に出席取締役等が記名押印をする義務はないのですが、通常は「議長、出席取締役及び監査役が押印する」等の規定を定款に設けている会社が多いです。

3. 株主への通知又は公告・反対株主の株式買取請求

(1) 吸収型組織再編の場合

① 株主への通知又は公告

吸収型組織再編（吸収合併、吸収分割、株式交換）の当事会社は、“効力発生日の20日前まで”に、株主に対し、吸収合併等を行う旨、並びに相手方会社の商号及び住所を通知しなければなりません（会法785③、797③）。この通知は、特に方式等の制限はありませんので、株主総会の招集通知とあわせて行っても差し支えありません。なお、一定の場合は通知を公告で代えることができます（会法785④、797④）。この場合の公告についても、債権者保護手続の公告とあわせて行うことができます。

② 反対株主の株式買取請求

組織再編に反対する株主は、会社に対して自己の有する株式を公正な価格で買い取ることを請求できます（会法785①、797①）。これを株式買取請求といいます。株式買取請求権を行使できる株主は、次頁表の通りです。

株式買取請求は、効力発生日の20日前から効力発生日の前日までの間にすることができます（会法785⑤、797⑤）。

【株式買取請求権を行使できる株主】

①	株主総会決議を要する場合で、議決権を有する株主であって、総会に先立って反対の旨を会社に通知し、かつ総会において反対した株主
②	株主総会決議を要する場合で、議決権を行使できない全ての株主
③	株主総会を要しない場合（略式組織再編）の全ての株主*3、*4

＊3　略式組織再編における特別支配会社は、株式買取請求権を行使できません（会法785②二、797②二）。

＊4　簡易組織再編の場合は、株式買取請求権を行使できません（会法785①、797①）。

(2) 新設型組織再編の場合

①　株主への通知又は公告

新設型組織再編（新設合併、新設分割、株式移転）の当事会社は、吸収型組織再編の場合と同様、消滅会社・分割会社・株式移転完全子会社の株主に対し一定の事項を通知する必要がありますが、“株主総会の決議の日から2週間以内”に通知する必要がある点が吸収型組織再編の場合と異なります（会法806③）。また、通知に代えて公告をすることもできます（会法806④）。なお、会社法上「株主総会の決議の日から2週間以内」とされていますが、株主総会よりも前に通知又は公告をしても差し支えありません。

②　反対株主の株式買取請求

吸収型組織再編の場合と同様、組織再編に反対する一定の株主は、会社に対して株式買取請求権を有します（会法806①②）。株式買取請求権の行使期間は、①の通知又は公告をした日から20日以内です（会法806⑤）。なお、簡易新設分割の場合は、株式買取請求権はなく、株主への通知も必要ありません（会法806③但書、806①、805）。

4. 各手続における株主総会決議の要否

(1) 組織再編の場合

組織再編を行う場合、原則として全ての当事会社において株主総会の特別決議による承認を受けなければなりません（会法309②十二、783①等）。ただし、簡易組織再編又は略式組織再編の要件を満たす場合は、差損が出る場合等をのぞき、株主総会決議を要しません（**3-4**参照）。

また、株式交付を行う場合、株式交付親会社において株主総会の特別決議による承認が必要ですが、株式交付子会社においては不要であり、簡易組織再編と同様の要件を満たすときは株式交付親会社においても株主総会決議を要しません（会法816の4①）。

(2) 事業譲渡の場合

事業譲渡についても、譲渡会社及び譲受会社は、原則として株主総会の特別決議による承認を受けなければなりません（会法467①、309②十一）。ただし、簡易事業譲渡又は略式事業譲渡（**3-4**参照）の要件を満たす場合は、株主総会決議は不要です。

なお、組織再編の場合と同様、一定の場合には反対株主に株式買取請求権が生じ、この前提として効力発生日の20日前までに株主への通知又は公告が必要となります（会法469）。

(3) 現物出資の場合（第三者割当）

① 手続の流れ

第三者割当*5による現物出資を行う場合、下記のような流れとなります。

＊5 通常の株式発行は、大別すると「株主割当」（株主に対してその持株数に比例して割当を受ける権利を与える方法）と「第三者割当」（株主割当以外の方法により割り当てる方法）があります。ここでは、「第三者割当」を前提として説明します。

ア．募集事項の決定

募集する株式の数、出資の期日又は期間等を決定するとともに、現物出資を行う旨及び現物出資財産の内容・価額も決定しなければなりません（会法199①三）。

イ．検査役による検査

現物出資を行う場合、会社は、ア．の決定後遅滞なく、現物出資財産の価額を調査させるため裁判所に検査役の選任申立てをしなければなりません（会法207①）。この検査役の調査は多額の費用が必要となり、また数か月の期間を要する場合があることが難点です。しかし、下記に該当する場合は、例外としてこの検査役の調査を要しません。実務上は、この例外に該当するようにして検査役の調査を不要にすることが多いです。

【検査役の調査を要しない場合（下記のいずれかに該当する場合）】

- 割り当てる株式の総数が、直近の発行済株式総数の10分の1以下
- 現物出資財産の価額の総額が500万円以下
- 現物出資財産が市場価格のある有価証券であって、価額が市場価格として法務省令で定める方法によって算定される額を超えない場合
- 価額が相当であることについて弁護士、公認会計士、税理士等の証明を受けた場合（現物出資財産が不動産の場合は、不動産鑑定士の鑑定評価も必要）
- 現物出資財産が会社に対する金銭債権（弁済期到来済み）であって、価額が会社における負債の帳簿価額以下である場合

ウ．株主に対する通知又は公告

公開会社が取締役会決議によって募集事項を定めたときに限り必要です（会法201③）。

エ．株式の申込み*6

株式の申込みをしようとする者は、引受けの申込みをします（会法203）。

オ．割当先の決定*6

会社は、株式の引受けの申込みをした者の中から割当を受ける者

を定め、その者に割り当てる株式数を決定します（会法204①）。

カ．出資の履行

オ．によって割当を受けた者（引受人）は、ア．で定められた期日又は期間内に、現物出資財産の給付をしなければなりません（会法208②）。

＊6　募集株式を引き受けようとする者と会社との間で総数引受契約を締結した場合は、申込み及び割当の手続を要しません（会法205①）。

②　株主総会決議が必要な事項

①の手続のうち、下記に該当するときは株主総会の特別決議が必要となります。

・非公開会社が、募集事項の決定（①ア）及び割当先の決定（①オ）をするとき（会法199②、204②）＊7

・公開会社・非公開会社を問わず、有利発行をするとき

・譲渡制限株式について総数引受契約を締結するとき（取締役会設置会社の場合を除く）

＊7　ただし、取締役会設置会社の場合、割当先の決定は取締役会決議によって行います（会法204②カッコ書）。

(4) 現物分配の場合

現物分配は、剰余金の配当の一種です。通常の剰余金の配当であれば、株主総会の普通決議で足りますが、金銭分配請求権を与えずに現物分配を行う場合＊8は、株主総会の特別決議が必要です（会法454④、309②十）。

＊8　現物分配を行う場合、現物に代えて金銭の分配を請求する権利（金銭分配請求権）を株主に対して与えることができます。この金銭分配請求権を与える場合は、現物分配でも普通決議によることができます。

(5) 解散

解散の株主総会決議をする場合、当該決議は特別決議による必要があります（会法471③、309②十一）。

2-4 債権者保護手続

1. 意 義

組織再編の手続は、会社が負っている債務の支払能力に大きな影響を及ぼす可能性があります。そこで、会社法においては、組織再編の手続を行う場合、原則として会社の債権者に対し、組織再編に異議があれば一定の期間内に異議を述べることができる旨を公告・通知する手続（債権者保護手続）をしなければならないとされています。

2. 手 続

(1) 方法

①【原則】官報による公告＋個別催告

債権者保護手続は、「官報への公告掲載」及び「会社が把握している全ての債権者に対する個別の催告（詳細は(5)参照）」の2つを行うことが原則です。

②【例外】官報による公告＋官報以外の公告方法による公告

①のように、会社が把握している全ての債権者に対して個別に催告をすることは非常に煩雑ですから、官報公告に加えて、会社が定款において定めている公告方法（日刊新聞紙への掲載又は電子公告）により公告をすれば、個別の催告を省略することができます（会法789③）。

この手法で注意しなければならないのは、会社が定めた公告方法が官報以外の方法（日刊新聞紙への掲載又は電子公告）である場合に限り可能だということです。公告方法を官報と定めている会社は、個別催告を省略することができません。

(2) 公告・催告の内容

公告・催告において記載しなければならない内容は、下記のとおりです（会法 789 ②、会規 188 等）。

① 組織再編をする旨

② 相手方の商号及び住所

③ 自社及び相手方会社の最終の決算公告の掲載媒体・掲載日・掲載場所等について*1

＊1 決算公告がされていない場合は、決算公告を同時に行わなければなりません（**2-1** 参照）。

④ 一定の期間（1 か月以上）内に異議を述べることができる旨

【債権者への公告の文例（吸収合併の場合）】

合併公告

左記会社は合併して甲は乙の権利義務全部を承継して存続し乙は解散することにいたしましたので公告します。

効力発生日は令和六年〇月〇日であり、両社の株主総会の承認決議は令和六年〇月〇日に終了しております。

この合併に対し異議のある債権者は、本公告掲載の翌日から一箇月以内にお申し出下さい。

なお、最終貸借対照表の開示状況は次のとおりです。

（甲）掲載紙　官報
掲載の日付　令和六年〇月〇日
掲載頁　〇〇〇頁（号外第〇〇〇号）

（乙）掲載紙　官報
掲載の日付　令和六年〇月〇日
掲載頁　〇〇〇頁（号外第〇〇〇号）

令和六年〇月〇日

〇〇県〇〇市〇〇町一丁目一番一号
（甲）〇〇〇〇株式会社
代表取締役　〇〇〇〇

△△県△△市△△町二丁目二番二号
（乙）△△△△株式会社
代表取締役　△△△△

(3) 公告・催告の期間

公告・催告は、1か月以上の期間を設けなければなりません。組織再編においては、この1か月の期間を設けなければならない点がスケジュールに極めて大きな影響を与えます。

合併以外の組織再編の場合は、一定の要件のもと債権者保護手続を省略することができます（**3-5**参照）。スケジュール短縮のためには、この債権者保護手続の省略を最大限活用すべきといえます。

なお、債権者保護手続は、効力発生日前に完了していれば、いつ開始しても差し支えありませんので、株主総会の決議を経る前に開始することも可能ですが、少なくとも取締役会決議後に開始することがほとんどです。

(4) 公告の注意点

① 掲載までの日数

官報や日刊新聞紙に公告を掲載する場合、申込みから掲載までに一定の日数がかかりますので、あらかじめその日数を確認しておく必要があります。

② 電子公告における注意点

電子公告を行う場合、単に所定のホームページ等に掲載だけすればよいというわけではなく、電子公告調査機関に対し所定の期間内電子公告が掲載されていたかどうかの調査を依頼しなければなりませんので、注意が必要です。なお、この電子公告調査機関の調査報告は登記の際の添付情報となります。

(5) 個別催告の注意点

① 個別催告の方法

公告と異なり、個別催告の方法については特段制限がありませんが、通常は郵送の方法により行うことが多いです。郵送の場合、内容証明郵便や簡易書留等の方法によらず普通郵便によることも可能です。

② 対象となる債権者の範囲

会社が把握している全ての債権者です*2。

*2 少額の債権者が多数に及ぶ会社において、例えば５万円等の基準額を定め、当該基準額未満の債権者に対しては催告を行わない、という事例も実務上散見されます。しかし、会社法では、単に「知れている債権者」に対して各別に催告をしなければならない、とされているにとどまり、少額の債権者に対して催告を省略できる旨の規定はありませんから、組織再編手続に瑕疵を主張されるリスクがないとは言い切れないことに留意する必要があります。
ただし、その金額がすぐに支払可能な程度に少額であれば、支払ってしまえばいいので、組織再編の実行に大きな影響を与えないことがほとんどです。それに備える意味でも、債権者保護手続には時間的余裕を持ってスケジュールを組むことが理想です。

(6) 債権者から異議を述べられたときの対応

債権者が異議を述べてきたときは、その債権者を害するおそれがない場合を除き、債権者に対し、(a) 弁済する、(b) 相当の担保を供する、(c) 信託会社等に相当の財産を信託する、のいずれかの対応をしなければなりません（会法789⑤等）。

3. 各組織再編手続における債権者保護手続の要否

組織再編の態様によっては、債権者保護手続が不要なことがあります。債権者保護手続が不要であればスケジュールを大幅に短縮できます。詳細は**3-5** を参照してください。

2-5
契約書・計画書の作成

1. 総 説

会社が組織再編を行う場合、当該組織再編に関する契約又は計画を作成しなければなりません。

吸収合併、吸収分割、株式交換においては「契約」と呼び、新設合併、新設分割、株式移転、株式交付では「計画」と呼びますが、いずれも組織再編についての必要な事項を定めるものです。

組織再編に関する契約又は計画に記載しなければならない事項は法定されており、法定の事項を欠く契約又は計画は無効とされてしまうおそれがありますので、注意が必要です。

2. 吸収型組織再編における記載事項

(1) 吸収合併契約（会法 749）

(○：必須、△：該当する場合のみ必須)

○	① 存続会社及び消滅会社の商号・住所
△	② 合併対価の内容*1
△	③ 合併対価の割当に関する事項（割当比率）
△	④ 消滅会社が新株予約権を発行している場合において、当該新株予約権者に対して存続会社が新株予約権を交付するときは、交付する新株予約権又は金銭の内容

△	⑤　④の新株予約権又は金銭の割当比率
○	⑥　効力発生日

＊1　会社法 749 条 1 項 2 号において「～金銭等を交付するときは～」と規定されているため、無対価合併の場合はこの点につき記載しなくともよいこととなりますが、通常は「合併に際し、消滅会社の株主に対し対価を交付しない」などと記載することが多いです。

(2) 吸収分割契約（会法 758）

(○：必須、△：該当する場合のみ必須)

○	①　分割会社及び承継会社の商号・住所
○	②　承継会社が承継する資産、債務等に関する事項
△	③　分割会社又は承継会社の自己株式を承継会社に承継させるときは、その事項
△	④　分割対価の内容＊2
△	⑤　分割会社が新株予約権を発行している場合において、当該新株予約権者に対して承継会社が新株予約権を交付するときは、交付する新株予約権の内容
△	⑥　⑤の新株予約権の割当比率
○	⑦　効力発生日
△	⑧　分割型吸収分割を行うときは、その内容

＊2　合併の場合と同じです。

(3) 株式交換契約（会法 768）

(○：必須、△：該当する場合のみ必須)

○	① 完全子会社及び完全親会社の商号・住所
△	② 株式交換対価の内容*3、割当比率
△	③ 完全子会社が新株予約権を発行している場合において、当該新株予約権者に対して完全親会社が新株予約権を交付するときは、交付する新株予約権の内容
△	④ ③の新株予約権の割当比率
○	⑤ 効力発生日

*3 合併の場合と同じです。

3. 新設型組織再編における記載事項

(1) 新設合併計画（会法 753）

(○：必須、△：該当する場合のみ必須)

○	① 消滅会社の商号・住所
○	② 新設会社の目的、商号、本店所在地及び発行可能株式総数
○	③ ②の他、新設会社の定款で定めるべき事項
○	④ 新設会社の設立時取締役（最初の取締役）の氏名
△	⑤ ④の他、新設会社に会計参与、監査役、会計監査人を置くときは、これらの氏名又は名称
○	⑥ 新設会社が消滅会社株主に対して交付する株式の数又は算定方法、新設会社の資本金の額及び準備金の額
○	⑦ 消滅会社の株主に対する新設会社の株式の割当比率

△	⑧　新設会社が消滅会社株主に対して社債を交付するときは、その内容及び割当比率
△	⑨　消滅会社が新株予約権を発行している場合において、当該新株予約権者に対して新設会社が新株予約権又は金銭を交付するときは、交付する新株予約権又は金銭の内容及び割当比率

(2) 新設分割計画（会法 763）

(○：必須、△：該当する場合のみ必須)

○	①　新設会社の目的、商号、本店所在地及び発行可能株式総数
○	②　①の他、新設会社の定款で定めるべき事項
○	③　新設会社の設立時取締役（最初の取締役）の氏名
△	④　③の他、新設会社に会計参与、監査役、会計監査人を置くときは、これらの氏名又は名称
○	⑤　新設会社が承継する権利義務に関する事項
○	⑥　新設会社が分割会社に対して交付する株式の数又は算定方法、新設会社の資本金の額及び準備金の額
○	⑦　分割会社に対する新設会社の株式の割当比率
△	⑧　新設会社が分割会社に対して社債を交付するときは、交付する社債の内容及び割当比率
△	⑨　分割会社が新株予約権を発行している場合において、当該新株予約権者に対して新設会社が新株予約権を交付するときは、交付する新株予約権の内容及び割当比率
△	⑩　分割型新設分割を行うときは、その内容

(3) 株式移転計画（会法 773）

(○：必須、△：該当する場合のみ必須)

○	①　新設会社の目的、商号、本店所在地及び発行可能株式総数

○	②　①の他、新設会社の定款で定めるべき事項
○	③　新設会社の設立時取締役（最初の取締役）の氏名
△	④　③の他、新設会社に会計参与、監査役、会計監査人を置くときは、これらの氏名又は名称
○	⑤　新設会社が完全子会社の株主に対して交付する株式の数、新設会社の資本金の額、準備金の額及び株式の割当比率
△	⑥　新設会社が完全子会社の株主に対して社債を交付するときは、その内容及び割当比率
△	⑦　完全子会社が新株予約権を発行している場合において、当該新株予約権者に対して新設会社が新株予約権を交付するときは、交付する新株予約権の内容及び割当比率

4. 株行交付計画における記載事項（会法774の3）

○	①　株式交付子会社の商号及び住所
○	②　株式交付親会社が譲り受ける株式交付子会社の株式の数の下限
○	③　株式交付親会社が、株式交付子会社の株式の譲渡人に対して対価として交付する株式交付親会社の株式の数又はその算定方法並びに当該株式交付親会社の資本金及び準備金の額に関する事項
○	④　株式交付子会社の株式の譲渡人に対する株式交付親会社の株式の割当てに関する事項
△	⑤　株行交付子会社の株式の譲渡人に対して金銭等を交付するときは、当該金銭等に関する事項
△	⑥　⑤の金銭等の割当てに関する事項
△	⑦　株式交付親会社が株式交付に際して、株式交付子会社の株式と併せて株式交付子会社の新株予約権等を譲り受けるときは、当該新株予約権等の内容及び数又はその算定方法

△	⑧　⑦の場合で、当該新株予約権等の対価として金銭等を交付するときは、当該金銭等に関する事項
△	⑨　⑧の金銭等の割当てに関する事項
○	⑩　申込みの期日
○	⑪　効力発生日

5. 開 示

(1) 事前開示

組織再編に関する契約又は計画は、事前開示（**2-7**参照）の内容とされていますので、備置開始日から一定の期間、本店に備え置かなければなりません（会法782①等）。

(2) 株主総会招集通知

組織再編については、原則として株主総会の承認を得る必要がありますが、この株主総会の招集通知を書面により行う場合には、株主総会参考書類に組織再編に関する契約又は計画の概要を記載しなければなりません（会法301①、会規65①、86三）。

2-6 会社分割による労働契約の承継に関する手続

1. 総 説

会社分割は、会社の事業に関する権利義務の全部又は一部を他の会社に承継させる行為です。会社分割をした場合、当然に労働者が承継会社又は新設会社（以下「承継会社等」といいます）に承継されるものではなく、吸収分割契約又は新設分割計画（以下「分割契約等」といいます）において承継会社等に承継されると定められた労働者に限り、承継会社等に承継されることとなります。この場合において、承継される労働者の同意は必要ありません。しかし、労働者の保護を図るため、「会社分割に伴う労働契約の承継等に関する法律」（労働契約承継法）に規定された手続をとらなければなりません。

2. 会社分割における労働者の保護（労働契約承継法）の概要

(1) 概要

会社分割においては、労働契約が労働者の個別同意を得ることなく他の会社に承継されるため、事業譲渡や合併の場合に比べて労働者の保護を図る必要性が高いことから、労働契約承継法の規定に従った手続をとることが必要となります[*1]。

＊1　会社分割による労働者保護については、労働契約承継法の他、同法施行規則（平成 12 年労働省令第 48 号）、同法 8 条の規定に基づき定められた指針（平成 12 年労働省告示第 127 号）があります。また、平成 12 年に会社分割の制度が創設された際の商法等改正法附則 5 条においては、労働者との事前協議をすべき旨が定められています（後記 3(3)）。

労働契約承継法においては、会社分割を実行する前にしなければならない手続等が規定されているため、会社分割により労働者の承継が予定される場合には、同法にもとづく手続をもれなくスケジュールに組み込まなければなりません。

なお、事業譲渡や合併の場合であっても労働者の承継は生じることがありますが、事業譲渡においては、譲受会社に承継される労働者の個別の同意が必要とされています（民法625）。また、合併の場合においては、消滅会社が有していた権利義務が全て存続会社（又は設立会社）に承継されますから、労働者に不利益を与える可能性は高くないと考えられます*2。

＊2　事業譲渡又は合併を行うにあたって会社が留意すべき事項については、厚生労働大臣により指針が定められています（平成28年厚生労働省告示第318号）。指針では、事業譲渡については、譲受会社に承継される労働者から承諾を得るにあたっては、真意による承諾を得られるよう、譲受会社等の概要及び労働条件を十分に説明し、承諾に向けた協議を行うことが適当であること等が指摘されており、合併については、消滅会社に雇用されていた労働者との労働契約は存続会社又は新設会社に包括的に承継される旨が指摘されています。

(2) 対象となる労働者の範囲

労働契約承継法における「労働者」とは、分割会社に雇用されている全ての労働者をいいますので、正社員に限らず、パートタイマーや契約社員も含まれます。

また、分割会社から承継会社等に在籍出向の形式をとる場合、当該在籍出向者も労働契約承継法による手続の対象になるとされていることにも注意が必要です（厚生労働省労働基準局労働関係法課第一係「会社分割・事業譲渡・合併における労働者保護のための手続に関するQ&A」P11）。

3. 労働契約承継法による手続の流れ

【労働契約承継法による手続の流れ（株主総会決議が必要な場合）】

【会社法の手続】	【労働契約承継法・商法改正法附則５条の手続】
	労働協約の承継に関する労使合意 →(1) 【分割契約等の締結・作成前が望ましい】
分割契約書等の締結・作成	労働者全体の理解と協力を得る努力 →(2) (労使協議等) 【個別労働者との協議開始前が望ましい】
事前開示手続の開始	【通知期限日までに】個別労働者との協議 ① 主従事労働者 ② 承継非従事労働者 →(3)
株主総会招集通知の発送	【通知期限日までに】労働者等への通知 ① 主従事労働者 ② 承継非従事労働者 ③ 労働協約を締結している労働組合 →(4)
通知期限日（株主総会の２週間前の日の前日）	
株主総会	【異議申出期限日までに】 労働者からの異議申出 →(4)
効力発生日	

(1) 労働協約の承継に関する労使合意

労働協約のうち債務的部分[*3]は、その労働協約を締結している労働組合と合意すれば承継会社等に承継させることができます（労働契約承継法 6）[*4]。

時期は、分割契約等の締結又は作成前に行うことが望ましいとされています（労働契約承継指針第 2 の 3(1)イ）。

＊3　労働組合と締結する労働協約の内容は、大別して、①労働者の待遇に関する事項（賃金、労働時間、休日等）と、②使用者と労働組合自体との間の権利義務に関する事項（組合事務所の貸与等労働組合への便宜供与、団体交渉のルール、争議行為の制限、一定の場合の組合への事前協議を定める条項等）があります。①を規範的部分、②を債務的部分といいます。

＊4　会社分割は、承継される契約等の相手方の同意を得ることなく権利義務を承継させることができるのが原則です。この原則に従うと、分割会社と労働組合との間の権利義務は労働組合の同意を得ることなく承継会社等に承継させることができるということになりますが、そうすると労働組合の活動等に支障が生じる場合がありえます。そこで、労働協約の債務的部分については、労働組合との同意があった場合に限りその全部又は一部を承継会社等に承継させることができるとされています（労働契約承継法 6 ②）。

(2) 労働者全体の理解と協力を得る努力

分割会社は、過半数労働組合（ない場合は労働者の過半数を代表する者）との協議その他これに準ずる方法により、労働者の理解と協力を得るように努めなければなりません（労働契約承継法 7、労働契約承継指針第 2 の 4(2)）。これは、後記(3)の個別労働者との協議とは異なり、労働者全体の理解と協力を得て会社分割を円滑に進めることを趣旨としています。

時期は、(3)の個別労働者との協議の開始の前までに行うことが望ましいとされています。

理解と協力を得るように努める事項は、会社分割をする背景・理由、分割後の債務の履行の見込みに関する事項等です。

(3) 個別労働者との協議

分割会社は、通知期限日まで((4)①イ参照)に下記①②の労働者と協議*5をするものとされています(商法等改正法附則5、労働契約承継指針第2の4(1))。

① 承継される事業に従事している労働者

② 承継される事業に従事していない労働者であって、承継会社等に労働契約が承継される者

なお、(2)の労働者全体の理解と協力を得る努力は「努力義務」とされているのに対し、この協議は法定の義務とされています。この協議を全く行わなかった場合は、会社分割の無効原因となりうることに注意が必要です(労働契約承継指針第2の4(1)へ)。

＊5 協議の内容
分割会社は、労働者が勤務することとなる会社の概要等を十分説明し、本人の希望を聴取した上で、当該労働者に係る労働契約の承継の有無、承継するとした場合又は承継しないとした場合の当該労働者が従事することを予定する業務の内容、就業場所その他の就業形態等について協議をするものとされています(労働契約承継指針第2の4(1)イ)。

(4) 労働者等への通知、労働者からの異議申出

分割会社は、下記の者に対して一定の事項を通知しなければなりません(労働契約承継法2①)。

【通知の相手方】

① 承継される事業に主として従事する労働者(主従事労働者)

② ①以外の労働者であって承継会社等に労働契約が承継される者(承継非従事労働者)

③ 分割会社との間で労働協約を締結している労働組合

①　承継される事業に主として従事する労働者

会社分割により承継される事業に主として従事する労働者（以下「主従事労働者」といいます）に対しては、下記の手続が必要となります。主従事労働者であれば、承継されるか否かにかかわらず通知が必要です。

ア．通知

分割会社は、分割契約等における当該労働者との労働契約を承継会社等が承継する旨の定めの有無、異議申出期限日その他厚生労働省令[*6]で定める事項を書面により通知しなければなりません（労働契約承継法2①）。通知は必ず書面でしなければならず、電子メール等で行うことはできません。

＊6　厚生労働省令で定める事項は、下記のとおりです（労働契約承継法施行規則1）。
- 当該労働者が主従事労働者か、承継非従事労働者かの別
- 当該労働者との労働契約が承継会社等に承継される旨の定めがある場合は、労働条件はそのまま維持されるものであること
- 承継される事業の概要
- 効力発生日以後における分割会社及び承継会社等の商号・住所、事業内容等
- 効力発生日
- 効力発生日以後における当該労働者が従事する予定の業務内容等
- 効力発生日以後における分割会社及び承継会社等の債務の履行の見込みに関する事項
- 異議がある場合には異議申出をすることができること、異議申出を受理する部門の名称・住所又は担当者の氏名・職名・勤務場所

イ．通知をすべき日

遅くとも下記の日までに通知をしなければなりません（労働契約承継法2③）。この日を「通知期限日」といいます。

【通知期限日】

- 株主総会を要する場合　：株主総会の日の２週間前の日の前日
- 株主総会を要しない場合：分割契約等が締結又は作成された日から起算して２週間を経過する日

労働契約承継法においては上記のとおり通知期限日が定められていますが、労働契約承継指針では、以下のいずれか早い日と同日に通知することが望ましいとされています（労働契約承継指針第2の1(1)）。

・事前開示書類の備置開始日

・株主総会招集通知を発する日

ウ．異議申出

承継会社等に労働契約が承継されない主従事労働者は、異議を述べることができます（労働契約承継法4①）。異議申出は、一定の期日までに、分割会社が指定する異議申出先に対して行います。異議申出についても、通知と同様に必ず書面でしなければなりません。

なお、異議申出の期限日は分割会社が定めますが、ア.の通知がされた日との間に少なくとも13日間をおかなければなりません（労働契約承継法4②）。

エ．異議申出の効果

異議申出をした主従事労働者との労働契約は、分割契約等の記載にかかわらず、承継会社に承継されることとなります。

②　①以外の労働者であって承継会社等に労働契約が承継される者

主従事労働者以外の労働者であって承継会社等に労働契約が承継される者（以下「承継非従事労働者」といいます）に対しては、①と同様に通知をしなければなりません。通知期限日や異議申出についても①と同様です。そして、異議申出をした承継非従事労働者との労働契約は、分割契約等の記載にかかわらず、承継会社等に承継されない（分割会社に残留する）こととなります。

③　分割会社との間で労働協約を締結している労働組合への通知

分割会社は、労働協約を締結している労働組合があるときは、当該労働組合に対して一定の事項*7を書面により通知しなければなりません（労働契約承継法2②、労働契約承継法施行規則3）。通知期限日については①と同様ですが、異議申出の制度はありません。

*7　一定の事項とは、下記のとおりです。
- 労働協約を承継会社等が承継する旨の分割契約等における定めの有無
- 分割会社から承継会社等に承継される事業の概要
- 効力発生日以後における分割会社及び承継会社等の商号、住所、事業内容及び雇用を予定している労働者数
- 効力発生日
- 効力発生日以後における分割会社及び承継会社等の債務の履行の見込みに関する事項
- 承継される労働者の範囲、及びその範囲の明示によっては労働者の氏名が明らかとならない場合は、その労働者の氏名
- 承継会社等が承継する労働協約の内容

2-7 事前開示

1. 意 義

組織再編は、会社の基礎に重大な変更をもたらしますから、株主及び債権者にとって大きな利害関係があります。この場合、株主は、株主総会において議決権を行使したり株式買取請求権を行使することにより、自己の利益のために行動することができます。また、債権者は原則として債権者保護手続がありますので、組織再編に異議を述べることができます。株主や債権者がこれらの行動をする前提として、組織再編の内容をあらかじめ開示し、株主や債権者の判断資料とする必要があるため、事前開示の制度が法定されています。

2. 事前開示の手続

(1) 場所、対象者

事前開示事項は、当事会社の本店に備え置かなければなりません（会法782、794、803、816の2）。備え置いた事前開示事項は、株主及び債権者に対して、会社の営業時間内において開示しなければならないとされています。

(2) 事前開示の方法

会社の営業時間内に株主又は債権者から請求があった場合、事前開示書面の謄本の交付等の方法により開示します（会法782③、794③、803③、816の2③）。

(3) 事前開示の期間

① 吸収合併消滅会社・吸収分割会社・株式交換完全子会社の場合（会法 782 ②）

<table>
<tr><td>吸収合併（分割、株式交換）契約を株主総会で承認するときは、株主総会期日の 2 週間前の日</td><td rowspan="6">左記のいずれか早い日から、効力発生日後6か月（吸収合併消滅会社の場合、効力発生日まで）</td></tr>
<tr><td>吸収合併（分割、株式交換）契約を承認する株主総会を決議の省略の方法で行うときは、取締役等の提案があった日</td></tr>
<tr><td>株式買取請求をすることができる株主がいるときは、株主への通知又は公告のいずれか早い日</td></tr>
<tr><td>新株予約権買取請求をすることができる新株予約権者がいるときは、新株予約権者への通知又は公告のいずれか早い日</td></tr>
<tr><td>債権者保護手続が必要なときは、公告又は個別催告のいずれか早い日</td></tr>
<tr><td>上記以外の場合は、吸収分割（株式交換）契約締結日から 2 週間を経過した日</td></tr>
</table>

② 吸収合併存続会社・吸収分割承継会社・株式交換完全親会社の場合（会法 794 ②）

<table>
<tr><td>吸収合併（分割、株式交換）契約を株主総会で承認するときは、株主総会期日の 2 週間前の日</td><td rowspan="4">左記のいずれか早い日から、効力発生日後6か月</td></tr>
<tr><td>吸収合併（分割、株式交換）契約を承認する株主総会を決議の省略の方法で行うときは、取締役等の提案があった日</td></tr>
<tr><td>株式買取請求をすることができる株主がいるときは、株主への通知又は公告のいずれか早い日</td></tr>
<tr><td>債権者保護手続が必要なときは、公告又は個別催告のいずれか早い日</td></tr>
</table>

③　新設合併消滅会社・新設分割会社・株式移転完全子会社の場合（会法 803 ②）

新設合併（分割、株式移転）計画を株主総会で承認するときは、株主総会期日の２週間前の日	左記のいずれか早い日から、効力発生日後6か月（新設合併消滅会社の場合、効力発生日まで）
新設合併（分割、株式移転）計画を承認する株主総会を決議の省略の方法で行うときは、取締役等の提案があった日	
株式買取請求をすることができる株主がいるときは、株主への通知又は公告のいずれか早い日	
新株予約権買取請求をすることができる新株予約権者がいるときは、新株予約権者への通知又は公告のいずれか早い日	
債権者保護手続が必要なときは、公告又は個別催告のいずれか早い日	
上記以外の場合は、新設分割（株式移転）計画作成日から２週間を経過した日	

④　株式交付親会社の場合（会法 816 の 2）

株式交付計画を株主総会で承認するときは、株主総会期日の２週間前の日	左記のいずれか早い日から、効力発生日後6か月
株式交付計画を承認する株主総会を、決議の省略の方法で行うときは、取締役等の提案があった日	
株式買取請求をすることができる株主がいるときは、株主への通知又は公告のいずれか早い日	
債権者保護手続が必要なときは、公告又は個別催告のいずれか早い日	

3. 吸収型組織再編における開示事項

(1) 各手続に共通する開示事項

当該組織再編に関する契約の内容です。「内容」ですので、必ずしも合併契約書（分割契約書、株式交換契約書）自体である必要はないのですが、通常は合併契約書等自体を開示する例が多いです。

(2) 吸収合併

① 消滅会社における開示事項（会規 182）

合併対価（対価の定めがないときは、定めがないこと）の相当性に関する事項*1
合併対価について参考となるべき事項*2
新株予約権の定めの相当性に関する事項*3
計算書類等に関する事項
効力発生日以後における債務の履行の見込みに関する事項
事前開示書類の備置開始日後、上記の各事項に変更が生じたときはその内容

＊1　合併対価の種類に応じた一定の事項（例えば、対価が存続会社の株式の場合は株式の数、存続会社の資本金及び準備金の額に関する事項の相当性等。（会規182 ③柱書、会法 749 ①二三）及び下記①から③の事項です（会規 182 ③）。
　① 合併対価の総数又は総額の相当性に関する事項
　② 合併対価として当該財産を選択した理由
　③（存続会社と消滅会社が共通支配下関係にあるとき）消滅会社の株主の利益を害さないように留意した事項
①は、合併対価を決定するために採用した方法や算定の結果等を記載します。③は、グループ内での合併において非支配株主がいる場合、グループ企業内の利益や多数派株主の利益を優先することにより非支配株主にとって不当な合併がされないように規定されたものです。例えば、合併対価の算定に際し、客観的な第三者機関に算定を依頼したこと等があげられます。

＊2　合併対価の種類により開示すべき内容が異なりますが（会規 182 ④）、存続会社の株式を合併対価とする場合における「参考となるべき事項」は下記①から④の事項です。
　① 存続会社の定款の定め
　② 合併対価の換価の方法に関する事項（取引市場、取引の媒介等を行う者、譲渡等に制限があるときは、その内容）
　③ 市場価格があるときは、その価格に関する事項
　④ 過去 5 年間に末日が到来した各事業年度（一定の事業年度に該当する場合を除く）に係る貸借対照表の内容

＊3　消滅会社の新株予約権者に対して存続会社が交付する新株予約権又は金銭についての定めに関する事項です。存続会社の新株予約権を交付するときはその内容や数、算定方法を記載し、金銭を交付するときは金額又は算定方法を記載します。

② 存続会社における開示事項（会規191）

合併対価（対価の定めがないときは、定めがないこと）の相当性に関する事項*4
新株予約権の定めの相当性に関する事項*5
消滅会社の計算書類等に関する事項、最終事業年度の末日後に重要な財産の処分等会社財産の状況に重要な影響を与える事象（後発事象）が生じたときは、その内容
消滅会社が清算会社のときは、貸借対照表
存続会社の重要な後発事象等に関する事項
効力発生日以後における債務の履行の見込みに関する事項
事前開示書類の備置開始日後効力発生日までの間に上記の各事項に変更が生じたときは、その内容

＊4　消滅会社における開示＊1とほぼ同じですが、①～③の事項を開示する必要はありません。
＊5　消滅会社における開示＊3とほぼ同じです。

(3) 吸収分割

① 分割会社における開示事項（会規183）

分割対価（対価の定めがないときは、定めがないこと）の相当性に関する事項*6
分割型分割を行う場合、その内容に関する事項
新株予約権の定めの相当性に関する事項*7
承継会社の計算書類等に関する事項及び重要な後発事象等に関する事項
分割会社の重要な後発事象等に関する事項

効力発生日以後における分割会社及び承継会社の債務の履行の見込みに関する事項
事前開示書類の備置開始日後効力発生日までの間に上記の各事項に変更が生じたときは、その内容

＊6　分割対価の種類に応じた一定の事項（例えば、対価が承継会社の株式の場合は株式の数、承継会社の資本金及び準備金の額に関する事項の相当性等（会規183一））です。

＊7　分割会社の発行している新株予約権のうち下記①②に該当するものについて、新たに交付する承継会社の新株予約権の内容等の相当性を開示しなければなりません。

① 分割契約において、承継会社の新株予約権を交付するとされている分割会社の新株予約権（以下「吸収分割契約新株予約権」といいます）

② 当該新株予約権の発行時において、吸収分割の際には承継会社の新株予約権を交付する旨の定めがあったにもかかわらず、分割契約には当該定めがない新株予約権

②　承継会社における開示事項（会規192）

分割対価（対価の定めがないときは、定めがないこと）の相当性に関する事項＊8
分割型分割を行う場合、その内容に関する事項
新株予約権の定めの相当性に関する事項＊9
分割会社の計算書類等に関する事項及び重要な後発事象等に関する事項
承継会社の重要な後発事象等に関する事項
効力発生日以後における承継会社の債務（異議を述べることができる債権者に対して負担する債務に限る）の履行の見込みに関する事項
事前開示書類の備置開始日後効力発生日までの間に上記の各事項に変更が生じたときは、その内容

＊8　分割会社における場合＊6とほぼ同じです。

＊9　吸収分割契約新株予約権について、新たに交付する承継会社の新株予約権の内容の相当性等を開示しなければなりません。

(4) 株式交換

① 完全子会社における開示事項（会規 184）

交換対価（対価の定めがないときは、定めがないこと）の相当性に関する事項*10
交換対価について参考となるべき事項*11
新株予約権の定めの相当性に関する事項*12
計算書類等に関する事項
異議を述べることができる債権者がいるときは、完全親会社の債務の履行の見込みに関する事項
事前開示書類の備置開始日後効力発生日までの間に上記の各事項に変更が生じたときは、その内容

*10 交換対価の種類に応じた一定の事項（例えば、対価が完全親会社の株式の場合は株式の数又はその算定方法、完全親会社の資本金及び準備金の額に関する事項の相当性等）（会規 184 ③柱書、会法 768 ①二三））及び下記①から③の事項です（会規 184 ③）。
　① 交換対価の総数又は総額の相当性に関する事項
　② 交換対価として当該財産を選択した理由
　③（完全親会社と完全子会社が共通支配下関係にあるとき）完全子会社の株主の利益を害さないように留意した事項

*11 交換対価の種類により開示すべき内容が異なりますが（会規 184 ④）、完全親会社の株式を交換対価とする場合における「参考となるべき事項」は下記①から④の事項です。
　① 完全親会社の定款の定め
　② 交換対価の換価の方法に関する事項（取引市場、取引の媒介等を行う者、譲渡等に制限があるときは、その内容）
　③ 市場価格があるときは、その価格に関する事項
　④ 過去５年間に末日が到来した各事業年度（一定の事業年度に該当する場合を除く）に係る貸借対照表の内容

*12 完全子会社の発行している新株予約権のうち下記①②に該当するものについて、新たに交付する完全親会社の新株予約権の内容等の相当性を開示しなければなりません。
　① 株式交換契約において、完全親会社の新株予約権を交付するとされている完全子会社の新株予約権（以下「株式交換契約新株予約権」といいます）
　② 当該新株予約権の発行時において、株式交換の際には完全親会社の新株予約権を交付する旨の定めがあったにもかかわらず、株式交換契約には当該定めがない新株予約権

②　完全親会社における開示事項（会規193）

交換対価（対価の定めがないときは、定めがないこと）の相当性に関する事項*13
新株予約権の定めの相当性に関する事項*14
完全子会社の計算書類等に関する事項及び重要な後発事象等に関する事項
完全親会社の重要な後発事象等に関する事項
異議を述べることができる債権者がいるときは、完全親会社の債務の履行の見込みに関する事項
事前開示書類の備置開始日後効力発生日までの間に上記の各事項に変更が生じたときは、その内容

＊13　完全子会社における開示＊10とほぼ同じですが、①〜③の事項は開示する必要がありません。

＊14　株式交換契約新株予約権について、新たに交付する完全親会社の新株予約権の内容等の相当性を開示しなければなりません。

4. 新設型組織再編における開示事項

(1) 各手続に共通する開示事項

当該組織再編に関する計画の内容です。**3.**⑴と同様、新設合併計画書等自体を開示する例が多いです。

(2) 新設合併消滅会社における開示事項（会規 204）

合併対価の相当性に関する事項*[15]
新株予約権の定めの相当性に関する事項*[16]
他の消滅会社の計算書類等に関する事項及び重要な後発事象等に関する事項
当該消滅会社の重要な後発事象等に関する事項
効力発生日以後における債務の履行の見込みに関する事項
事前開示書類の備置開始日後、上記の各事項に変更が生じたときは、その内容

＊15　消滅会社の株主に交付する新設会社の株式の数、新設会社の資本金及び準備金の額に関する事項等の相当性です（会規 204 一、会法 753 ①六～九)。
＊16　吸収合併における消滅会社の開示＊3 とほぼ同じです。

(3) 新設分割会社における開示事項（会規 205）

分割対価の相当性に関する事項*[17]
分割型分割を行う場合、その内容に関する事項
新株予約権の定めの相当性に関する事項*[18]
他の分割会社の計算書類等に関する事項及び重要な後発事象等に関する事項
当該分割会社の重要な後発事象等に関する事項
効力発生日以後における分割会社及び新設会社の債務の履行の見込みに関する事項

事前開示書類の備置開始日後効力発生日までの間に上記の各事項に変更が生じたときは、その内容

＊17　吸収分割における分割会社の開示＊6 とほぼ同じです。
＊18　吸収分割における分割会社の開示＊7 とほぼ同じです。

(4) 株式移転完全子会社における開示事項（会規 206）

株式移転対価の相当性に関する事項＊[19]
他の完全子会社の計算書類等に関する事項及び重要な後発事象等に関する事項
新株予約権の定めの相当性に関する事項＊[20]
当該完全子会社の重要な後発事象等に関する事項
異議を述べることができる債権者がいるときは、債務の履行の見込みに関する事項
事前開示書類の備置開始日後効力発生日までの間に上記の各事項に変更が生じたときは、その内容

＊19　完全子会社の株主に交付する完全親会社の株式の数、完全親会社の資本金及び準備金の額に関する事項等の相当性です（会規 206 一、会法 773 ①五～八）。
＊20　株式交換における完全子会社の開示＊12 とほぼ同じです。

(5) 株式交付における開示事項（会法 816 の 2、会規 213 の 2）

株式交付親会社の開示事項は、株式交付計画の内容のほか、次の事項です。

株式交付計画において定めた株式の取得数の下限が、会社法第 774 条の 3 第 2 項の要件を満たすと判断した理由
株式交付の対価の相当性に関する事項

新株予約権の定めの相当性に関する事項[*21]
株式交付子会社について、計算書類等の内容を知っているときは、当該事項
株式交付親会社の重要な後発事象等に関する事項
債権者保護手続が必要なときは、株式交付親会社の債務の履行の見込みに関する事項
事前開示書類の備置開始日後効力発生日までの間に上記の各事項に変更が生じたときは、その内容

＊21　株式交付に際して新株予約権も併せて取得するとしたときに限り必要です。

2-8
事後開示

1. 総 説

(1) 意義

組織再編における当事会社は、効力発生日後、その組織再編手続の経過を株主や債権者のために開示しなければなりません。これが事後開示手続です。

(2) 備置の方法・期間

組織再編における当事会社は、効力発生日後遅滞なく、後述 **2.** の事項を記載した書面又は記録した電磁的記録を作成しなければなりません。この書面又は電磁的記録は、効力発生日後 6 か月間本店に備え置かなければなりません（会法 791 ②）。

(3) 閲覧

当事会社の株主、債権者等は、営業時間内はいつでも事後開示事項が記載された書面等の閲覧を請求し、又はその謄本の交付等を請求することができます（会法 791 ③）。

2. 吸収型組織再編における開示事項

(1) 吸収合併における存続会社（会規 200）

効力発生日
消滅会社における差止請求、株式買取請求、新株予約権買取請求及び債権者保護手続の経過*1
存続会社における差止請求、株式買取請求及び債権者保護手続の経過
存続会社が承継した消滅会社の重要な権利義務に関する事項*2
消滅会社の事前開示書面
合併の登記がされた日
その他合併に関する重要な事項*3

＊1 例えば、消滅会社における株式買取請求の経過については、「消滅会社は、会社法第 797 条第 3 項の規定に基づき、平成 29 年 10 月 1 日に株主に対して通知を行いましたが、消滅会社に対して株式買取請求権を行使した株主はいませんでした。」などと記載することが多いです。

＊2 具体的には、下記の例のように記載することが多いです。
「当社が効力発生日をもって○○株式会社から引き継いだ資産及び負債の額は、それぞれ○○円、○○円（いずれも概算値）です。」
「重要な権利義務に関する事項」という文言からすると、必ずしも金額を記載することは必要ないと思われますが、実際には承継した資産・負債の額の概算値を記載することが多いです。

＊3 何が「重要な事項」に該当するかについて規定はありませんが、合併対価の割当に関する事項や監督官庁の認可等に関する事項がこれに該当するものと考えられます。

(2) 吸収分割（会規 189）

分割会社、承継会社とも同様です（会法 791 ①一、801 ③二）。

効力発生日
分割会社における差止請求、株式買取請求、新株予約権買取請求及び債権者保護手続の経過*4
承継会社における差止請求、株式買取請求及び債権者保護手続の経過*4
承継会社が承継した消滅会社の重要な権利義務に関する事項*4
分割の登記がされた日
その他分割に関する重要な事項*4

＊4　いずれも、吸収合併の場合＊1～＊3とほぼ同じです。

(3) 株式交換（会規 190）

株式交換完全親会社、完全子会社とも同様です（会法 791 ①二、801 ③三）。

効力発生日
完全子会社における差止請求、株式買取請求、新株予約権買取請求及び債権者保護手続の経過*5
完全親会社における差止請求、株式買取請求及び債権者保護手続の経過*5
完全親会社に移転した完全子会社の株式の数
その他株式交換に関する重要な事項*5

＊5　いずれも、吸収合併の場合＊1～＊3とほぼ同じです。

3. 新設型組織再編における開示事項

(1) 新設合併（会規 211、213）

効力発生日
差止請求、株式買取請求、新株予約権買取請求及び債権者保護手続の経過*6
新設会社が承継した消滅会社の重要な権利義務に関する事項*6
消滅会社の事前開示書面
その他合併に関する重要な事項*6

＊6　いずれも、吸収合併の場合＊1～＊3とほぼ同じです。

(2) 新設分割（会規 209）

分割会社、新設会社とも同様です（会法 811 ①一、815 ③二）。

効力発生日
差止請求、株式買取請求、新株予約権買取請求及び債権者保護手続の経過*7
新設会社が承継した分割会社の重要な権利義務に関する事項*7
その他分割に関する重要な事項*7

＊7　いずれも、吸収合併の場合＊1～＊3とほぼ同じです。

(3) 株式移転（会規 210）

株式移転完全親会社、完全子会社とも同様です（会法811①二、815③三）。

効力発生日
差止請求、株式買取請求、新株予約権買取請求及び債権者保護手続の経過*8
完全親会社に移転した完全子会社の株式の数
その他株式移転に関する重要な事項*8

＊8　いずれも、吸収合併の場合＊1、＊3とほぼ同じです。

(4) 株式交付における開示事項

株式交付親会社の開示事項は次のとおりです（会法816の10、会規213の9）。

効力発生日
差止請求、株式買取請求及び債権者保護手続の経過*8
株式交付親会社が譲り受けた株式交付子会社の株式の数
株式交付親会社が譲り受けた株式交付子会社の新株予約権の数、当該新株予約権が新株予約権付社債に付されたものである場合は、その各社債の金額の合計額
その他株式交付に関する重要な事項*8

＊8　いずれも、吸収合併の場合＊1及び＊3とほぼ同じです。

2-9 登記

1. 商業登記

(1) 意義

会社は、一定の事項を対外的に公示して取引の安全を図るため、商号、目的、資本金、発行済株式数等の事項を登記しなければならず（会法911）、これらの登記すべき事項に変更が生じた場合は、その変更の登記をしなければなりません（会法915）。また、解散や吸収合併等の一定の行為をした場合も同様に、これを登記しなければならないとされています（会法918等）。

(2) 登記の必要性

会社法の規定により登記しなければならないとされている事項は、その登記をしなければ善意の第三者に対抗できません（会法908①）。例えば吸収合併をしたときは、その吸収合併の登記をしなければ、吸収合併があったということを善意の第三者に対して主張できないこととなります。

また、登記しなければならない事項について所定の期間内（原則として2週間以内）に登記することを義務付けられており、期間内に登記をしないと過料を科せられる場合があります（会法976一）。

(3) 登録免許税

登記を申請する際には、原則として登録免許税を納付しなければなりません。これは申請する登記の内容により変わってきますが、資本金が大きく増加するとき等においては、数百万、数千万円の登録免許税がかかる場合もありますので、事前に計算し把握しておく必要があります。各手続における登録免許税の詳細は **2-31** を参照してください。

2. 吸収型組織再編における商業登記手続

(1) 吸収合併

吸収合併をしたときは、効力発生日から2週間以内にその本店所在地において下記の登記をしなければなりません（会法921）。

① 存続会社：吸収合併による変更登記

② 消滅会社：吸収合併による解散登記

上記①②は、同時に申請しなければなりません（商業登記法82③）。

また、存続会社において商号や役員の変更等を同時に行った場合、①の登記と一括してこれらを申請することができます。

(2) 吸収分割

吸収分割をしたときは、効力発生日から2週間以内にその本店所在地において下記の登記をしなければなりません（会法923）。

① 分割会社：吸収分割による変更登記

② 承継会社：吸収分割による変更登記

吸収合併と同様、上記①②は同時に申請しなければなりません（商業登記法87②）。

また、承継会社が分割会社の商号を使用する場合、上記に加えて免責の登記をすることができます*。

＊　免責の登記
事業譲渡において、事業の譲受会社が譲渡会社の商号を引き続いて使用する場合、譲受会社は、譲渡会社の債務引受をしていなかったとしても、譲渡会社の事業によって生じた債務を弁済する責任を負います（会法22①)。譲受会社が譲渡会社の商号を使用すると、外形的には譲渡会社と同一であると誤信してしまう可能性があることから、譲渡会社の債権者保護のためにこのような規定が設けられています。ただし、譲受会社が「譲渡会社の債務を弁済する責任を負わない」旨の登記をした場合、譲渡会社の債務を弁済する責任を負わないとされています（同条②)。これを免責の登記といいます。
例えば、A社がB社に対して事業を譲渡し、B社が「A」に商号変更した場合、B社（新商号「A」）は、この事業譲渡において債務を引き受けていなかったとしても、譲渡会社の事業によって生じた債務を弁済する責任を負うこととなってしまいます。しかし、この場合においてB社（新商号「A」）が免責の登記をすることにより、譲渡会社の債務を弁済する責任を免れることができます。
この免責の登記は、事業譲渡があった場合にできる登記ですが、事業譲渡に類似する制度である会社分割についても同様に免責の登記をすることができるとされています。

(3) 株式交換

株式交換は、登記が必要な場合と不要な場合があることが他の組織再編手続と大きく異なります。株式交換の手続は、完全親会社・完全子会社ともに株主構成が変わるものですが、株主構成自体は登記すべき事項ではないためです。ただし、親会社又は子会社が発行可能株式数、新株予約権等について変更したときは、その旨の登記をしなければなりません。この場合において、効力発生日から2週間以内に登記しなければならない点については他の吸収型組織再編と同じです。

3. 新設型組織再編における商業登記手続

(1) 新設型組織再編における登記手続の概要

新設型組織再編においては、いずれの場合においても新設会社の成立の時に効力が発生します。「新設会社の成立の時」とは、新設会社の設立登記を登記所に申請した日です。吸収型組織再編の場合は効力発生日以降に登記をしますが、新設型組織再編の場合は登記申請の日自体が効力発生日になる点で異なります。

登記申請の日が効力発生日になるということは、登記申請が書類不備等で却下又は取下げを余儀なくされた場合、再度登記申請をやり直すこととなり、当初予定していた効力発生日に効力を発生させることができないこととなってしまうため、登記申請手続に不備がないよう事前準備に細心の注意が必要です。

また、土・日・祝日は登記所の閉庁日に当たるため、登記申請をすることができません。よって、新設型組織再編の場合は、土・日・祝日を効力発生日とすることはできませんので、スケジュール策定の際には効力発生予定日が登記所の閉庁日に当たらないかを確認しておく必要があります。

(2) 新設合併

新設合併をしたときは、登記以外の手続が完了した日から2週間以内に、その本店所在地において下記の登記をしなければなりません（会法922)。

① 新設会社：新設合併による設立登記

② 消滅会社：新設合併による解散登記

上記①②は、同時に申請しなければなりません（商業登記法82③)。

(3) 新設分割

新設分割をしたときは、登記以外の手続が完了した日から2週間以内に、その本店所在地において下記の登記をしなければなりません（会法924)。

① 新設会社：新設分割による設立登記

② 分割会社：新設分割による変更登記

上記①②は、同時に申請しなければなりません（商業登記法87②)。

また、新設会社が分割会社の商号を使用する場合、上記に加えて免責の登記をすることができます。

(4) 株式移転

株式移転をしたときは、登記以外の手続が完了した日から2週間以内にその本店所在地において完全親会社の設立登記をしなければなりません（会法925）。

完全子会社側については原則として登記は必要ありません。ただし、完全子会社の新株予約権を消滅させ完全親会社の新株予約権を割り当てる場合には、完全子会社の新株予約権の変更の登記申請を同時に行わなければなりませんし（商業登記法91）、株式移転に伴い完全子会社の商号等に変更が生じた場合はその旨の登記をしなければなりません。

4. 組織再編以外の手続における商業登記手続

(1) 株式譲渡

株式譲渡があった場合、会社の株主構成は変わりますが、前述の通り株主構成は登記すべき事項ではありませんので、原則として登記手続は発生しません。ただし、株式譲渡に伴い商号、本店所在地、役員等を変更した場合、これらについては登記すべき事項であるため、登記が必要です。

(2) 増資

増資をした場合、発行済株式の数と資本金の額が増加しますが、これらはいずれも登記すべき事項ですので、登記が必要です。

(3) 事業譲渡

ある会社が他の会社に事業譲渡をした場合、原則として登記は必要ありません。ただし、事業譲渡に伴い商号、本店所在地、役員等を変更した場合、これらについては登記が必要です。また、事業譲渡に際して譲渡会社の商号を引き続き使用する場合、免責の登記をすることができます。

(4) 解散

株主総会決議により解散した場合、2週間以内に解散の登記を申請しなければなりません（会法926）。なお、通常は解散に伴い清算人が就任しますから、清算人の登記も同時に行うこととなります。

また、清算が結了した場合は、最後の決算報告が承認されてから2週間以内に清算結了の登記をしなければなりません（会法929）。

5. 不動産登記手続

(1) 総説

組織再編やその他の手続を行うと権利の承継が生じますが、承継する資産に不動産が含まれる場合、その不動産の所有権の移転についても登記をする必要があります。例えば、A社とB社がB社を存続会社とする吸収合併をした場合、A社の有していた権利義務は全てB社に承継されますから、A社が不動産を所有していた場合、この不動産の所有者をB社とする登記手続をします。この手続は、不動産の所有権がA社からB社に移転するので、所有権移転登記といいます。会社分割、事業譲渡、現物出資・現物配当において不動産の所有権が移転する場合でも同様に必要です。なお、株式交換や株式移転の場合、株主構成が変わるだけで権利の承継は生じませんから、不動産登記をする必要はありません。

(2) 登記の必要性

商業登記の場合、一定の期間内に登記をしなければならない旨が会社法に規定されていますが、不動産の権利に関する登記についてはそのような規定はありません。したがって、極論をいえば不動産の権利に関する登記をしなくとも法令に違反することはありません。しかし、民法177条では、不動産に関する物権の得喪及び変更は、登記をしなければ第三者に対抗することができない旨が規定されています。要するに、登記をしなければ、その不動産に関して権利を有しているということを対外的に主張できない、ということです。対外的に権利を主張できなければ多大な不利益を被るおそれがありますから、通常は不動産に関しても遅滞なく登記をすることとなります。

(3) 対象となる権利

組織再編等の手続により不動産の所有者が変わった場合、所有権移転登記をするということは前述の **(1)** の通りですが、地上権、質権、抵当権等所有権以外の権利についても登記がされます。このような所有権以外の権利が組織再編により他の会社に承継された場合にも、所有権の場合と同様に登記をすることとなります。例えば、A社がC社に対する貸金債権の担保として、C社所有の不動産上に抵当権の登記を有していたとします。A社がB社に吸収合併された場合、このA社名義の抵当権をB社名義とする登記手続（抵当権移転登記）をします。

(4) 登録免許税

商業登記の場合と同様、不動産登記を申請する際にも登録免許税を納付しなければなりません。多額の不動産を有する会社の組織再編においては、登録免許税が数百万、数千万円になることもありますので、これもある程度事前に把握しておく必要があります。具体的な登録免許税の詳細については、**2-31** を参照してください。

2-10
解散・清算の意義及び手続

1. 解 散

(1) 意義

解散とは、会社の法人格の消滅原因となる事由のことです。会社が解散した場合、債権債務の清算の手続を行い、清算が完了した時点で法人格が消滅するのが原則です。なお、合併における消滅会社は合併の効力発生日において解散しますが、消滅会社が有していた権利義務は存続会社又は新設会社に承継されますので、清算手続は一切生じません。

(2) 株式会社の解散原因

株式会社は、次の事由により解散します（会法 471）。

【解散の原因】

定款で定めた存続期間の満了
定款で定めた事由の発生
株主総会の特別決議
合併（消滅会社の場合）
破産手続開始の決定
裁判所から解散命令を受けたとき、又は解散を命ずる裁判があったとき

(3) 休眠会社のみなし解散

最後に登記をした日から 12 年経過した株式会社においては、法務大臣が 2 か月以内に届出をすべき旨を官報に公告し、期間内に届出をしないときは 2 か月の期間満了時に解散したものとみなされる、という制度があります（みなし解散（会法472））。登記をせずに長期間放置している株式会社は、このみなし解散の規定により強制的に解散させられることがあります。

2. 清算の手続（株主総会の特別決議による解散の場合）

本項では、株式会社の解散事由のうち実務上もっとも多いと思われる、株主総会の特別決議による解散について説明します。

【解散・清算手続の流れ】

日程	項目	備考
原則として総会日の2週間前	株主総会招集の決定	取締役会決議により決定
原則として解散日と同日	株主総会	議案①解散 議案②清算人選任 解散日に事業年度が終了する（解散日翌日から「清算事務年度」となる）。
解散日以後遅滞なく	解散公告掲載【官報】	掲載日以降2か月間は清算結了できない。 掲載日の約10営業日前に官報販売所へ入稿の必要あり。
解散日以後遅滞なく	知れている債権者への個別催告	
解散日から2週間以内	解散・清算人選任の登記申請【法務局】	
解散・清算人選任の登記完了後速やかに	異動（解散）届提出【税務署・都税事務所】	
清算人就任後遅滞なく	清算人による財産目録等の作成	清算人就任後遅滞なく（→作成後、総会の承認が必要）
財産目録等作成後	株主総会	議案：解散日における貸借対照表・財産目録の承認
解散日から2か月以内	解散確定申告【税務署・都税事務所】	

公告・催告の開始から2か月以内に弁済しようとするとき	弁済許可申立【裁判所】	公告期間中は原則として弁済禁止。ただし裁判所の許可を受ければ弁済可。
公告・催告の開始から2か月後	公告期間満了	公告の官報掲載日から最低2か月必要
公告・催告期間満了後	債務の弁済、残余財産の確定	公告・催告開始日から2か月経過以後の日にしなければならない。 負債が残った場合は清算結了できないので注意。
残余財産確定後1か月以内	残余財産確定事業年度確定申告 【税務署・都税事務所】	残余財産確定後1か月以内に残余財産の最後分配をするときは、分配の前日まで。
残余財産が確定したとき	残余財産分配	清算人が分配を決定する。
	株主総会	議案：決算報告（残余財産の分配含む）の承認。 これをもって清算結了となり、法人格が消滅する。
決算報告承認の株主総会から2週間以内	清算結了の登記申請 【法務局】	清算結了日から2週間以内
清算結了の登記完了後	異動（清算結了）届 【税務署・都税事務所】	

(1) 株主総会の決議（解散・清算人選任）

株主総会の特別決議により、解散する旨を決議します。なお、清算人の選任決議は必須ではありませんが、解散を決議した株主総会であわせて清算人の選任決議を行う場合が多いです。なお、解散の日において会社の事業年度は終了し、解散の日の翌日から1年間が清算事務年度となり、以降1年ごとが清算事務年度とされます（会法494①）。

(2) 債権者に対する公告・催告

会社は、解散後遅滞なく、債権者に対して一定の期間（異議申述期間。最低2か月）以内に債権を申し出るべき旨を官報に公告し、かつ知れている債権者には個別に催告をしなければなりません（会法499①、②）。個別に催告が必要になる債権者の範囲は組織再編の場合と同様です。**2-4**を参照してください。

注意しなければならないのは、この異議申述期間内においては、債務の弁済をしてはならないということです（会法500①）。ただし、租税公課・賃金債権・公共料金等については、裁判所の許可を得た上で弁済することができます（会法500②）。

(3) 解散・清算人の登記

会社は、解散の日から2週間以内にその登記を申請しなければなりません（会法926、928）。

(4) 税務署への解散の届出

登記が終了したら遅滞なく、登記簿謄本を添付の上、税務署・都税事務所に解散の届出を提出します。

(5) 清算人による財産目録等の作成・株主総会による承認

清算人は、就任後遅滞なく、解散日における財産目録及び貸借対照表を作成し、株主総会の承認を受けなければなりません（会法492①、③）。

(6) 解散事業年度の税務申告

解散の日までの税務申告を行います。申告期限は、解散の日から通常通り2か月以内（延長している場合には3か月）です。また、解散の日から1年以内に残余財産が確定しない場合には、解散の日の翌日から1年ごとを事業年度として税務申告を行います。その場合にも、申告期限は、事業年度終了の日から2か月（延長している場合には3か月）です。

(7) 最後事業年度の税務申告

残余財産が確定したら、当該清算事務年度の期首から残余財産確定までの事業年度(最後事業年度）の税務申告をします。申告期限は、残余財産確定の日から1か月です。また、1か月以内に残余財産の最後の分配をする場合には、当該分配の前日までが申告期限です。延長の適用はありません。

(8) 債権債務の確定～取立て及び弁済～残余財産の分配

(2) の異議申述期間を経過した後、会社が有する債権については取り立て、債務については弁済をします。全ての負債を弁済した後に資産が残った場合は、これを株主に分配します。

(9) 清算事務の終了・株主総会による承認

債権債務の清算や残余財産の分配等の清算事務が全て完了（清算結了）したときは、清算人は決算報告を作成し、株主総会の承認を受けなければなりません（会法507③)。なお、資産及び負債はいずれもゼロになっていなければならず、いずれかが残っている場合は清算事務を終了させることができません。ここで決算報告が承認されると清算結了となり、法人格が消滅します。

(10) 清算結了の登記

清算人は、清算結了から2週間以内に、清算結了の登記を申請しなければなりません（会法929）。

(11) 税務署・都税事務所への清算の届出

清算結了登記が終了したら遅滞なく、登記簿謄本を添付の上、税務署・都税事務所に解散の届出を提出します。

(12) 書類の保存

清算人は、清算結了の登記の日から10年間、清算会社の帳簿並びにその事業及び清算に関する重要な資料を保存しなければなりません（会法508①）。ただし、裁判所に申し立てることにより、清算人以外の者を帳簿保存者に選任することができます（会法508②）。例えば、子会社の清算の場合においては親会社の従業員が清算人となることがよくありますが、当該従業員が異動によって担当部署から外れたり退職したりすることもありえます。このような場合に備え、当該従業員個人ではなく親会社自身が帳簿保存者になること等が想定されます。

3. 特殊な清算手続

(1) 合併・破産の場合における清算手続

会社が解散した場合、原則として会社法の規定に基づく清算手続を行い、債権を取り立て、債務を弁済していくこととなりますが、合併においては**1.(1)**の通り清算手続は不要です。また、破産手続の開始による解散の場合、破産法の定めにより裁判所が選任した破産管財人が清算事務を行います。

(2) 特別清算

特別清算とは、清算の遂行に著しい支障を来たすべき事象があること、又は債務超過の疑いがあること、のいずれかに該当する場合に、裁判所の命令により開始する清算手続です。特別清算の手続は、開始以降も裁判所の関与のもとに行うことになります。

2-11 会計基準の全体像

企業結合と事業分離

組織再編において、会計処理を検討しなければならない当事者は、事業等の分離元企業、分離先企業及びそれらの株主です。当該当事者にそれぞれ適用される会計基準の全体像及びその概要は下記になります。

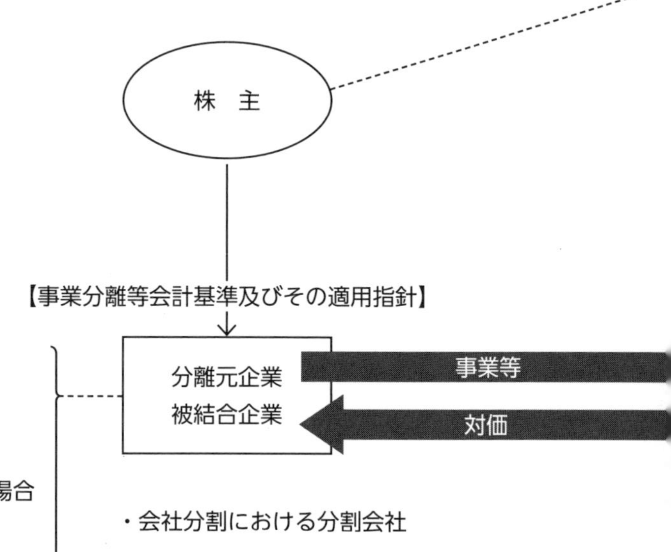

対価の種類により、
- 投資が清算したと考えられる場合
  ……移転損益を認識
- 投資が継続していると考えられる場合
  ……移転損益は認識しない
  (帳簿価額の引継)

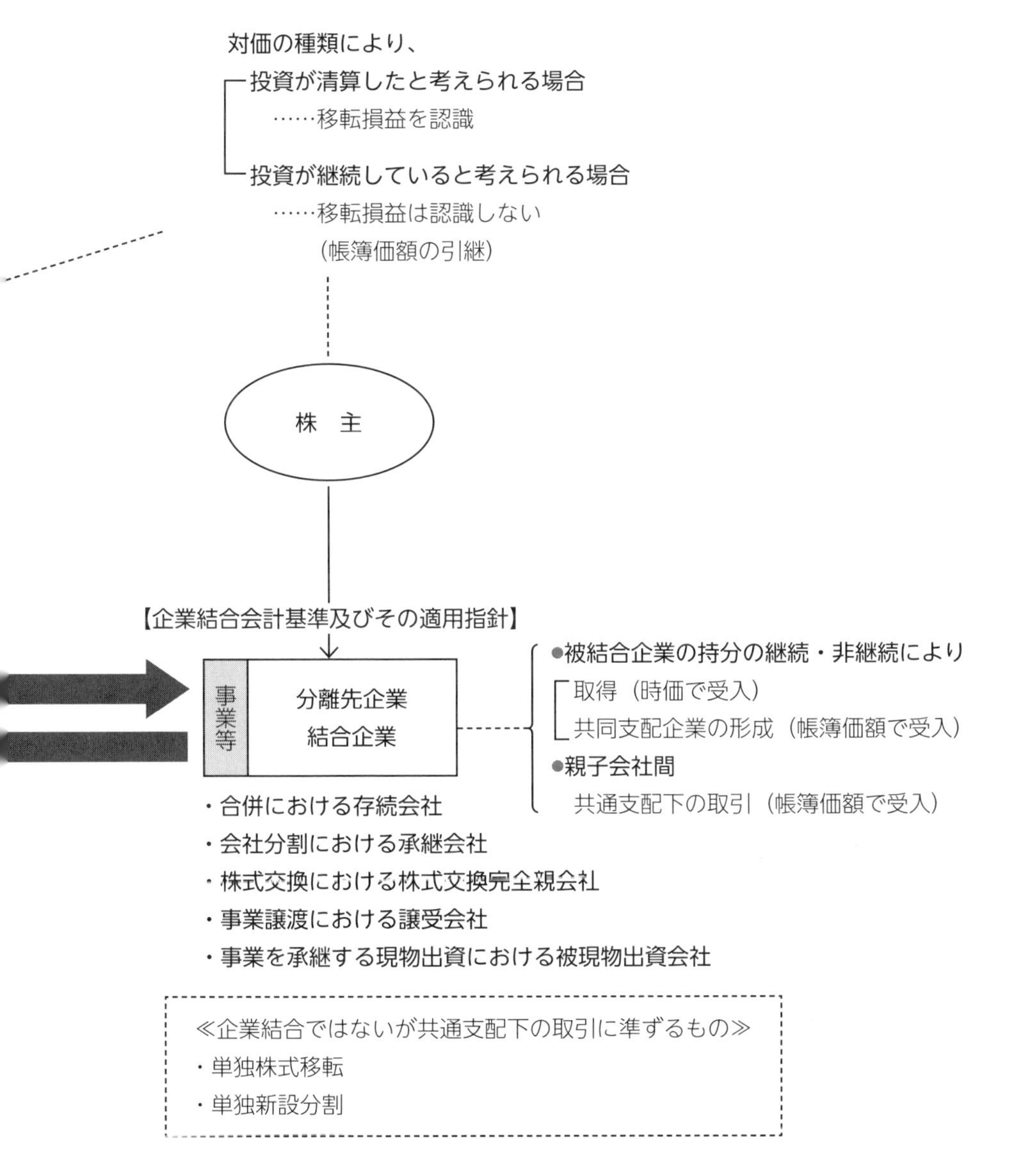

結合当事企業の株主としての会計処理
【事業分離等会計基準及びその適用指針】
分割型分割における分割会社の株主
現物分配における株主
取得とされた企業結合における結合当事企業の株主
対価の種類により、
投資が清算したと考えられる場合
……移転損益を認識
投資が継続していると考えられる場合
……移転損益は認識しない
（帳簿価額の引継）
株　主
【企業結合会計基準及びその適用指針】
事業等
分離先企業
結合企業
●被結合企業の持分の継続・非継続により
取得（時価で受入）
共同支配企業の形成（帳簿価額で受入）
●親子会社間
共通支配下の取引（帳簿価額で受入）
・合併における存続会社
・会社分割における承継会社
・株式交換における株式交換完全親会社
・事業譲渡における譲受会社
・事業を承継する現物出資における被現物出資会社
≪企業結合ではないが共通支配下の取引に準ずるもの≫
・単独株式移転
・単独新設分割

2-12 企業結合の意義と分類

1. 企業結合の意義

企業結合とは、ある企業又はある企業を構成する事業と他の企業又は他の企業を構成する事業とが1つの報告単位に統合されることをいいます（企業結合会計基準5）。したがって、合併や吸収分割における存続会社や承継会社の取引及び事業譲渡における譲受会社の取引が企業結合であることは明確です。その他、株式交換により他の企業を完全子会社にする取引や、他の企業の株式を取得することで子会社化する取引によっても、子会社化は連結財務諸表という1つの報告単位に統合されることとなりますので、企業結合に含まれ、企業結合会計基準の適用対象となります。

一方で、企業結合の定義に当てはめると企業結合とはいえませんが、類似の取引として企業結合会計基準の対象となるものに、単独株式移転や単独新設分割があります。これらは、1つの企業が行う会社設立取引であるため企業結合とはいえませんが、親子会社関係の形成である以上、企業結合の形態のうちの親子会社間取引を示す「共通支配下の取引」（**2-13**参照）に準じることとされています。

2. 企業結合の形態

企業結合の形態には下記3つがあります。

・取得

・共同支配企業の形成

・共通支配下の取引

事業等の移転に関して、親子会社間の取引については「共通支配下の取引[*1]」となります。一方で、第三者との取引のうちいずれかの企業が支配を獲得することになるものが「取得[*2]」とされ、いずれの企業も他の企業を支配したとはいえない、いわゆる合弁会社の形成が「共同支配企業の形成」となります。

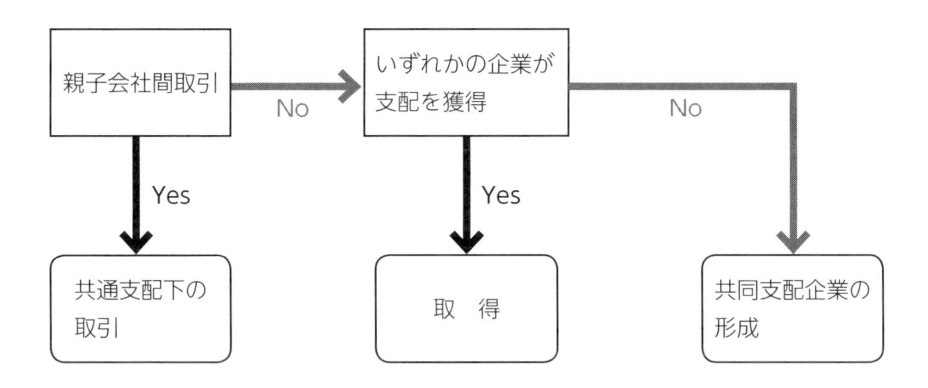

＊1　共通支配下の取引
結合当事企業（企業結合に係る企業）又は事業の全てが、企業結合の前後で同一の株主により最終的に支配され、かつ、その支配が一時的でない場合の企業結合をいいます（企業結合会計基準 16）。したがって、関連会社との企業結合は共通支配下の取引には該当しません。なお、支配の主体である「同一の株主」には個人も含まれます（企業結合適用指針 201）。

＊2　取得
ある企業が他の企業又は企業を構成する事業に対する支配を獲得することをいいます。

2-13 取得・共同支配企業の形成・共通支配下の取引の会計処理の概要

1. 取得企業の決定

取得と判定された企業結合においては、当該企業結合に係る企業のうち、いずれの企業が取得企業に該当するのかを決定する必要があります。

基本的には「連結財務諸表に係る会計基準」の考え方に基づいて、取得企業（支配を獲得した企業）を判定することになります。そして、「連結財務諸表に係る会計基準」によるのみでは、いずれの企業が取得企業か不明確な場合には、通常は対価を支払った企業又は株式を発行する企業が取得企業となります。これが通常の取得です。

ただし対価が株式の場合には、株式を発行することにより、当該対価を支払った企業が支配されることもあります。これを逆取得といい、単なる取得とは異なる会計処理となります（企業結合会計基準 18、19、20）。

2. 取得の会計処理

(1) 会計処理の概要

取得した事業等の取得原価は、支払った対価の企業結合日の時価で算定します。当該取得原価を、受け入れた資産及び負債のうち、企業結合日において識別可能な資産及び負債に配分していきます。この時、各資産負債には資産及び負債の企業結合日時点の時価分を配分します。識別可能な資産には、被結合企業で認識されていたか否かにかかわらず、譲渡可能な価値あるものであれば無形資産も含まれます（企業結合会計基準29)。したがって、当該取得にあたり無形資産を評価することが必要になるケースも考えられます。

取得原価のうち、配分しきれず残った金額がのれん又は負ののれんとなります。取得原価が受け入れた資産及び負債に配分された金額の純額を上回る場合には、当該超過額がのれんとなり、下回る場合には、当該不足額が負ののれんとなります（企業結合会計基準28､29､31）。

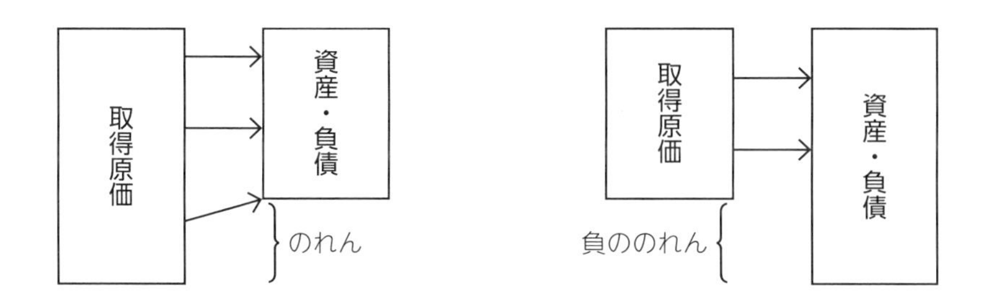

(2) のれん及び負ののれんの会計処理

のれんは資産に計上し、20年以内のその効果が及ぶ期間にわたって、定額法その他合理的な方法により規則的に償却します。償却費は、販売費及び一般管理費の区分に表示します（企業結合会計基準32､47）。その上で、減損会計の対象になります。

負ののれんが生じる際には、まず、受け入れた資産及び負債が網羅的に把握されているか、金額の配分は適切であるかを見直します。見直しをしても、負ののれんが生じることとなった場合には、負ののれんが生じた事業年度の特別利益として処理します（企業結合会計基準48）。

(3) 逆取得の会計処理

例えば吸収合併を行う際、吸収された側の株主が合併後、存続会社を支配する状態となるような状況です。これが逆取得と呼ばれる状況です。

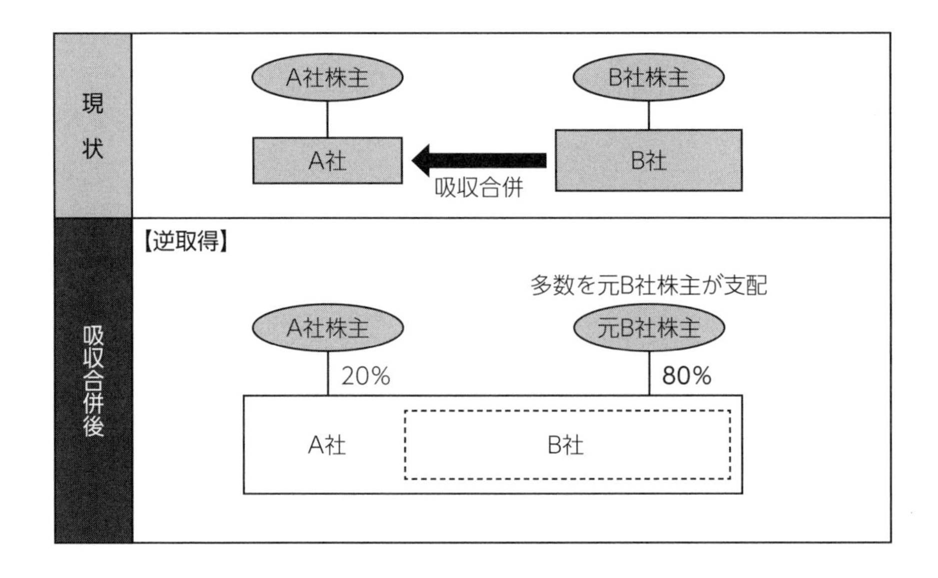

逆取得においては、被結合企業の事業等に対する支配は継続しているため、結合企業において、移転直前の被結合企業における適正な帳簿価額を基礎に事業等を受け入れることとなります（企業結合会計基準34、35、36）。

3. 共同支配企業の形成の会計処理

共同支配企業の形成においては、いずれの企業も支配を獲得していません。そのため、被結合企業（共同支配投資企業）の移転する事業に対する支配は継続していると考えられますので、共同支配企業は受け入れる資産及び負債を、移転直前に共同支配投資企業において付されていた適正な帳簿価額により計上します（企業結合会計基準38）。

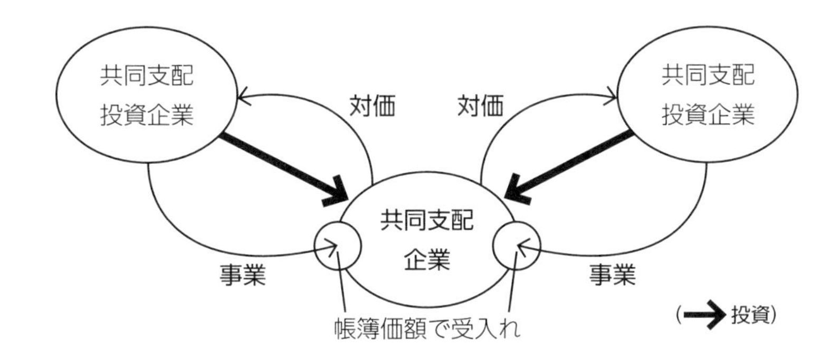

共同支配投資企業においては、受け取る対価を移転した事業に係る株主資本相当額に基づいて算定し、連結財務諸表上は共同支配企業に対する投資については持分法を適用します（企業結合会計基準39）。

4. 共通支配下の取引の会計処理

(1) 会計処理の概要

親子会社間の企業結合が共通支配下の取引対象となり、結合企業において、受け入れる資産及び負債は、原則として被結合会社において移転直前に付されていた適正な帳簿価額により計上します。また、被結合企業において受け取る対価の取得原価は、移転した資産及び負債の適正な帳簿価額に基づいて算定します（企業結合会計基準41､43）。

ここで付すべき金額は、あくまで「適正な」帳簿価額ですので、会計基準等に照らして修正が必要と考えられる事項については、修正した上での金額となります。

なお、共通支配下の取引においても、非支配株主との取引は時価によります。

「企業結合会計基準及び事業分離等会計基準に関する適用指針」においては、組織再編の手法別に当事者の会計処理が定められています。

(2) 無対価で行う共通支配下の取引に係る会計処理

親子会社間の中でも特に、完全親子会社間での組織再編においては、組織再編の前後で経済的実態に実質的変化がないことから、無対価で行われることが多くあります。適用指針には、下記の組織再編に係る無対価の場合の会計処理が定められています（企業結合等適用指針 203-2）。

① 子会社同士の合併*
② 親会社の事業を子会社に移転する会社分割
③ 子会社の事業を他の子会社に移転する会社分割
④ 子会社の事業を親会社に移転する会社分割

* 親会社を存続会社・子会社を消滅会社とする合併においては、そもそも対価の交付が禁止されている（親会社にとっては、自己に対して自己の株式である対価を交付することになるため）ため、特に無対価取引として上記に掲げられていません。

上記にあるように、企業結合会計基準においては無対価取引の前提として、親子会社間であることを想定しているに過ぎませんが、税務上、無対価組織再編が適格組織再編となるためには、「直接の」「完全」支配関係が要求されていますので、注意が必要です。

(3) 連結財務諸表における処理

連結財務諸表においては、グループ内取引は相殺消去されます。

2-14 事業分離の意義と会計処理

1. 事業分離の意義

事業分離とは、ある企業を構成する事業を他の企業に移転することをいいます（事業分離会計基準4）。したがって、会社分割、事業譲渡、事業を移転する現物出資が事業分離に該当し、それらにおける分離元企業の会計処理が事業分離等に関する会計基準で定められています。その他、事業分離ではありませんが、下記の取引も同基準の対象です。

(1) 事業ではなく資産を移転し移転先企業の株式を受け取る取引（資産を移転する現物出資、現金以外の財を対価とする分離先企業の自己株式の処分等）

(2) 共同支配企業の形成及び共通支配下の取引以外の企業結合における被結合企業及び結合企業の株主に係る会計処理

(3) 分割型分割における分割会社の株主に係る会計処理

(4) 現物配当の場合の株主の会計処理

2. 事業分離の会計処理

事業分離においては、事業等を移転しその対価として受け取る財の種類により会計処理が異なります。それは、受け取る財の種類によって、移転した事業等に関して投資が継続しているか否かが分かれるためです。

(1) 投資が清算したと考えられる場合

受け取った対価の時価と移転した事業の株主資本相当額との差額を移転損益として認識します。投資が清算したと考えられる場合とは、現金等、移転した事業とは明らかに異なる資産を対価として受け取る場合をいいます。ただし、事業分離後も分離元企業の継続的関与があり、移転した事業に関するリスクを事業分離前と同様に負っていると考えられる場合には、投資は清算したとはいえず、移転損益は認識されません（事業分離会計基準 10(1)）。

(2) 投資が継続していると考えられる場合

受け取った対価の取得原価は、移転した事業に係る株主資本相当額に基づいて算定するため、移転損益は認識されません。投資が継続していると考えられる場合とは、対価として子会社株式や関連会社株式を取得する場合です。なぜなら、対価として取得した当該株式を通じて、移転した事業に対する投資は継続していると考えられるためです（事業分離会計基準 10(2)）。

3. 被結合企業及び結合企業の株主の会計処理

被結合企業及び結合企業の株主について経済的実態に変化が生じた場合には、会計処理が必要になります。**1.** に記載の株主に係る処理についても、基本的には投資が継続しているか否かの視点で会計処理が定められています。

(1) 投資が清算したと考えられる場合

受け取った対価の時価と引き渡した被結合企業（分離元企業）の株式との差額を交換損益として認識します。投資が清算したと考えられる場合とは、**2.** **(1)** と同様です。

(2) 投資が継続していると考えられる場合

受け取った対価の取得原価は、引き渡した被結合企業（分離元企業）の株式に係る適正な帳簿価額に基づいて算定するため、交換損益は認識されません。投資が継続していると考えられる場合とは、対価として子会社株式や関連会社株式となる分離先企業の株式を取得する場合です。なぜなら、取得した当該株式を通じて、引き渡した被結合企業（分離元企業）に対する投資は継続していると考えられるためです。

2-15 金融商品取引法に基づく開示制度

1. 有価証券届出書

特定組織再編成発行手続（有価証券の新たな発行に関する手続）又は特定組織再編成交付手続（既に発行されていた有価証券の交付に関する手続）に該当する組織再編成については、原則として、その株券等の発行者は有価証券届出書を提出することが必要になります（金商法4①）。ここでの組織再編成には分社型分割は含まれませんので、分社型分割の場合には有価証券届出書は不要になります（金商法施行令2の2）。また、事業譲渡もここでの組織再編成には該当しません。

また、特定組織再編成発行手続及び特定組織再編成交付手続に該当する組織再編成とは、新設合併又は吸収合併における消滅会社、株式移転又は株式交換における完全子会社、分割型の新設分割又は吸収分割における分割会社が発行者である株券等の所有者が50名以上である場合（金商法2の3④、2の3⑤、金商法施行令2の4、2の6）等を指します。したがって、上場会社を消滅会社等とする組織再編成を行う場合には、有価証券届出書の提出が必要となる場合があり、事務的負担が大きくなりますので、注意が必要です。

2. 臨時報告書

組織再編に関して有価証券報告書を提出しなければならない会社が次に該当することとなった場合には、その内容を記載した臨時報告書を、遅滞なく内閣総理大臣に提出しなければなりません（金商法24の5④、企業内容開示府令19②）。

なお、**1.** の有価証券届出書の提出の要否に関しては、分社型分割は届出不要でしたが、下記の通り、臨時報告書に関しては軽微基準に該当しない限り分社型分割でも臨時報告書の提出が必要となります。

【提出会社に関する事由】

・（有価証券報告書の（以下同じ））提出会社が、株式交換完全親会社となる株式交換で株式交換完全子会社となる会社の最近事業年度末日の資産の額が提出会社の最近事業年度末日の純資産額の10/100以上又は株式交換完全子会社となる会社の最近事業年度の売上高が提出会社の最近事業年度の売上高の3/100以上であるもの又は提出会社が株式交換完全子会社となる株式交換が行われることが提出会社の業務執行を決定する機関により決定された場合
・株式移転が行われることが提出会社の業務執行を決定する機関により決定された場合
・提出会社の資産の額が提出会社の最近事業年度末日の純資産額の10/100以上増減することが見込まれる吸収分割又は提出会社の売上高が提出会社の最近事業年度の売上高の3/100以上増減することが見込まれる吸収分割が行われることが提出会社の業務執行を決定する決定機関により決定された場合
・提出会社の資産の額が提出会社の最近事業年度末日純資産額の10/100以上減少することが見込まれる新設分割又は提出会社の売上高が提出会社の最近事業年度の売上高の3/100以上が減少することが見込まれる新設分割が行われることが提出会社の業務執行を決定する機関により決定された場合
・提出会社の資産の額が提出会社の最近事業年度末日の純資産額の10/100以上増加することが見込まれる吸収合併もしくは提出会社の売上高が提出会社の最近事業年度の売上高の3/100以上増加することが見込まれる吸収合併又は提出会社が消滅することとなる吸収合併が行われることが提出会社の業務執行を決定する機関により決定された場合
・新設合併が行われることが提出会社の業務執行を決定する機関により決定された場合
・提出会社の資産の額が提出会社の最近事業年度末日の純資産額の30/100以上増減することが見込まれる事業の譲渡・譲受け又は提出会社の売上高が提出会社の最近事業年度の売上高の10/100以上増減することが見込まれる事業の譲渡・譲受けが行われることが提出会社の業務執行を決定する機関により決定された場合
・提出会社による近接取得を含んだ対価の合計が提出会社の最近事業年度末日の純資産額の15/100以上である子会社取得が行われることが提出会社の業務執行を決定する機関により決定された場合

【提出会社の連結子会社に関する事由】

〈連結会社〉

連結財務諸表提出会社及び連結子会社をいいます(企業内容開示府令1二十一の四、連結財規2⑤)。

〈連結子会社〉

連結の範囲に含められる子会社をいいます（企業内容開示府令1二十一の三、連結財規2④)。

・連結会社の資産の額が連結会社の最近連結会計年度末日の連結純資産額の30/100以上増減することが見込まれる連結子会社の株式交換又は連結会社の売上高が連結会社の最近連結会計年度の売上高の10/100以上増減することが見込まれる連結子会社の株式交換が行われることが提出会社又は当該連結子会社の業務執行を決定する機関により決定された場合

・連結会社の資産の額が連結会社の最近連結会計年度末日の連結純資産額の30/100以上増減することが見込まれる連結子会社の株式移転又は連結会社の売上高が連結会社の最近連結会計年度の売上高の10/100以上増減することが見込まれる連結子会社の株式移転が行われることが提出会社又は当該連結子会社の業務執行を決定する機関により決定された場合

・連結会社の資産の額が連結会社の最近連結会計年度末日の連結純資産額の30/100以上増減することが見込まれる連結子会社の吸収分割又は連結会社の売上高が連結会社の最近連結会計年度の売上高の10/100以上増減することが見込まれる連結子会社の吸収分割が行われることが提出会社又は当該連結子会社の業務執行を決定する機関により決定された場合

・連結会社の資産の額が連結会社の最近連結会計年度末日の連結純資産額の30/100以上増減することが見込まれる連結子会社の新設分割又は連結会社の売上高が連結会社の最近連結会計年度の売上高の10/100以上増減することが見込まれる連結子会社の新設分割が行われることが提出会社又は当該連結子会社の業務執行を決定する機関により決定された場合

・連結会社の資産の額が連結会社の最近連結会計年度末日の連結純資産額の30/100以上増減することが見込まれる連結子会社の吸収合併又は連結会社の売上高が連結会社の最近連結会計年度の売上高の10/100以上増減することが見込まれる連結子会社の吸収合併が行われることが提出会社又は当該連結子会社の業務執行を決定する機関により決定された場合

・連結会社の資産の額が連結会社の最近連結会計年度末日の連結純資産額の30/100以上増減することが見込まれる連結子会社の新設合併又は連結会社の売上高が連

結会社の最近連結会計年度の売上高の10/100以上増減することが見込まれる連結子会社の新設合併が行われることが提出会社又は当該連結子会社の業務執行を決定する機関により決定された場合

・連結会社の資産の額が連結会社の最近連結会計年度末日の連結純資産額の30/100以上増減することが見込まれる連結子会社の事業の譲渡・譲受け又は連結会社の売上高が連結会社の最近連結会計年度の売上高の10/100以上増減することが見込まれる連結子会社の事業の譲渡・譲受けが行われることが提出会社又は当該連結子会社の業務執行を決定する機関により決定された場合

・連結子会社による近接取得を含んだ対価の合計が連結会社の最近連結会計年度末日における連結純資産額15/100以上である子会社取得が行われることが当該連結子会社の業務執行決定機関により決定された場合

2-16 支配関係の定義

1. 法人税法上の支配関係

法人税法において支配関係とは、(1)又は(2)のいずれかの関係をいいます（法法2十二の七の五）。

(1)　一の者が法人の発行済株式等（自己株式等を除きます）の50％超を直接もしくは間接に保有する場合の当該一の者と当該法人の関係（以下「当事者間の支配関係」）。

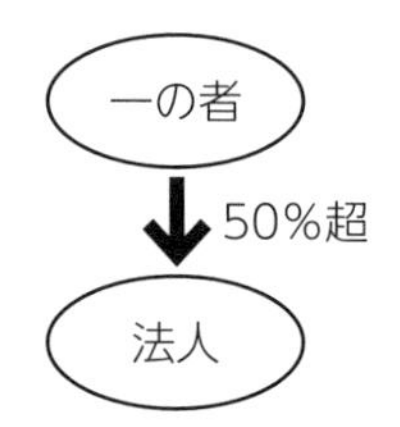

(2)　一の者との間に（1）の当事者間の支配関係がある法人が複数あり、その法人相互の関係。

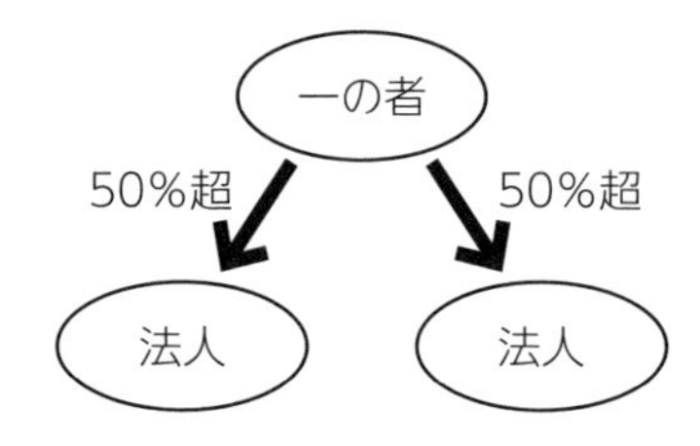

2. 「当事者間の支配関係」を考える上での注意点

当事者間の支配関係を考える上では、下記に注意する必要があります（法令4の2①）。

(1)　一の者が個人の場合には、その者とその者の特殊関係者[*1]の有する株式等を合わせて、当該法人の発行済株式等の50％超を所有しているか否かを判定します。

＊1　その者の親族、婚姻の届け出をしていないが事実上婚姻関係と同様の事情にある者、及び使用人等をいいます（法令４①）。

(2)　一の者が他の法人の発行済株式等の50％超を保有する場合の、一の者と当該法人との関係を直接支配関係といいますが、一の者との間に直接支配関係がある法人が１社もしくは複数ある場合で、一の者とその支配されている法人が合わせて、他の法人の発行済株式等の50％超を保有する場合の、一の者と当該他の法人の関係も当事者間の支配関係となります。この場合、一の者は、単独では他の法人の株式等の50％超を保有していなくとも、50％超を保有するものとみなされます。

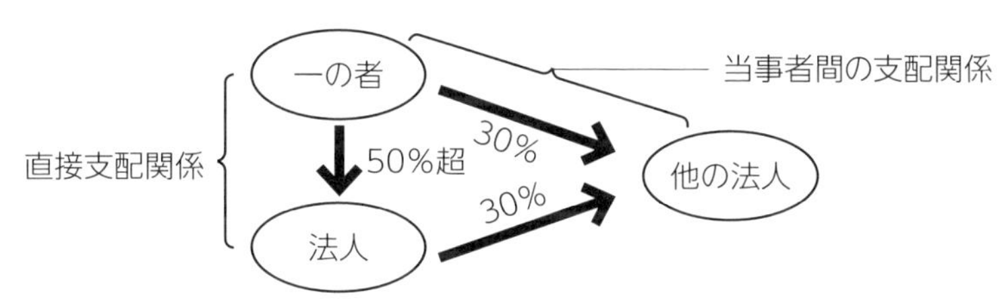

(3)　一の者との間に直接支配関係がある法人が１社もしくは複数ある場合で、それら一の者に支配されている法人が、他の法人の発行済株式等の50％超を保有する場合の、一の者と当該他の法人の関係も当事者間の支配関係です。この場合、一の者は、直接には他の法人の株式等を保有していませんが、50％超の株式等を保有するものとみなされます。

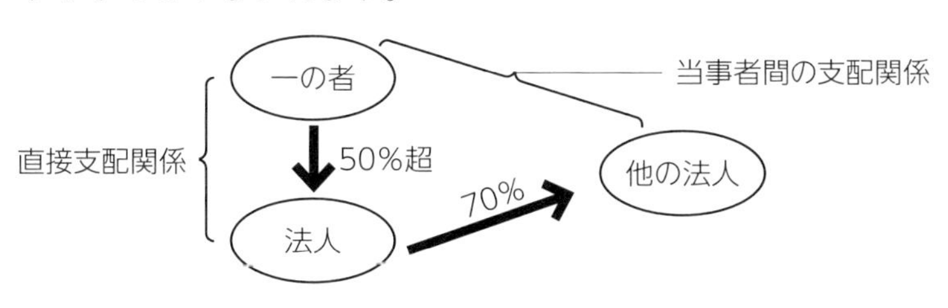

2-17 完全支配関係の定義

1. 法人税法上の完全支配関係

法人税法において完全支配関係とは、(1) 又は (2) のいずれかの関係をいいます（法法 2 十二の七の六）。

（1） 一の者が法人の発行済株式等*1 の全部を直接もしくは間接に保有する場合の、当該一の者と当該法人の関係（「当事者間の完全支配関係」）。

＊1 支配関係の判定の際には発行済株式等から除くのは自己株式のみですが、「完全」支配関係の判定の際には、自己株式の他、発行済株式（自己株式を除きます）の総数のうちの「従業員持株会の所有株式」と「ストックオプションの行使により取得された株式」の数を合計した数の占める割合が 5% に満たない場合の当該株式も除きます（法令 4 の 2 ②）。

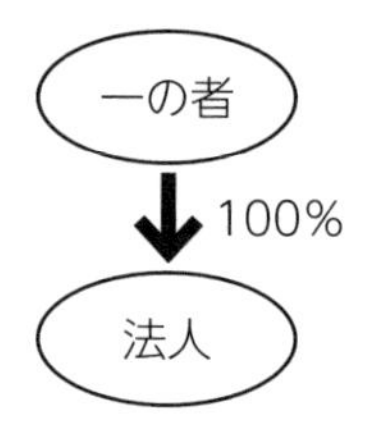

（2） 一の者との間に（1）の当事者間の完全支配関係がある法人が複数あり、その法人相互の関係。

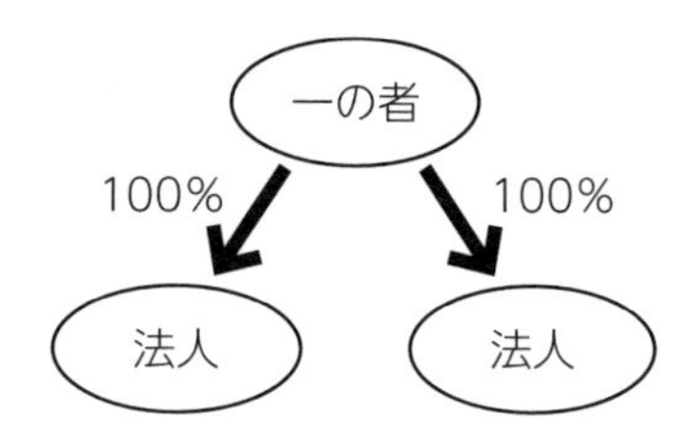

2. 「当事者間の完全支配関係」を考える上での注意点

当事者間の完全支配関係を考える上では、下記に注意する必要があります（法令4の2②）。

(1) 一の者が個人の場合には、その者とその者の特殊関係者（**2-16**参照）の有する株式等を合わせて、当該法人の発行済株式等の全部を所有しているか否かを判定します。

※ 無対価組織再編が適格組織再編に該当するか否かの判定を行う場合には、株主が個人の場合には、その者の有する株式等のみで判定をし、その者の特殊関係者の有する株式等は含めませんので注意が必要です。無対価組織再編が適格組織再編になる場合を定めている法令4の3においては、その者の特殊関係者を含む旨の記載がないためです（**3-9**参照）。

(2) 一の者が他の法人の発行済株式等の全部を保有する場合の、一の者と当該法人との関係を直接完全支配関係といいますが、一の者との間に直接完全支配関係がある法人が1社もしくは複数ある場合で、一の者とその完全支配されている法人が合わせて、他の法人の発行済株式等の全部を保有する場合の、一の者と当該他の法人の関係も当事者間の完全支配関係となります。この場合、一の者は、単独では他の法人の株式等の全部を保有していませんが、全部を保有するものとみなされます。

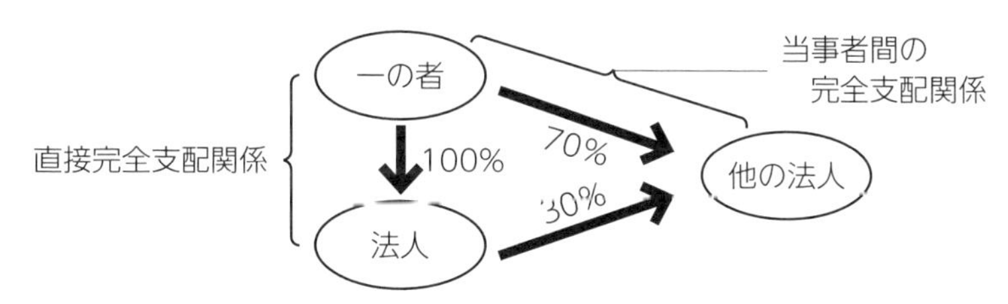

(3)　一の者との間に直接完全支配関係がある法人が1社もしくは複数ある場合で、それら一の者に完全支配されている法人が、他の法人の発行済株式等の全部を保有する場合の、一の者と当該他の法人の関係も当事者間の完全支配関係です。この場合、一の者は、直接には他の法人の株式等を保有していませんが、全部の株式等を保有するものとみなされます。

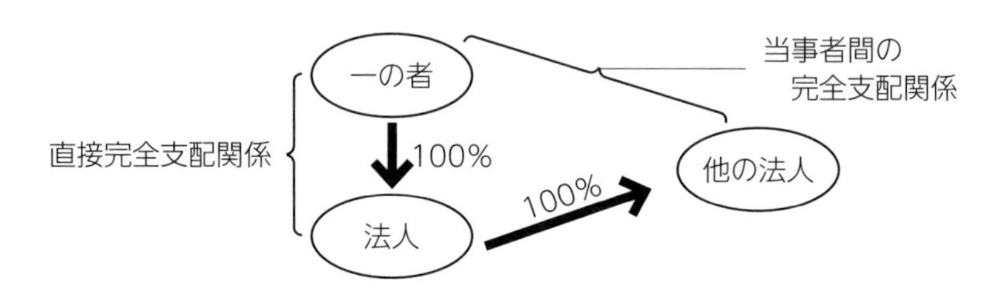

2-18 合併の適格要件

1. 合併の適格要件

合併法人と被合併法人の資本関係	適格要件	求められる資本関係
合併前に完全支配関係がある場合の合併 (法法２十二の八イ、法令４の３②一、二)	・金銭等不交付要件	完全支配関係継続要件
合併前に支配関係がある場合の合併 (法法２十二の八ロ、法令４の３③一、二)	・金銭等不交付要件 ・従業者引継要件 ・事業継続要件	支配関係継続要件
共同事業を行うための合併 (法法２十二の八ハ、法令４の３④)	・金銭等不交付要件 ・事業関連性要件 ・規模又は特定役員引継要件 ・従業者引継要件 ・事業継続要件 ・株式継続保有要件	――

2. 合併の適格要件における注意点

・無対価合併については、適格となる資本関係が限定されていますので注意が必要です。詳細は**3-9**を参照してください。

・合併後に当該合併の当事者を被合併法人とする適格合併を行うことが見込まれている場合には、要件が緩和されています。

・特定役員引継要件に関しては、合併前の当該被合併法人の「特定」役員のいずれかと当該合併法人の「特定」役員いずれかとが、当該合併後に当該合併法人の「特定」役員となることが見込まれていることが必要です。つまり、合併前の合併法人及び被合併法人いずれにおいても「特定」役員であることが求められていることに注意が必要です。

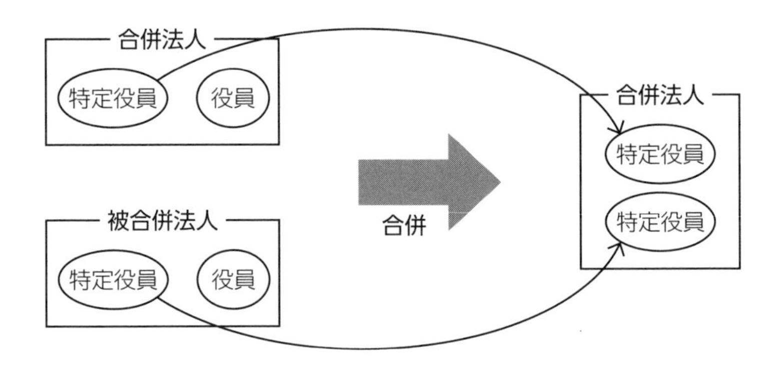

平成29年度税制改正の影響

〈金銭等不交付要件の緩和〉

平成29年10月1日以後に行われる吸収合併については、適格合併となる合併の対価の範囲に、合併の直前において合併法人が被合併法人の発行済株式等の総数の3分の2以上に相当する数の株式を有する場合における合併法人以外の株主等に交付される金銭その他の資産が追加されました（法法2十二の八、改正法附則11②）。この金銭等不交付要件の緩和は、合併と株式交換についてのみです。

ただ、あくまで、**2-19 2.(2)** に記載の株式譲渡損益が生じるか否かを検討する上での金銭等不交付合併とは、合併法人又はその親法人の株式以外の資産が交付されなかった合併をいい（法法61の2②）、金銭等不交付合併に該当しない前段落の合併における非支配株主においては、従来通り旧株の譲渡損益が計上されます（法法61の2①）。

〈株式継続保有要件の改正〉

共同で事業を行うための合併に係る株式継続保有要件について、合併により交付される合併法人の株式のうち支配株主[*1]に交付されるものの全部が支配株主により継続して保有されることが見込まれていることとされました（法令4の3④五）。

＊1　支配株主とは、合併の直前に被合併法人と他の者との間に当該他の者による支配関係がある場合における当該他の者及び当該他の者による支配関係があるものをいい、合併法人を除くこととされています（法令4の3④五）。

平成30年度税制改正の影響

〈完全支配関係継続要件の緩和〉

平成30年4月1日以後に行われる合併から、合併前に被合併法人と合併法人との間に同一の者による完全支配関係がある合併において、合併後にその同一の者と合併法人との間に完全支配関係が継続することが見込まれていることとの要件について、合併後にその合併法人を完全子法人とする適格株式分配を行うことが見込まれている場合には、その合併の時からその適格株式分配の直前の時までその完全支配関係が継続することが見込まれていれば、この要件に該当することとされました（法令4の3②二）。

〈従業者引継要件の緩和〉

平成30年4月1日以後に行われる合併から、従業者引継要件について、移転した従業者が従事する「合併に係る合併法人の業務」には、その合併に係る合併法人との間に完全支配関係がある法人の業務等を含むこととされました（法法2十二の八ロ(1)、法令4の3④三）。つまり、グループ完全子会社等（合併法人との間に完全支配関係がある法人等）

の業務に従事（出向や異動）しても、要件を満たすこととなりました。グループ完全子会社等には、合併後に新設されることが見込まれている法人も該当します。

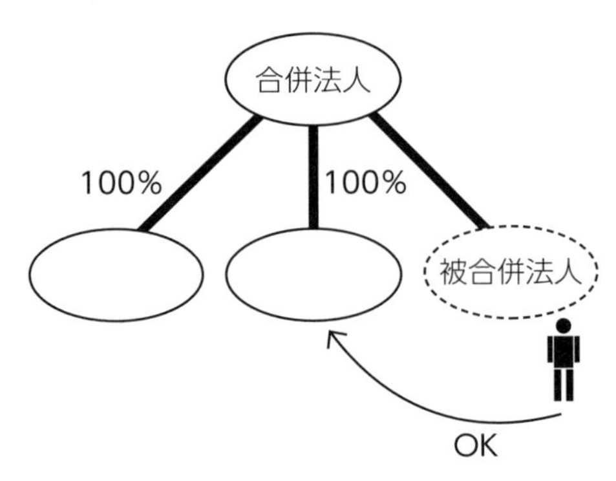

〈事業継続要件の緩和〉

平成30年4月1日以後に行われる合併から、事業継続要件について、この引き受けた事業を行う主体である「合併法人」には、その合併に係る合併法人との間に完全支配関係がある法人等を含むこととされました（法法2十二の八ロ⑵、法令4の3④四）。

被合併法人の合併前に行う主要な事業の全てが1つの法人において行われる必要はなく、完全支配関係がある複数の法人において行われる場合でもこの要件を満たすこととなります。そこには、合併後に新設されることが見込まれている法人も含まれます。

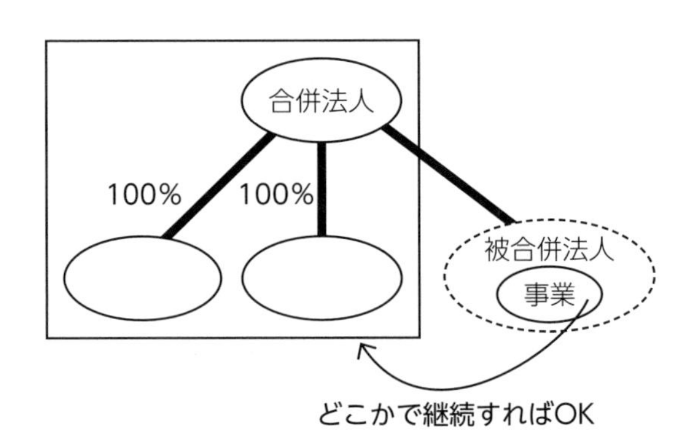

2-19
合併当事者の課税関係

1. 被合併法人及び合併法人における課税

合併によっても、通常の資産等の譲渡と同様に、被合併法人から合併法人へ当該資産等の時価をもって譲渡されたと考えます(法法62)。ただ、**2-18** に記載の適格要件を満たす場合には、合併の前後で経済的実態に変化がないと考えられ、資産等の移転は帳簿価額をもって行われます(法法62の2)。

【被合併法人及び合併法人の課税関係の概要】

	被合併法人	合併法人
非適格合併	時価で譲渡(原則、対価との差額が譲渡損益)(ただし、合併法人と被合併法人に完全支配関係がある場合には、譲渡資産調整資産に関しては税務上の簿価で移転します(2. (2)【参考】参照))	時価で取得(受入資産負債の差額と交付対価との差額は基本的に資産調整勘定*1又は負債調整勘定*2(法法62の8))(ただし、合併法人と被合併法人に完全支配関係がある場合には、譲渡資産調整資産に関しては簿価で引き受けます(2. (2)【参考】参照))
適格合併	簿価で引継(譲渡損益は生じません)	簿価で取得(被合併法人の資本金等の額及び利益積立金も引継)(ただし、子会社を被合併法人とする親子間の合併の場合には、引き継いだ資本金等の額と保有していた被合併法人株式を相殺します)

＊1　時価で受け入れた税務上の資産負債の差額と交付した対価を比較し、交付した対価の方が大きければ、その差額は寄付金に該当する部分を除き、資産調整勘定となります（法法62の8①）。資産調整勘定は、当初計上額を60で除し、そこに事業年度の月数を乗じて計算された金額を減額し、損金に算入します（法法62の8④⑤）。合併月からの月割りではなく、事業年度の月数を乗じる点に注意が必要です。ただし、平成29年度税制改正により平成29年4月1日以後に行われる非適格合併等における資産調整勘定については、非適格合併等の日から事業年度終了の日までの期間の月数を乗じて計算した金額を減額することとされました（法法62の8④、改正法附則19）。損金経理要件はありません。また、資産調整勘定を有することとなった事業年度及び減額する事業年度の確定申告書に明細書を添付する必要があります（法令123の10⑨）。

＊2　時価で受け入れた税務上の資産負債の差額と交付した対価を比較し、交付した対価の方が小さければ、その差額は受贈益に該当する部分を除き、負債調整勘定となります。さらに、負債調整勘定である当該差額のうち、退職給与引当金相当から生じている部分は退職給与負債調整勘定（法法62の8②一）といい、短期重要債務部分は短期重要負債調整勘定（法法62の8②二）といい、いずれにも該当しない部分を差額負債調整勘定といいます。（法法62の8③）。それぞれの意義、当初計上額及び減額する額の計算方法等は下表です。減額した金額は、その減額すべきこととなった日の属する事業年度の益金に算入されます（法法62の8⑧）。また、負債調整勘定を有することとなった事業年度及び減額する事業年度の確定申告書に明細書を添付する必要があります（法令123の10⑨）。

【負債調整勘定の種類等】

退職給与負債調整勘定	
意義・要件	被合併法人から引き継いだ従業者につき退職給与債務を引き受けた場合で、下記要件を満たしたもの ・支給する退職給与の額につき、非適格合併前の在職期間その他の勤務実績等を勘案して算定する旨を約し、かつ、これに伴う負担を引き受けること ・確定申告書への明細書の添付があること
当初計上額	退職給付引当金の額（ただし、一般に公正妥当と認められる会計処理に従って算定されたものであり、その額につき明細書に記載がある場合の当該退職給付引当金の額に限ります）（法令123の10⑦）
減額する額の計算方法	退職その他の事由により従業者でなくなった場合（適格合併、適格分割又は適格現物出資により合併法人等へ転籍するために退職する場合は除きます）、又は、退職給与を支給する場合に下記①又は②の方法で計算した金額を減額します。

減額する額の計算方法	①人数按分 退職給与負債調整勘定の当初計上額（すでにこの規定の適用により減額された金額を除きます）を退職給与引受従業者の数（すでに従業者でなくなったもの及び退職給与の支給を受けたものを除きます）で除し、減額対象従業者（上記波下線の従業者）の数を乗じた金額 ②金額按分 対象従業者ごとの退職給付引当金額に相当する金額（退職給与引受従業者ごとの退職給付引当金の計算に関する明細を保存している必要があり、前年度以前に①の適用を受けている場合を除きます）（法法 62 の 8 ⑥一，法令 123 の 10 ⑩⑫）
短期重要負債調整勘定	
意義・要件	非適格合併により、被合併法人から移転を受けた事業に係る将来の債務のうち、当該事業の利益に重大な影響を与えるもの（すでに履行が確定しているものを除きます）で、その履行が非適格合併の日から概ね 3 年以内に見込まれているものについて負担の引受けをした場合
当初計上額	当該債務の額（ただし、生ずるおそれのある損失の金額として見込まれる金額が、当該非適格合併により移転を受けた資産の取得価額の合計額の 20％超である債務に限ります）（法令 123 の 10 ⑧）
減額する額の計算方法	①短期重要債務見込額に係る損失が生じ、もしくは、②非適格合併の日から 3 年が経過したとき又、③自己を被合併法人とする非適格合併を行うときは、その事由が生じた日の属する事業年度において短期重要負債調整勘定の金額のうち、その損失の額に相当する金額（②③の場合にはその短期重要負債調整勘定の金額）を減額します（法法 62 の 8 ⑥二，法令 123 の 10 ⑬）。
差額負債調整勘定	
意義・要件	「時価資産負債の差額＞交付した対価」の場合で、上記 2 つに該当しない部分
当初計上額	受け入れた時価による資産負債の差額が交付した対価を超える部分のうち、上記 2 つに該当しない部分

減額する額の計算方法	当初計上額を60で除し、そこに事業年度の月数を乗じて計算された金額（法法62の8⑦）。合併月からの月割りではなく、事業年度の月数を乗じる点に注意が必要です。ただし、平成29年度税制改正により平成29年4月1日以 後に行われる非適格合併等における差額負債調整勘定については、非適格合併等の日から事業年度終了の日までの期間の月数を乗じて計算した金額を減額することとされました（法法62の8⑦、改正法附則19）。

2. 被合併法人の株主

被合併法人の株主においては、被合併法人の株式が消滅する代わりに合併対価資産の受取りが生じるため、そこに課税関係が発生するかが問題になります。

被合併法人の株主において生じうる課税内容としては具体的には、(1)「みなし配当」及び (2)「株式の譲渡損益」です。

(1) みなし配当

被合併法人の株主はその地位に基づき対価の交付を受けるため、一定の場合に配当とみなされる部分が生じ、当該株主において配当金課税がなされます。

みなし配当が生じる一定の場合とは、非適格合併が行われた場合です（法法24①一、所法25①一、法令23①）。適格合併の場合には、被合併法人で減少する利益積立金は合併法人にあくまで引き継がれるのであって、被合併法人の株主に分配されるわけではないためです。

具体的には、下記の算式により算定された金額（交付金銭等のうち被合併法人の資本金等の額を超える部分）がみなし配当となります。

みなし配当 ＝ 交付金銭等 － 資本金等の額[*3]

＊3　被合併法人の当該合併の日の前日の属する事業年度終了の時の資本金等の額を当該被合併法人のその時の発行済株式等（自己株式は除きます）の総数で除し、これに当該合併の直前に有していた当該被合併法人の株式等の数を乗じて計算した金額（法令23①一）。

(2) 株式の譲渡損益

合併においては、被合併法人の全てが合併法人に移ります。つまり、被合併法人の株主からすれば、旧株式（合併前に有していた被合併法人の株式）の価値が、合併により取得した合併法人株式に移転することとなります。

適格合併の場合には、合併の前後で経済的実態が変化していないという観点から、旧株式の帳簿価額がそのまま合併法人株式に移転したと考え、取得した合併法人株式に旧株式の合併直前の帳簿価額を引き継ぐため、株式の譲渡損益は生じません。譲渡損益が発生しないのは、合併対価資産が合併法人株式又はその親法人株式のみの非適格合併においても同様です（法法61の2①②③、法令119①五）。

なお、合併対価が合併法人株式等のみの非適格合併の場合には、旧株式に関しての譲渡損益は生じませんが、①で記載の通りみなし配当が生じます。その場合の新しく取得する合併法人株式の取得原価は、旧株式の合併直前の帳簿価額にみなし配当を加えた金額となります（法令119①五、所令112①）。

上記に対し、合併法人株式等以外の資産が交付される非適格合併の場合には、通常の株式譲渡と同様に、交付された合併対価資産を譲渡対価としてその時価と旧株式の合併直前の帳簿価額との差額が譲渡損益として課税されます（法法61の2①②、措法37の10③一、37の11③）。

この場合、非適格合併ですのでみなし配当も生じますが、合併対価として受領した株式及び金銭等のうちみなし配当の金額以外の部分を旧株式の譲渡対価とし、これと旧株式の合併直前の帳簿価額との差額で譲渡損益を計算します。

譲渡損益の計算

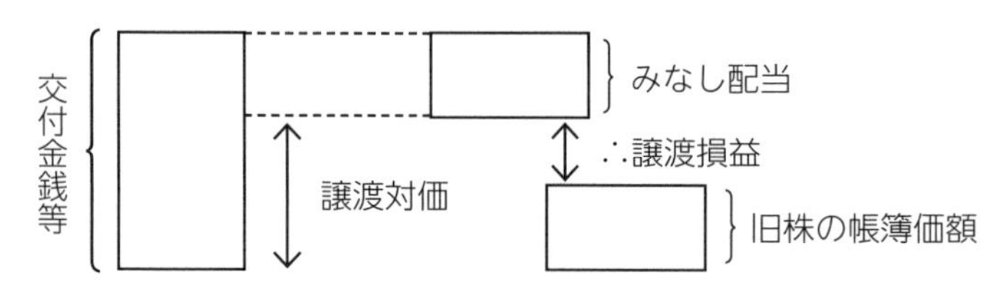

【合併に係る被合併法人の株主における課税関係の概要】

	金銭等交付	みなし配当課税	株式譲渡課税	合併法人株式の取得価額
適格合併	なし	なし	なし	旧株式の合併直前の帳簿価額（Ⓐ）を引き継ぐ
非適格合併	なし	あり	なし	Ⓐ＋みなし配当
	あり	あり	あり	時価

【参考】　完全支配関係下で行われる非適格合併の場合の簿価移転

非適格合併の場合には、上記の通り、被合併法人の資産及び負債は時価で移転します。ただし、完全支配関係下で非適格合併が行われる場合の譲渡損益調整資産（**2-22** 参照）は簿価での移転となります（法法 61 の 11 ⑦）。その上で、それに対して授受する対価は時価ベースのものであるため、被合併法人においては、減少する簿価ベースの資産と受け取る時価ベースの対価との差額の譲渡損益を、別表四にて加減算し取り消します（社外流出）。合併法人においては、受け取る簿価ベースの資産と支払う時価ベースの対価との差額は利益積立金とします（法令 9 ①一タ）。これは、合併の場合には、被合併法人は合併により消滅するため、譲渡損益調整資産に係る調整額の戻し入れができないためです。

これに対して、完全支配関係下における非適格分割の場合には、譲渡損益調整資産は時価で移転した上で、グループ法人税制の適用により、それに係る譲渡損益は一定期間繰り延べられることになります（法法 61 の 11 ①、法令 122 の 12 ①）。

2-20 会社分割の適格要件

1. 会社分割の適格要件

分割法人と承継法人の資本関係	適格要件	求められる資本関係
分割前に完全支配関係がある場合の会社分割 （法法２十二の十一イ、法令４の３⑥一、二）	・金銭等不交付要件	完全支配関係継続要件
分割前に支配関係がある場合の会社分割 （法法２十二の十一ロ、法令４の３⑦一、二）	・金銭等不交付要件 ・主要資産負債引継要件 ・従業者引継要件 ・事業継続要件	支配関係継続要件
共同事業を行うための会社分割 （法法２十二の十一ハ、法令４の３⑧）	・金銭等不交付要件 ・事業関連性要件 ・規模又は特定役員引継要件 ・主要資産負債引継要件 ・従業者引継要件 ・事業継続要件 ・株式継続保有要件	――
分割法人の事業を当該分割により新たに設立する分割承継法人において独立して行うための分割 （法法２十二の十一ニ、法令４の３⑨）	・金銭等不交付要件　他 **２．「平成 29 年度税制改正の影響」**「事業のスピンオフに関する適格要件の明確化」参照	**２．「平成 29 年度税制改正の影響」**「事業のスピンオフに関する適格要件の明確化」参照

2. 会社分割の適格要件における注意点

・分割型分割の場合には、適格要件として全ての資本関係のケースにおいて按分型の分割型分割（分割承継法人株式が分割法人の株主等の持ち株比率に応じて交付されること）であることが求められます。

・無対価分割については、適格となる資本関係が限定されていますので注意が必要です。詳細は **3-9** を参照してください。

・分割後に当該分割の当事者を被合併法人とする適格合併を行うことが見込まれている場合には要件が緩和されています。

・従業者引継要件に関しては、当該分割の直前の分割事業（分割法人の分割前に営む事業のうち、当該分割により分割承継法人において営まれることとなるもの）に係る従業者のうち、その総数の概ね80％以上に相当する者が当該分割後に当該分割承継法人の業務に従事することが見込まれていることとされており、分割事業に従事していた分割法人の従業者は、分割後には分割事業に限らず、承継法人の業務のいずれかに従事していれば当該要件は満たされることになります。

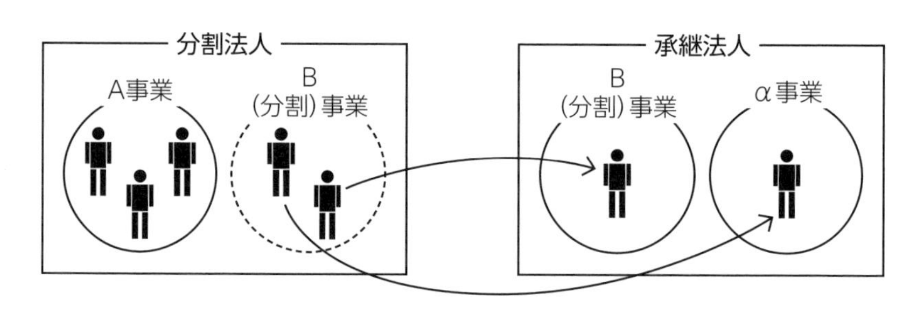

・規模要件に関して、合併では資本金も指標として使用することが可能ですが、分割の場合には資本金を指標として使用することはできませんので、注意が必要です。

平成29年度税制改正の影響

〈(完全) 支配関係継続要件の緩和〉

・(完全) 支配関係継続要件について、分割前に当事者間の (完全) 支配関係 (**2-16**、**2-17** 参照) がある分割の場合には、従来当該分割後に当該分割法人と分割承継法人との間にいずれか一方の法人による (完全) 支配関係が継続することが見込まれていることが求められていましたが、平成29年10月1日以後に行われる分割においては、分割前に分割法人と分割承継法人との間に分割承継法人による (完全) 支配関係がある「吸収分割型分割」については、分割後の関係の継続が不要とされました (法令4の3⑥一イ、⑦一イ)。分割法人との (完全) 支配関係が継続しなくとも、承継法人における移転資産に対する支配は継続していると考えられるためです。

・(完全) 支配関係継続要件について、分割前に同一の者による (完全) 支配関係 (**2-16**、**2-17** 参照) がある分割の場合には、従来、当該分割後に当該分割法人と分割承継法人との間に当該同一の者による (完全) 支配関係が継続することが見込まれていることが求められていましたが、平成29年10月1日以後に行われる分割においては、分割前に分割法人と分割承継法人との間に同一の者による (完全) 支配関係がある「吸収分割型分割」については、分割後にその同一の者と分割承継法人との間にその同一の者による (完全) 支配関係が継続することとされ、分割後のその同一の者と分割法人との間の関係の継続が不要とされました (法令4の3⑥二イ⑦二)。分割法人との (完全) 支配関係が継続しなくとも、承継法人における移転資産に対する支配は継続していると考えられるためです。

単独新設分割型分割においても、分割後の同一の者による (完全) 支配関係は、同一の者と分割承継法人との間にその同一の者による (完全) 支配関係が継続することとされ、分割後のその同一の者と分割法人との間の関係の継続が不要とされています (法令4の3⑥二ハ⑴、⑦二)。

（完全）支配関係継続要件の範囲

【従来】

同一の者
（完全）
支配関係
分割法人
承継法人

【改正後】

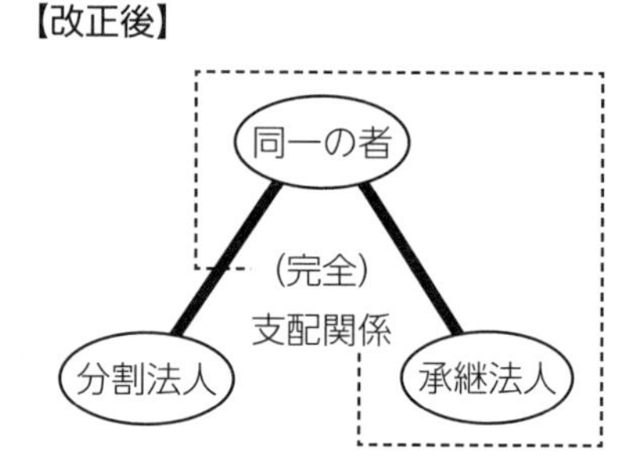

〈株式継続保有要件の改正〉

・共同で事業を行うための分割型分割における株式継続保有要件に関して、分割型分割により交付される分割承継法人の株式等のうち支配株主*1に交付されるものの全部が支配株主により継続して保有されることが見込まれていることとされました（法令4の3⑧六イ）。

＊1　支配株主とは、分割型分割の直前に分割法人と他の者との間に当該他の者による支配関係がある場合における当該他の者及び当該他の者による支配関係があるものをいい、分割承継法人を除くこととされています。

〈事業のスピンオフに関する適格要件の明確化〉

適格分割となる分割の範囲に、支配されていない分割法人が行っていた事業の一部を単独新設分割型分割により新たに設立された分割承継法人において新たに行う分割（事業のスピンオフ）が追加されました。これにより、上場会社等においても、適格分割により行うことができる事業再編の形態が増えたことになります。

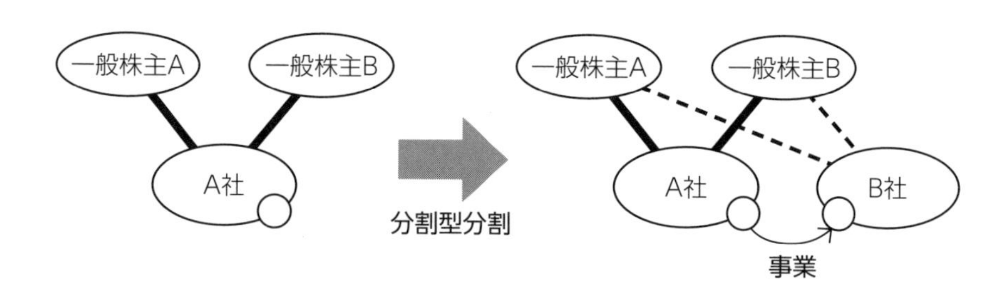

ただし、以下の要件を満たす必要があります（法法2十二の十一ニ、法令4の3⑨）。

(1)　分割法人が分割前に他の者[*2]による支配関係がないものであり、分割承継法人が分割後に継続して他の者による支配関係がないことが見込まれていること

＊2　他の者が個人である場合には、親族等（法令4①）、特殊の関係のある者を含めて判定することとされています（法令4の3⑨一）。特殊の関係のある者の範囲は、支配関係（**2-16**参照）や完全支配関係（**2-17**参照）を判定する場合の範囲と同様です。

(2)　分割法人の分割事業の主要な資産及び負債が分割承継法人に移転していること

(3)　分割法人の分割直前の分割事業に係る従業者の概ね80%以上が分割後に分割承継法人の業務に従事することが見込まれていること

(4)　分割法人の分割事業が分割後に分割承継法人において引き続き行われることが見込まれていること

(5)　分割前の分割法人の役員又は重要な使用人（分割事業に係る業務に従事している者に限ります）のいずれかが分割承継法人の特定役員となることが見込まれていること

＊　　　　＊

この改正は平成29年4月1日以後に行われる分割について適用となります（改正法附則11①、改正法令附則2①）。

〈単独新設分社型分割に係る適格要件の緩和〉

単独新設分社型分割後に、その交付を受けた分割承継法人株式を分配する**2-28 3.(2)**に記載の適格株式分配を行うことが見込まれている場合、単独新設分社型分割の時からその適格株式分配の直前の時まで、分割法人と分割承継法人との間に分割法人による完全支配関係が継続することが見込まれていれば、その単独新設分社型分割に係る適格要件のうち完全支配関係継続要件については満たすこととされまし

た（法令4の3⑥一ハ）。この改正は、平成29年10月1日以後に行われる分割から適用となります（改正法附則11②、改正法令附則2②）。

平成30年度税制改正の影響

〈完全支配関係継続要件の緩和〉

平成30年4月1日以後に行われる会社分割から、完全支配関係継続要件について、分割後に適格株式分配を行うことが見込まれている場合には、その分割の時からその適格株式分配の直前の時までその完全支配関係が継続することが見込まれていれば、要件を満たすこととされました（法令4の3⑥一ロ・ニ、二イ～ニ）。

平成29年度税制改正で導入された法律によれば、下記の株式分配のスピンオフスキームにおいて、その準備として会社分割を行う場合に、当該会社分割が適格分割となるには、「単独」「新設」分割である

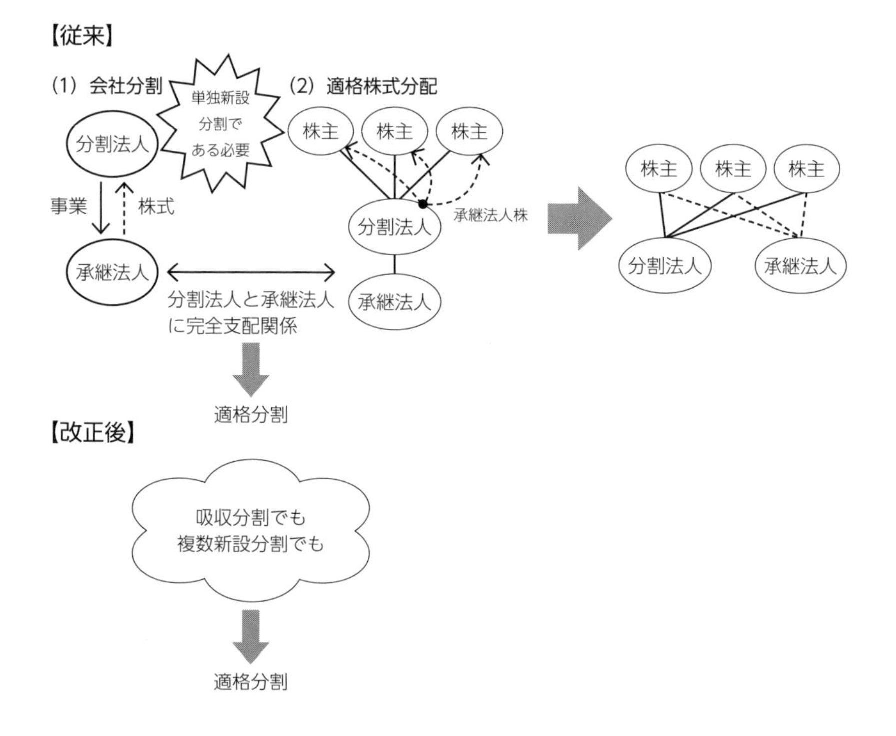

必要がありました。したがって、許認可につき準備を要する事業を会社分割する際に、あらかじめ新会社を設立しておき許認可の準備が整い次第、新会社に事業を分割するという吸収分割では、スピンオフを適格分割のもとで行うことが不可能でした。平成30年度の改正により、「吸収」分割や「複数」新設分割においても、分割の時からその適格株式分配の直前の時までその完全支配関係が継続することが見込まれていれば、要件を満たすこととされ、より実効性があがりました。

〈従事者引継要件の緩和〉

平成30年4月1日以後に行われる会社分割から、従業者引継要件について、移転した従業者が従事する「分割承継法人の業務」には、その分割承継法人との間に完全支配関係がある法人の業務等を含むこととされました（法法2十二の十一ロ⑵、法令4の3⑧四）。つまり、グループ完全子会社等（分割承継法人との間に完全支配関係がある法人等）の業務に従事（出向や異動）しても、要件を満たすこととなりました。グループ完全子会社等は、分割後に新設されることが見込まれている法人も該当します。

〈事業継続要件の緩和〉

平成30年4月1日以後に行われる会社分割から、事業継続要件について、この引き受けた事業を行う主体である「分割承継法人」には、その会社分割に係る分割承継法人との間に完全支配関係がある法人等を含むこととされました（法法2十二の十一ロ⑶、法令4の3⑧五）。

事業の全てが1つの法人において行われる必要はなく、完全支配関係がある複数の法人において行われる場合でもこの要件を満たすこととなります。会社分割後に新設されることが見込まれている法人も該当します。

2-21 会社分割当事者の課税関係

適格・非適格の場合の分割当事者における課税関係

(1) 分割法人及び分割承継法人

会社分割によっても、通常の資産等の譲渡と同様に、分割法人から分割承継法人へ当該資産等の時価をもって譲渡されたと考えます（法法62）。ただ、**2-20** に記載の適格要件を満たすような分割の前後で経済的実態に変化がないと考えられる場合には、資産等の移転は帳簿価額をもって行われます（法法62の2、62の3）。

【分割法人及び分割承継法人の課税関係の概要】

	分割法人	分割承継法人
非適格分割	時価で譲渡 (原則、対価との差額が譲渡損益) (ただし、分割法人と分割承継法人に完全支配関係がある場合は、時価で移転した上で譲渡損益調整資産に係る譲渡損益は一定期間繰り延べられます（法法61の11①、法令122の12①）)	時価で取得 (受入資産負債の時価と交付対価との差額は基本的に資産調整勘定又は負債調整勘定（資産調整勘定及び負債調整勘定の内容等は **2-19** を参照してください）)
適格分割	簿価で引継ぎ (対価に移転資産負債の純資産額を引き継ぐため譲渡損益は生じない)	簿価で取得

【分割法人及び分割承継法人の資本金等の額及び利益積立金の処理】

		資本金等の額	利益積立金
分割型分割	適格	分割法人：分割資本金額等*1が減少 分割承継法人：分割資本金額等*1が増加	分割法人：簿価純資産額から分割資本金額等*1を減算した金額が減少 分割承継法人：簿価純資産額から分割資本金額等*1を減算した金額だけ増加
	非適格	分割法人：分割資本金額等*1（分割対価が上限）が減少 分割承継法人：分割対価から交付金銭等を減算した金額を増加	分割法人：分割対価から減少する資本金等の額を減算した金額が減少 分割承継法人：増減なし
分社型分割	適格	分割法人：増減なし 分割承継法人：簿価純資産額について増加	分割法人：増減なし 分割承継法人：増減なし
	非適格	分割法人：増減なし 分割承継法人：分割対価から交付金銭等を減算した金額を増加	分割法人：増減なし 分割承継法人：増減なし

＊1　分割資本金額等

＝分割型分割直前の分割法人の資本金等の額×分割資本金等割合*2
×分割直前所有株式割合（法令23①二）

＊2　分割資本金等割合（法令23①二、法令8①十五）

$$=\frac{\text{分割型分割直前の移転資産負債の簿価純資産}}{\text{分割法人の前期期末時の簿価純資産}}$$

（その他注意点）

・分数の割合の小数点以下三位未満の端数は切り上げます。

・分母については、前期期末時から分割直前の時までの間に資本金等の額又は利益積立金が増減した場合には、当該増減を加味します。

・分数の割合は、分割型分割直前の資本金等の額がゼロ以下の場合には、ゼロとします。また、分割型分割直前の資本金等の額及び分子の金額がゼロを超え、かつ、分母の金額がゼロ以下の場合には、1とします。また、分子の金額が分母の金額を超える（分母がゼロ未満の場合を除く）場合には、1とします。

・分母の金額は、マイナスの場合にはマイナスで計算します。

・分子の金額は、ゼロが下限となり、マイナスとはしません。

※＊1及び＊2の定義は、後述**（2）**においても同様とします。

(2) 分割法人の株主

分割型分割においては、分割法人の株主においても分割対価資産の受取りが生じるため、課税関係が発生します（分社型分割においては分割法人の株主は対価の受取りがないため適格・非適格関係なく課税関係は生じません）。

分割法人の株主において生じうる課税内容としては、具体的には①「みなし配当」及び②「株式の譲渡損益」があります。以下、分割型分割を前提として記載します。

① みなし配当

分割法人の株主に対価の交付があるため、一定の場合に配当とみなされる部分が生じ、当該株主において配当金課税がなされます。

みなし配当が生じる一定の場合とは、非適格分割型分割が行われた場合です（法法24①二、所法25①二、法令23①）。適格分割型分割の場合には、分割法人で減少する利益積立金は分割承継法人にあくまで引き継がれるのであって、分割法人の株主に分配されるわけではないためです。

具体的には、下記の算式により算定された金額（交付金銭等のうち分割資本金額等を超える部分）がみなし配当となります。

みなし配当　＝　交付金銭等 － 分割資本金額等*3

*3　1．*1参照。

② 株式の譲渡損益

会社分割においては、分割法人の事業の一部が分割承継法人に移ります。つまり、分割法人の株主からすれば旧株式（分割前に有していた分割法人の株式）の価値の一部が、分割により取得した分割承継法人株式に移転することとなります。

適格分割型分割の場合には、分割の前後で経済的実態に変化がないという観点から、旧株式の分割直前の帳簿価額のうち価値が移転したと考えられる部分[*4]を、取得した分割承継法人株式に引き継ぐため、株式の譲渡損益は生じません。これは、分割対価資産が分割承継法人株式又はその親法人株式のみの非適格分割型分割においても同様です（法法61の2①④、法令119の8①、23①二）。

＊4　旧株式の分割直前の帳簿価額に分割資本金等割合＊2を乗じた金額（以下、「分割純資産対応帳簿価額」といいます）

なお、分割対価が分割承継法人株式等のみの非適格分割型分割の場合には旧株式に関しての譲渡損益は生じませんが、①で記載の通りみなし配当が生じます。その場合の、新しく取得する分割承継法人株式等の取得原価は、旧株式の分割直前の分割純資産対応帳簿価額にみなし配当を加えた金額となります（法令119①六、所令113①）。

上記に対し、分割承継法人株式等以外の資産が交付される非適格分割型分割の場合には、通常の株式譲渡と同様に、交付された分割対価資産を譲渡対価として、その時価と旧株式の分割直前の分割純資産対応帳簿価額との差額が譲渡損益として課税されます（法法61の2①④、法令119の8①、措法37の10③二、37の11）。

この場合、非適格分割であるのでみなし配当が生じますが、分割対価として受領した株式及び金銭等のうち、みなし配当の金額以外の部分を旧株式の譲渡対価とし、これと分割純資産対応帳簿価額との差額で譲渡損益を計算します。ただし、下記参考に注意が必要です。

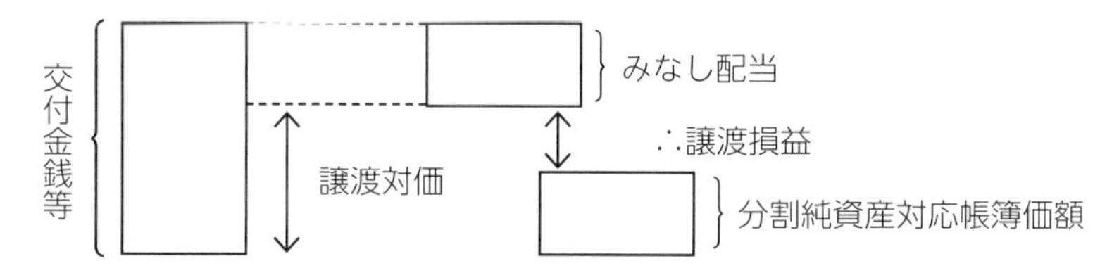

【分割型分割に係る分割法人の株主における課税関係の概要】

	金銭等交付	みなし配当課税	株式譲渡課税	承継法人株式の取得価額
適格分割型分割	なし	なし	なし	旧株式の分割純資産対応帳簿価額（Ⓐ）を引き継ぐ
非適格分割型分割	なし	あり	なし	Ⓐ＋みなし配当
	あり	あり	あり （下記**【参考】**参照）	時価

【参考】金銭交付がある場合であっても100%保有の株主は譲渡損益課税なし

金銭等を交付する非適格分割型分割であっても、分割法人の株主（内国法人である場合に限ります）が分割法人の発行済株式の「全部」を直接又は間接に保有している場合であれば、当該株主について旧株式の譲渡損益課税はなく、譲渡損益に相当する部分は資本金等の額で処理することとされています（法法61の2⑰、法令119の8、8①二十二）。なお、この規定は平成22年10月1日以後に行われる非適格分割型分割から適用されます。

2-22 事業譲渡の税務

1. 概要

事業譲渡においては、合併や会社分割等と異なり、適格・非適格の区別はありません。つまり、何らかの要件を満たせば適格になるということはなく、常に時価での譲渡となります。

ただし完全支配関係下にある法人間での事業譲渡においては、時価での譲渡が行われた上で、譲渡法人において発生する譲渡損益のうち、譲渡損益調整資産に係る譲渡損益については一定期間繰り延べられることとなります。詳細は下記 **2.** を参照してください。

【譲渡法人及び譲受法人の課税関係の概要】

	譲渡法人	譲受法人
事業譲渡	時価で譲渡 (原則､対価との差額が譲渡損益) (ただし、譲渡法人と譲受法人に完全支配関係がある場合は、時価で移転した上で譲渡損益調整資産に係る譲渡損益は一定期間繰り延べられます(法法 61 の 11 ①、法令 122 の 12 ①))	時価で取得 (受入資産負債の時価と交付対価との差額は基本的に資産調整勘定又は負債調整勘定)(資産調整勘定及び負債調整勘定の内容等は **2-19** を参照してください)

※非適格分割の処理と同様になります。

2. グループ法人税制（譲渡損益調整資産に係る譲渡損益の繰延）

上記の通り、事業譲渡に関しては、適格・非適格の区分なく時価譲渡されたものとして処理を行いますが、一方で、完全支配関係下にある法人間での事業譲渡についてはグループ法人税制の適用となります。

具体的には、事業譲渡が完全支配関係（**2-17** 参照）のある法人間で行われている場合には、事業譲渡に係る移転資産のうち譲渡損益調整資産[*1]に関して生じた譲渡利益額又は譲渡損失額に相当する金額は、その事業譲渡の日の属する事業年度の所得の金額の計算上、損金の額又は益金の額に算入されます（法法 61 の 11 ①、法令 122 の 12 ①）。つまり、譲渡損益は一定の事実が生じるまでの間[*2]繰り延べられることとなります。あくまで、時価で譲渡したと考えその上で譲渡損益を繰り延べるということですので、譲渡損益調整資産については簿価で譲渡するということではありません。したがって、譲受法人においては時価で受け入れたものとして処理を行います。

＊1　譲渡損益調整資産

譲渡損益調整資産とは、固定資産、棚卸資産である土地等、有価証券、金銭債権及び繰延資産で、以下のものを除きます（法法 61 の 11 ①、法令 122 の 12 ①）。

実務的には、⑶がよく出てきます。

⑴　売買目的有価証券

⑵　その譲渡を受けた内国法人において売買目的有価証券とされる有価証券

⑶　譲渡の直前の帳簿価額が 1,000 万円に満たない資産（⑴に掲げるものを除く）

＊2　事業譲渡における譲渡損益調整資産に係る譲渡損益は、以下の事象が生じるまで繰り延べられることとなります。以下に該当することとなった場合には、繰り延べた譲渡損益を譲渡法人において益金の額又は損金の額に算入する（戻し入れる）こととなります（法法 61 の 11 ②③）。

⑴　その事業譲渡に係る譲受法人において、その譲渡損益調整資産の譲渡（グループ内法人への譲渡を含みます）、償却、評価換え、貸倒れ、除却その他一定の事実が生じた場合

⑵　譲渡法人と譲受法人との間に完全支配関係を有しないこととなった場合

なお、この譲渡損益調整資産に係る譲渡損益の繰延べは、完全支配関係下における非適格組織再編においても適用されます。例えば、会社分割の直前に分割法人と承継法人に完全支配関係がある会社分割で、その後の完全支配関係継続要件が満たせないことから非適格分割になる場合には、会社分割時には完全支配関係がありますのでグループ法人税制の適用となり、時価により資産及び負債の移転をした上で、分割法人においては譲渡損益調整資産に係る譲渡損益は＊2の事由が生じるまで繰り延べられることになります。

ただし、完全支配関係下の非適格「合併」における譲渡損益調整資産については簿価での移転となります（**2-19【参考】**参照）ので注意が必要です。

2-23 株式交換・株式移転の適格要件

1. 株式交換の適格要件

株式交換完全親法人と株式交換完全子法人の資本関係	適格要件	求められる資本関係
株式交換前に完全支配関係がある場合の株式交換（法法２十二の十七イ、法令４の３⑱一、二）	・金銭等不交付要件	完全支配関係継続要件
株式交換前に支配関係がある場合の株式交換（法法２十二の十七ロ、法令４の３⑲一、二）	・金銭等不交付要件 ・従業者継続要件 ・事業継続要件	支配関係継続要件
共同事業を行うための株式交換（法法２十二の十七ハ、法令４の３⑳）	・金銭等不交付要件 ・事業関連性要件 ・規模又は特定役員引継要件 ・従業者継続要件 ・事業継続要件 ・株式継続保有要件 ・完全支配関係継続要件	完全支配関係継続要件

2. 株式交換の適格要件における注意点

・無対価分割については、適格となる資本関係が限定されていますので注意が必要です。詳細は **3-9** を参照してください。

・株式交換後に当該株式交換の当事者を被合併法人とする適格合併を行うことが見込まれている場合には要件が緩和されています。

・規模要件について、合併では資本金も指標として使用することが可能ですが、株式交換の場合には資本金を指標として使用することはできませんので、注意が必要です。

平成29年度税制改正の影響

〈金銭等不交付要件の緩和〉

平成29年10月1日以後に行われる株式交換については、適格株式交換となる株式交換の対価の範囲に、株式交換直前に株式交換完全親法人が株式交換完全子法人の発行済株式の総数の3分の2以上に相当する数の株式を有する場合における株式交換完全親法人以外の株主に交付される金銭その他の資産が追加されました（法法2十二の十七、改正法令附則2②）。この金銭等不交付要件の緩和は、合併と株式交換についてのみです。

ただ、あくまで、**2-24 2.** に記載の株式譲渡損益が生じるか否かを検討する上での金銭等不交付株式交換とは、株式交換完全親法人又はその親法人の株式以外の資産が交付されない株式交換をいい（法法61の2⑨）、金銭等不交付株式交換に該当しない前段落の株式交換における非支配株主においては、従来通り旧株の譲渡損益が計上されます（法法61の2①）。

〈完全支配関係継続要件の緩和〉

株式交換前に当事者間の完全支配関係がある場合の株式交換後の要件については、従来、株式交換後に株式交換完全親法人が株式交換完全子法人の発行済株式等の全部を保有する関係が継続することが見込まれていることが要件とされていましたが、平成29年8月8日以後に行われる株式交換に関しては、株式交換完全子法人と株式交換完全親法人との間に株式交換完全親法人による完全支配関係が継続することが見込まれていることとされました（法令4の3⑱一）。

〈株式継続保有要件の改正〉

共同で事業を行うための株式交換に係る株式継続保有要件について、株式交換により交付される株式交換完全親法人の株式のうち支配株主[*1]に交付されるものの全部が支配株主により継続して保有されることが見込まれていることとされました（法令4の3⑳五）。

＊1　支配株主とは、株式交換の直前に株式交換完全子法人と他の者との間に当該他の者による支配関係がある場合における当該他の者及び当該他の者による支配関係があるものをいい、株式交換完全親法人を除くこととされています（法令4の3⑳五）。

平成30年度税制改正の影響

〈完全支配関係継続要件の緩和〉

平成30年4月1日以後に行われる株式交換・株式移転から、完全支配関係継続要件について、株式交換・株式移転後に適格株式分配を行うことが見込まれている場合には、その株式交換・株式移転の時からその適格株式分配の直前の時までその完全支配関係が継続することが見込まれていれば、要件を満たすこととされました（法令4の3⑱一、二、㉑一～三、㉒）。

〈従業者継続要件の緩和〉

平成30年4月1日以後に行われる株式交換から、従業者継続要件について、従業者が従事する「株式交換完全子法人の業務」には、その株式交換完全子法人との間に完全支配関係がある法人の業務等を含むこととされました（法法2十二の十七ロ⑴、法令4の3⑳三）。つまり、グループ完全子会社等（株式交換完全子法人との間に完全支配関係がある法人等）の業務に従事（出向や異動）しても、要件を満たすこととなりました。株式移転についても同様です（法法2十二の十八ロ⑴、法令4の3㉔三）。

〈事業継続要件の緩和〉

平成30年4月1日以後に行われる株式交換から、事業継続要件について、事業を行う主体である「株式交換完全子法人」には、その株式交換完全子法人との間に完全支配関係がある法人等を含むこととされました（法法2十二の十七ロ⑵、法令4の3⑳四）。

事業の全てが1つの法人において継続される必要はなく、完全支配関係がある複数の法人において行われる場合でもこの要件を満たすこととなります。株式移転についても同様です（法法2十二の十八ロ(2)、法令4の3㉔四）。

3. 株式移転の適格要件

株式移転前の資本関係	適格要件	求められる資本関係
完全支配関係がある場合の株式移転 (法法2十二の十八イ、法令4の3㉑、㉒)	・金銭等不交付要件	・完全支配関係継続要件
支配関係がある場合の株式移転 (法法2十二の十八ロ、法令4の3㉓一、二)	・金銭等不交付要件 ・従業者継続要件 ・事業継続要件	・支配関係継続要件
共同事業を行うための株式移転 (法法2十二の十八ハ、法令4の3㉔)	・金銭等不交付要件 ・事業関連性要件 ・規模又は特定役員引継要件 ・従業者継続要件 ・事業継続要件 ・株式継続保有要件	・完全支配関係継続要件 (株式移転完全子法人と他の株式移転完全子法人との間の株式移転完全親法人による完全支配関係)

4. 株式移転の適格要件における注意点

・株式移転後に当該株式移転の当事者を被合併法人とする適格合併を行うことが見込まれている場合には要件が緩和されています。

・規模要件について、合併では資本金も指標として使用することが可能ですが、株式移転の場合には資本金を指標として使用することはできませんので、注意が必要です。

平成29年度税制改正の影響

〈株式継続保有要件の改正〉

共同で事業を行うための株式移転に係る株式継続保有要件について、株式移転により交付される株式移転完全親法人の株式のうち支配株主*2に交付されるものの全部が支配株主により継続して保有されることが見込まれていることとされました（法令4の3㉔五）。

*2 支配株主とは、株式移転の直前に株式移転完全子法人又は他の株式移転完全子法人と他の者のとの間に当該他の者による支配関係がある場合における当該他の者及び他の者による支配関係があるものをいいます（法令4の3㉔五）。

平成30年度税制改正の影響

124頁を参照してください。

2-24 株式交換・株式移転当事者の課税関係

1. 株式交換（移転）完全親法人及び株式交換（移転）完全子法人

株式交換（移転）においては、完全親法人が完全子法人株式を受け入れることになりますが、その受入価額は、その株式交換（移転）が適格なのか非適格なのかによって、また適格の場合には完全子法人の旧株主（株式交換（移転）直前の株主）の人数によって、異なります。

また、完全子法人においては株主の異動があるのみですが、非適格の場合には、完全子法人の有する資産負債のうち一定のものについては時価評価が必要になります。

【株式交換（移転）完全親法人及び株式交換（移転）完全子法人の課税関係の概要】

	完全子法人	完全親法人
非適格	株式交換(移転)直前に完全子法人が有する時価評価資産*1 を時価評価し、評価損益は株式交換(移転)の日の属する事業年度の益金又は損金に算入(法法 62 の 9) (非適格株式交換（移転）のうち当該株式交換（移転）の直前に完全親法人と完全子法人との間に完全支配関係がある場合には時価評価は行われません)	時価をもって株式交換（移転）完全子法人株式を取得 (同額の資本金等の額の増加)（ただし、金銭等不交付非適格株式交換（移転）の場合は、株式交換（移転）直前の簿価によります。また、株式交換（移転）直前に完全親法人と完全子法人との間に完全支配関係がある場合は＊2 の金額により、完全子法人株式を受け入れます（法令 119 ①九～十二))
適格	課税関係なし	＊2 の金額をもって株式交換（移転）完全子法人株式を取得（法令 119 ①十、十二)（同額の資本金等の額の増加)

＊1　時価評価資産とは、固定資産・土地（固定資産に該当するものを除きます）・有価証券・金銭債権・繰延資産で下記のものを除きます（法令123の11）。
・非適格株式交換（移転）の日の属する事業年度開始の日前5年以内に開始した事業年度において圧縮記帳の適用を受けた減価償却資産等
・売買目的有価証券
・償還有価証券
・帳簿価額 が1,000万円に満たない資産
・含み損益が、資本金等の額の2分の1又は1,000万円のいずれか少ない額に満たない資産
・完全子法人との間に完全支配関係がある他の内国法人（清算中のもの・解散（合併による解散を除く）をすることが見込まれるもの・当該他の内国法人との間に完全支配関係がある内国法人との間で適格合併を行うことが見込まれるものに限ります）の株式又は出資で、その価額がその帳簿価額に満たないもの
・内国法人が通算法人である場合における当該内国法人が有する他の通算法人の株式又は出資（初年度離脱通算子法人及び通算親法人の株式又は出資を除く）

＊2　・完全子法人の旧株主が50人未満の場合
完全子法人の旧株主が所有していた完全子法人株式の税務上の簿価の合計額が、完全親法人が受け入れる完全子法人株式の取得価額となります。完全子法人株式の取得に要した費用がある場合には、その費用を加算した金額となります（法令119①十イ，十二イ）。
・完全子法人の旧株主が50人以上の場合
完全子法人の税務上の簿価純資産価額（適格株式交換（移転）の直前に既に完全親法人となる法人が完全子法人となる法人の株式を有していた場合には（1－その所有割合）を乗じます）が、完全親法人が受け入れる完全子法人株式の取得価額となります。完全子法人株式の取得に要した費用がある場合には、その費用を加算した金額となります（法令119①十ロ，十二ロ）。

2. 株式交換（移転）完全子法人の旧株主

株式交換（移転）の場合には、適格・非適格に関係なくみなし配当は生じません。一方で、株式交換（移転）完全子法人の旧株主においては株式交換（移転）対価を受け取り、株式交換（移転）完全子法人株式を手放すという取引になりますので、株式の譲渡損益課税が発生します。

適格株式交換（移転）の場合には、株式交換（移転）の前後で経済的実態に変化がないという観点から、株式交換（移転）完全子法人株式の株式交換（移転）直前の帳簿価額を、取得した株式交換（移転）完全親法人株式に引き継ぐため、株式の譲渡損益は生じません。これは、株式

交換（移転）対価資産が株式交換（移転）完全親法人株式又はその親法人株式のみの非適格株式交換（移転）においても同様です（法法61の2①⑨⑪）。

上記に対し、株式交換（移転）完全親法人株式等以外の資産が交付される非適格株式交換（移転）の場合には、通常の株式譲渡と同様に、交付された株式交換（移転）対価資産を譲渡対価として、その時価と株式交換（移転）完全子法人の株式交換（移転）直前の帳簿価額との差額が譲渡損益として課税されます（法法61の2①⑨⑪）。

【株式交換（移転）完全子法人の株主（旧株主）における課税関係の概要】

<table>
<tr><th></th><th>金銭等交付</th><th>みなし配当課税</th><th>株式譲渡課税</th><th>株式交換（移転）完全親法人株式の取得価額</th></tr>
<tr><td>適格株式交換（移転）</td><td>なし</td><td>なし</td><td>なし</td><td>株式交換（移転）完全子法人株式の（Ⓐ）を引き継ぐ</td></tr>
<tr><td rowspan="2">非適格株式交換（移転）</td><td>なし</td><td>なし</td><td>なし</td><td>Ⓐ</td></tr>
<tr><td>あり</td><td>なし</td><td>あり</td><td>時価</td></tr>
</table>

2-25 株式交付制度

1. 株式交付制度の概要と経緯

（1）概要

株式交付とは、株式会社が他の株式会社をその子会社とするために当該他の株式会社の株式を譲り受け、当該株式の譲渡人に対して当該株式の対価として当該株式会社の株式を交付することをいいます（会法2三十二の二）。

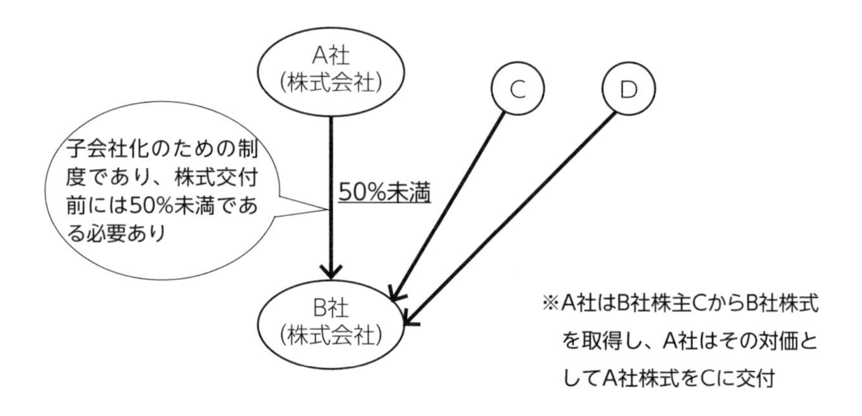

【株式交付後】

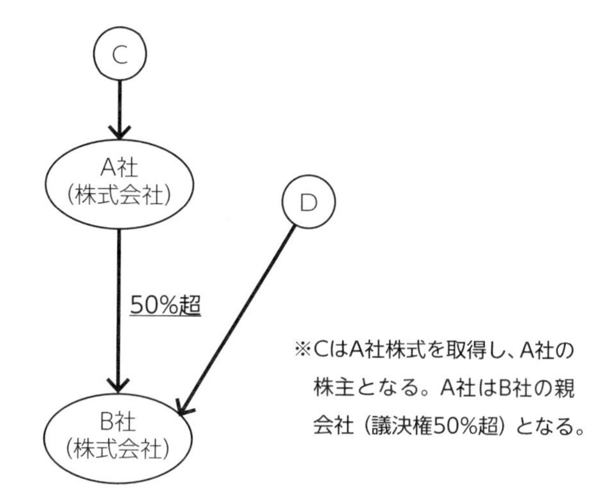

（2）制定の経緯

他の会社を子会社とするためには、当該他の会社の株式を50%を超えて取得すればよいわけですから、もっとも簡単な方法は既存の株主から株式を買い受けることです。しかし、この場合多額の買取資金が必要となります。

株式取得の対価として自社株式を利用できれば、多額の資金を要することなく他社株式を取得することができます。この自社株対価による他社株取得は、他社株を現物出資の方法で出資してもらい、これに対し自社株を発行するという方法も考えられます。しかし、現物出資においては一定の例外に該当する場合を除いて検査役の調査を受けなければなりませんし（**2-3** 参照）、引受人（現物出資者）や発行会社の役員が不足額填補責任を負う場合がありうることから、現物出資を実行できない場合も多くあると考えられます。

また、株式交換の制度は「完全親子会社」を創出するための手続ですので、100%の取得を目的としない場合に利用することはできません。

そこで、自社株対価による企業買収を促進するため、令和元年12月の会社法改正（令和3年3月1日施行）において株式交付制度が制定されました。

2．手続の流れ

（1）概要

株式交付の手続は、主に、株式交付親会社（他社の株式を取得して親会社になろうとする株式会社）における株式交付計画の作成、事前開示、株主総会の承認、効力発生、事後開示ですので、他の組織再編手続、特に株式交換に類似しています。

上記に加え、株式交付親会社と譲渡人の間では、株式交付親会社からの通知→譲渡人からの申込み→株式交付親会社による割当ての決定の手続が必要であり、これらは募集株式発行の手続と類似しています。

株式交付子会社（子会社にしようとする株式会社）にとっては、株式交付は株主の異動に過ぎませんから、譲渡制限がある場合を除き、株主総会決議等の手続は会社法上要求されていません（株式交換の場合、子会社においても原則として株主総会決議が必要となります）。

（2）株式交付計画の作成

株式交付親会社は、次の事項を定めた株式交付計画を作成しなければなりません（会法774の2、774の3）。

① 株式交付子会社の商号・住所

② 取得する株式数の下限*1

③ 対価として交付する株式交付親会社の株式数又はその算定方法並びに当該株式交付親会社の資本金及び準備金の額に関する事項

④ 株式交付子会社の株式の譲渡人に対する、株式交付親会社株式の割当てに関する事項

⑤　対価として株式交付親会社の株式以外の財産（金銭等）を交付するときは、当該金銭等についての一定の事項及び割当てに関する事項
⑥　新株予約権を併せて取得するときは、その新株予約権の内容等*2
⑦　前項の対価として金銭等を交付するときは、当該金銭等についての一定の事項及び割当てに関する事項
⑧　譲渡の申込期日
⑨　効力発生日

*1　株式交付は、株式交付子会社の議決権の過半数を取得することを目的とする制度ですので、取得する株式数の下限も子会社化に必要な数を下回ってはなりません（会法774の3②）。
*2　株式交付実行後に株式交付子会社の新株予約権が行使されると、その新株予約権者には株式交付子会社の株式が交付されますから、せっかく株式交付によって子会社化したにもかかわらず再び子会社ではなくなってしまうことが考えられます。このような事態を防止するため、新株予約権についても株式交付手続によりあらかじめ株式交付親会社が取得しておくことが想定されます。

（3）事前開示

他の組織再編手続と同様に、株式交付親会社は、備置開始日から効力発生日以後6か月を経過する日までの間、一定の事項を記載した書面等を備え置かなければなりません（会法816の2、会規213の2）。

（4）株主総会による承認

株式交付親会社は、効力発生日の前日までに、株式交付計画の承認を受けることが必要となります。

他の組織再編手続と同様に、差損が生じる場合にはその旨を株主総会において説明しなければなりません。

また、対価の額が株式交付親会社の純資産額の5分の1以下の場合、株主総会決議は要しません。

（5）通知→申込み→割当て

①　株式交付子会社の株主に対する通知

株式交付親会社は、譲渡の申込みをしようとする者（株式交付子会社の株主）に一定の事項を記載した通知をしなければなりません。

②　申込み

譲渡の申込みをしようとする者は、申込期日までに一定の事項を記載した書面を株式交付親会社に交付します（会法774の4）。

③　申込みが目標株式数に満たない場合（＝不成立）

申込期日までに申込みがあった株式の総数が、株式交付計画に定めた取得株式数の下限に満たない場合、株式交付親会社は遅滞なく株式交付を行なわない旨を申込者に通知しなければなりません（会法774の10）。

④　割当て及びその通知

株式交付親会社は、申込者の中から譲渡人を定め、その者に割り当てる自社株の株式数を定め、効力発生日の前日までに譲渡人に対して通知します（会法774の5）。

（6）効力発生日

効力発生日において、株式交付親会社は株式交付子会社の株式を取得し、当該株式の譲渡人は株式交付親会社の株式を取得します（会法774の11）。

（7）事後開示

他の組織再編手続と同様に、株式交付親会社は、効力発生日後遅滞なく一定の事項を記載した書面等を本店に備え置かなければなりません（会法816の10、会規213の9）。

（8）その他の手続等

債権者保護手続（公告及び催告）は原則として不要ですが、対価として株式交付親会社の株式以外の財産を交付する場合、株式交付親会社の財産が減少する可能性がありますので債権者保護手続が必要となります。

3．注意点

（1）株式交付親会社は株式会社でなければならない

自社株を対価として他社の株式を取得するわけですから、株式交付親会社は株式会社でなければなりません。自然人はもちろん、持分会社や外国会社も本手続により親会社となることはできません。

（2）子会社とするためにしか利用できない

例えば、すでに子会社となっている会社の株式を追加で取得するような場合に利用することはできません。

（3）国内に限定

株式交付は、国内の株式会社同士の取引に限定されています。外国法人であると、当該法人が日本の株式会社と同様の組織であるか、見極めが困難なためです。

4．会計処理

会社法及び税法においては、株式交付制度の取り扱い等が創設されましたが、会計基準及び適用指針については、それに伴う改正は特にありません。株式交換に準じて会計処理を行うことになります。

また、株式交付は、基本的には子会社でない法人を子会社化する取引であるため、「取得」の処理を行うこととなります。

5．税務

（1）概要（課税の繰り延べ）

株式交付制度については、適格・非適格という概念はありません。要件を満たせば、株式交付子会社の株式の譲渡損益について、その交付を受ける株式交付親会社の株式に対応する部分の計上を繰り延べる制度です（措置法66の2①）。適用対象法人は特に限定はなく、青色申告書の提出要件も付されていません。

要件：株式交付子会社の株主が株式交付によって交付を受ける株式交付親会社の株式の割合……80％以上*3

*3　その株式交付により交付を受けたその株式交付親会社株式の価額÷（その株式交付により交付を受けた金銭の額及び金銭以外の資産の価額の合計額（剰余金の配当として交付を受けた金銭の額及び金銭以外の資産の価額の合計額を除きます。））

株式が対価の部分のみの繰り延べであるため、現金等が対価の部分については課税されます。そして、株式交付子会社の株主ごとに適用されるものとされています。

また、この制度は、譲渡損益を認識するという法人税法61条の2①の特例的位置づけです。法人税法における組織再編税制では、単なる資産の譲渡ではなく「事業」を移転する場合について、その事業の支配が継続することを要件に、譲渡損益の計上を繰り延べることとされています。しかしながら、株式交付により、株式交付子会社の株主が株式対価での買収に応ずる場合には、その株式の譲渡は事業の移転とはいえず、法人税法上、譲渡損益の計上が繰り延べられる組織再編成には該当しません。また、単なる株式の譲渡であっても、「強制的な」株式の譲渡で投資が継続しているものについては、その譲渡損益の計上を繰り延べることとされていますが、今般の措置の対象である株式交付による株式の譲渡は、「任意」の株式の譲渡に該当します。これらの観点から、法人税法ではなく、租税特別措置法に位置付けられています（財務省「令和3年度 改正税法のすべて」）。

（2）株式交付親会社における株式交付子会社株式の取得価額

株式交付親会社が、株式交付により子会社化するに際し他の株主から株式を取得する際に、売却に応じた株主数が50人未満か50人以上かで、株式交付親会社における株式交付子会社株式の取得価額の計算方法が異なります。株式交付子会社の株主の全てが株式交付に応じるとは限らないことから、50人未満かどうかの判定は、株式交付子会社の株主の数ではなく、取得の相手方となる株主の数によることとされています。

① 株式交付親会社の株式のみが交付された場合（措令39の10の2④一）

イ 50人未満である場合

当該株主が有していた取得の直前における株式帳簿価額となります。

ロ 50人以上である場合

株式交付子会社の前期期末時の簿価純資産に取得の日における発行済株式総数のうち取得した株式数の占める割合を乗じて計算します。

② 株式交付親会社の株式以外の資産が交付された場合（措令39の10の2④二）

「①イ又はロの金額に株式交付割合*4を乗じて計算した金額」と「株主に交付した金銭の額及び金銭以外の資産の価額の合計額（その株式交付親会社の株式の価額並びに剰余金の配当として交付した金銭の額及び金銭以外の資産の価額の合計額を除きます。）」の合計額（その株式の取得をするために要した費用がある場合には、その費用の額を加算した金額）とされています。

＊4　株式交付親会社の立場における株式交付割合：
その株式交付により株主に交付したその株式交付親会社の株式の価額÷（その株式交付によりその株主に交付した金銭の額及び金銭以外の資産の価額の合計額（剰余金の配当として交付した金銭の額及び金銭以外の資産の価額の合計額を除きます。））（措令39の10の2④二イ）

（3）株式交付親会社における資本金等の増加（措令39の10の2④三）

株式交付によるその株式交付親会社の株式の交付により増加する資本金等の額は、以下の通りです。

① 株式交付親会社の株式のみを交付した場合
　その株式交付により移転を受けた株式交付子会社の株式の取得価額とされています。

② 株式交付親会社の株式以外の資産を交付した場合
　その株式交付により移転を受けた株式交付子会社の株式の取得価額から株主に交付した金銭の額及び金銭以外の資産の価額の合計額を減算した金額とされています。

ただし、その取得価額にその株式の取得をするために要した費用の額が含まれている場合には、その費用の額を控除します。

（4）株式交付子会社株主における交付を受けた株式交付親会社株式の取得価額

① 株式交付親会社の株式のみが交付された場合（措令39の10の2③一）
　その株式交付に係る譲渡した株式のその譲渡の直前の帳簿価額に相当する金額とされています。また、その株式交付親会社の株式の交付を受けるために要した費用がある場合には、その費用の額を加算した金額です。

② 株式交付親会社の株式以外の資産が交付された場合（措法66の2

①)

下記の合計が対価となります。

イ　交付する株式交付子会社株式のその株式交付の直前の帳簿価額に株式交付割合*3を乗じて計算した金額

ロ　その株式交付により交付を受けた金銭の額及び金銭以外の資産の価額の合計額（その株式交付親会社株式の価額並びに剰余金の配当として交付を受けた金銭の額及び金銭以外の資産の価額の合計額を除きます）。

上記イ部分については、交付を受けた株式交付親会社株式の取得原価につき、譲渡した所有株式の譲渡の直前の帳簿価額に株式交付割合を乗じて計算した金額（その株式交付親会社株式の交付を受けるために要した費用がある場合には、その費用の額を加算した金額）となるため、対価＝譲渡原価ということになり譲渡損益は生じません。ロの部分についてのみ譲渡損益が生じます。

(税務上のイメージ仕訳)

①　株式のみの場合

株式交付親会社	株式交付子会社株式(上記(２)①)	／資本金等(上記(３)①)
株式交付子会社株主	株式交付親会社株式　引継	／株式交付子会社株式　簿価

②　株式交付親会社の株式以外の資産が交付された場合

株式交付親会社	株式交付子会社株式(上記(２)②)	／資本金等(上記(３)②)
		／現金
株式交付子会社株主	株式交付親会社株式(上記(４)②)	／株式交付子会社株式　簿価
	現金	／譲渡損益　←現金部分

（5）明細書の添付

株式交付を行った場合には、株式交付親会社は、確定申告書に、①株式交付計画書及び②株式交付に係る明細書（株式交付により交付した株式その他の資産の数又は価額の算定の根拠を明らかにする事項の記載が必要）を添付することが必要です（法規35六、七）。

2-26 現物出資の適格要件

1. 現物出資の適格要件

現物出資法人と被現物出資法人との資本関係	適格要件	求められる資本関係
現物出資前に完全支配関係がある場合の現物出資 (法法2①十二の十四イ、法令4の3⑬一、二)	・金銭等不交付要件	・完全支配関係継続要件
現物出資前に支配関係がある場合の現物出資 (法法2①十二の十四ロ、法令4の3⑭一、二)	・金銭等不交付要件 ・主要資産負債引継要件 ・従業者引継要件 ・事業継続要件	・支配関係継続要件
共同事業を行うための現物出資 (法法2①十二の十四ハ、法令4の3⑮)	・金銭等不交付要件 ・事業関連性要件 ・規模又は特定役員引継要件 ・主要資産負債引継要件 ・従業者引継要件 ・事業継続要件 ・株式継続保有要件	――

クロスボーダー現物出資については、**3.** を参照してください

2. 現物出資の適格要件における注意点

・現物出資後に当該現物出資の当事者を被合併法人とする適格合併を行うことが見込まれている場合には要件が緩和されています。

・当該現物出資の直前の現物出資事業（現物出資法人の現物出資前に営む事業のうち、当該現物出資により被現物出資法人において営まれることとなるもの）に係る従業者のうち、その総数の概ね80%以上に相当するものが当該現物出資後に当該被現物出資法人の業務に従事することが見込まれていることとされており、現物出資事業に従事していた現物出資法人の従業者は、現物出資後には現物出資事業に限らず、被現物出資法人の業務のいずれかに従事していれば当該要件は満たされることになります。

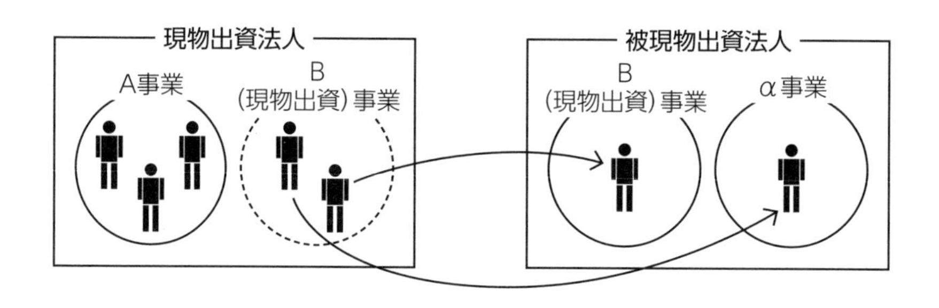

・規模要件に関して、合併では資本金も指標として使用することが可能ですが、現物出資の場合には資本金を指標として使用することはできませんので注意が必要です。

平成29年度税制改正の影響

〈完全支配関係継続要件の緩和〉

単独新設現物出資後に、被現物出資法人株式を分配する**2-28 3. (2)**の適格株式分配を行うことが見込まれている場合には、単独新設現物出資の時からその適格株式分配の直前の時まで、現物出資法人と被現物出資法人との間に現物出資法人による完全支配関係が継続することが見込まれていれば、その単独新設現物出資に係る適格要件のうち完全支配関係継続要件については満たすこととされました（法令4の3⑬一ロ）。

この改正は平成29年10月1日以後に行われる現物出資から適用になります（改正法附則11②、改正法令附則2②）。

平成30年度税制改正の影響

〈完全支配関係継続要件の緩和〉

平成30年4月1日以後に行われる現物出資から、完全支配関係継続要件について、現物出資後に適格株式分配を行うことが見込まれている場合には、単独新設現物出資に限らずその現物出資の時からその適格株式分配の直前の時までその完全支配関係が継続することが見込まれていれば、要件を満たすこととされました（法令4の3⑬一、二）。

〈従業者引継要件の緩和〉

平成30年4月1日以後に行われる現物出資から、従業者引継要件について、移転した従業者が従事する「被現物出資法人の業務」には、その被現物出資法人との間に完全支配関係がある法人の業務等を含むこととされました（法法2十二の十四ロ(2)、法令4の3⑮四）。つまり、グループ完全子会社等（被現物出資法人との間に完全支配関係がある法人等）の業務に従事（出向や異動）しても、要件を満たすこととなりました。グループ完全子会社等は、現物出資後に新設されることが見込まれている法人も該当します。

〈事業継続要件の緩和〉

平成30年4月1日以後に行われる現物出資から、事業継続要件について、この引き受けた事業を行う主体である「被現物出資法人」には、その現物出資に係る被現物出資法人との間に完全支配関係がある法人等を含むこととされました（法法2十二の十四ロ(3)、法令4の3⑮五）。

事業の全てが1つの法人において行われる必要はなく、完全支配関係がある複数の法人において行われる場合でもこの要件を満たすこととなります。現物出資後に新設されることが見込まれている法人も該当します。

3. クロスボーダー現物出資の適格要件

(1) 概要

クロスボーダーの合併や分割は法律上行うことができませんが、現物出資に関しては法律上行うことができます。そのため、適格要件を満たすことにより海外へ資産等を簿価で移転することも可能になります。

(2) 適格要件

クロスボーダー現物出資においても、**1.** が適格要件となります。ただし、**1.** の要件を満たしたとしても以下の現物出資は適格現物出資から除かれます(法法2①十二の十四、法令4の3⑩⑪)。

① **外国法人に国内資産等(国内にある不動産、鉱業権、採石権その他国内にある事業所に帰属する資産又は負債。ただし、発行済株式等の25%以上を有する外国法人株式を除きます)を移転するもの**(当該国内資産等の全部が当該外国法人の恒久的施設に属するものを除きます。つまりこれは適格となります)

※ ①のカッコ内ただし書きについて、非適格となるものから「発行済株式等の25%以上を有する外国法人株式」は除かれているため、「発行済株式等の25%以上を有する外国法人株式」を移転する場合には適格現物出資となります(他の要件を満たす必要はあります)。

② **外国法人が内国法人又は他の外国法人に、国外資産等(国内にある不動産、鉱業権、採石権を除きます)を移転するもの**(当該他の外国法人に国外資産等の移転を行う場合には、当該国外資産等が他の外国法人の恒久的施設に属するものに限ります)

③ **内国法人が外国法人に国外資産等の移転を行うもので当該国外資産等の全部又は一部が当該外国法人の恒久的施設に属しないもの**

④ **新株予約権付社債に付された新株予約権の行使に伴う当該新株予約権付社債についての社債の給付**

2-27 現物出資当事者の課税関係

現物出資によっても、通常の資産等の譲渡と同様に、現物出資法人から被現物出資法人へ当該資産等の時価をもって移転します（法令119①二)。ただし、**2-26** に記載の適格要件を満たすような現物出資の前後で経済的実態に変化がないと考えられる場合には、資産等の移転は帳簿価額をもって行われます（法法62の4、法令123の5)。

【現物出資法人及び被現物出資法人の課税関係の概要】

	現物出資法人	被現物出資法人
非適格現物出資	時価で移転 (原則、対価との差額が譲渡損益)	時価で取得
適格現物出資	簿価で譲渡 (移転資産負債の純資産額をもって対価とするため譲渡損益は生じない)	簿価で取得

2-28 現物分配（株式分配）の適格要件及び課税関係

1. 現物分配の適格要件

現物分配の適格要件については、他の組織再編に係る適格要件のように資本関係別に規定されていません。現物分配に関しては、現物分配直前に、被現物分配法人と現物分配法人との間に完全支配関係がある場合にのみ適格現物分配となります（法法2①十二の十五）。なお、現物分配法人及び被現物分配法人は、いずれも内国法人であることを要します。

他の組織再編のようにその後の完全支配関係継続要件も求められていません。

※　現物分配には、無対価という概念はありません。

2. 適格・非適格の場合の現物分配当事者における課税関係

現物分配によっても、通常の資産等の譲渡と同様に、現物分配法人から被現物分配法人へ当該資産等の時価をもって移転します（法法62の5①②）。ただ、**1.** に記載の適格要件を満たす場合には、資産等の移転は帳簿価額をもって行われます（法法62の5③④、法令123の6）。

【現物分配法人及び被現物分配法人の課税関係の概要】

	現物分配法人	被現物分配法人
非適格現物分配	時価で移転 (分配財産の時価で減少する利益積立金等と、分配財産の現物分配直前の帳簿価額との差額が譲渡損益) 源泉徴収が必要になります(所法 181 ①)。 【剰余金の分配に係る現物分配】 利益積立金　時価　／資産　簿価 譲渡損益 【みなし配当事由に係る現物分配】 ex. 資本の払い戻し 資本金等の額　時価　／資産　簿価 譲渡損益	分配財産は時価で取得します。また、当該金額は受取配当の益金不算入が適用されます(法法 23 ①,24 ①)。 【剰余金の分配に係る現物分配】 資産　時価　／受取配当金　時価 ↑—益金不算入 【みなし配当事由に係る現物分配】 資産　時価　／みなし配当 ↑—益金不算入 現物分配法人株式 譲渡損益
適格現物分配	簿価で引継 (分配財産の分配直前の帳簿価額をもって分配したとします) 源泉徴収は不要です(所法 24 ①、181 ①)。 【剰余金の分配に係る現物分配】 利益積立金　簿価　／資産　簿価 【みなし配当事由に係る現物分配】 ex. 残余財産の分配 資本金等の額　簿価／資産　簿価 利益積立金　簿価	分配財産は簿価で取得します(法令 123 の 6 ①)。また、下記※の金額は受取配当の益金不算入の規定ではなく、法人税法 62 の 5 第 4 項の規定により課税所得を増額することなく利益積立金に加算します(法令 9 ①四)。 【剰余金の分配に係る現物分配】 資産　簿価　／利益積立金　簿価※ 【みなし配当事由に係る現物分配】 ex. 残余財産の分配 資産　簿価　／利積(みなし配当) ※現物分配法人株式 資本金等 (**2-29** *3 参照)

平成29年度税制改正の影響

3. 完全子会社のスピンオフ（株式分配の創設）

支配関係のない場合に、100%子法人株式の全部を分配する株式分配（完全子会社のスピンオフ）に関する課税関係が整備されました。株式分配とは、現物分配（剰余金の配当又は利益の配当に限ります）のうち、その現物分配の直前において現物分配法人（下記A社）により発行済株式等の全部を保有されていた法人（下記B社）（以下「完全子法人」といいます）のその発行済株式等の全部が移転するものをいいます（法法2十二の十五の二）。なお、適格現物分配との重複を避けるため、その現物分配により完全子法人株式の移転を受ける法人（下記株主A～C）（被現物分配法人）がその現物分配の直前においてその現物分配法人との間に完全支配関係がある法人のみである場合（完全支配関係における現物分配）におけるその現物分配を除くこととされています（法法2十二の十五の二）。

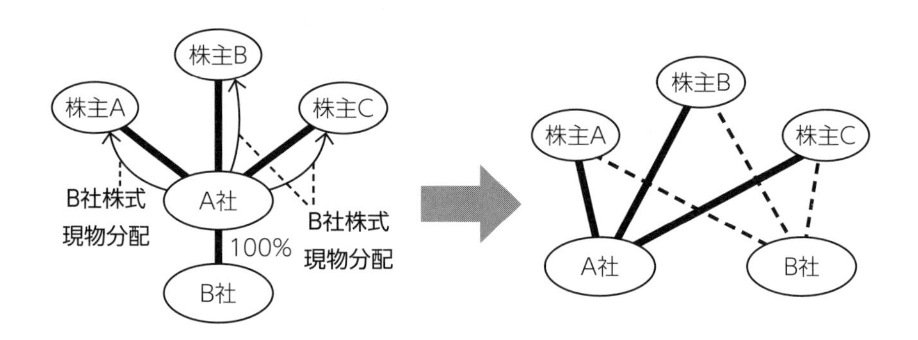

(1) 課税関係の原則（非適格株式分配）

① 現物分配法人の課税関係

非適格株式分配の場合には、原則どおり、完全子法人株式について譲渡損益が発生します（法法61の2①）。

② 現物分配法人の株主――旧株の譲渡所得課税

現物分配法人の株主において、旧株（現物分配法人株式）のうち、交付を受けた完全子法人株式に対応する部分については、譲渡があったものとして取り扱います。すなわち、交付を受けた完全子法人株式その他の資産の価額から、③のみなし配当の額を控除した金額を譲渡対価として譲渡損益を計算します（法法61の2①）。

ただし、非適格株式分配であったとしても、現物分配法人の株主の持株数に応じて完全子法人株式のみが交付される場合には、③のみなし配当課税は生じますが、譲渡所得課税は生じません（旧株の帳簿価額を完全子法人株式に引き継ぎます。みなし配当がある場合には、さらにみなし配当の額も加算した金額とすることとされています）（法法61の2⑧、法令119①八）。

③ 現物分配法人の株主――みなし配当

分配を受けた完全子法人株式の価額のうち、現物分配法人の資本金等の額のうち現物分配完全法人の株式に対応する部分の金額を超える部分の金額は、みなし配当とされます（法法24①三）。

(2) 適格株式分配要件

適格株式分配とは、完全子法人の株式のみ移転する株式分配のうち、完全子法人と現物分配法人とが独立して事業を行うための株式分配で下記(1)～(5)を満たすものをいいます（法2十二の十五の三、法令4の3⑯）。

適格株式分配によりその株主等に有する資産（完全子法人株式）の移転をした場合には、その株主等にその移転をした資産の適格株式分配の直前の帳簿価額による譲渡をしたものとして扱います（法法62の5③）。すなわち、現物分配法人側でその移転した完全子法人株式の譲渡損益は発生しません。また、現物分配法人の株主においても譲渡所得課税もみなし配当も生じません（法法61の2⑧）。源泉徴収も不要です。

(1) 現物分配により現物分配法人の株主の持株数に応じて完全子法人株式のみが交付されるもの（法法2十二の十五の三）

(2)　現物分配法人が株式分配直前に他の者*による支配関係がないものであり、完全子法人が株式分配後に継続して当該他の者による支配関係がないことが見込まれていること

*　事業のスピンオフの場合と同様の範囲です（**2-20** 参照）。

(3)　完全子法人の株式分配直前の従業者の概ね 80% 以上がその完全子法人の業務に引き続き従事することが見込まれること

(4)　完全子法人の株式分配前に行う主要な事業が引き続き完全子法人において行われることが見込まれていること

(5)　株式分配前の完全子法人の特定役員の全てがその株式分配に伴って退任をするものでないこと

※　この改正は平成 29 年 4 月 1 日以後に行われる株式分配から適用になります。

4. 会社分割・現物出資に係る適格要件の緩和

会社分割又は現物出資後に、その交付を受けた分割承継法人（現物出資法人）株式を分配する **3.（2）** の適格株式分配を行うことが見込まれている場合、当該会社分割又は現物出資の時からその適格株式分配の直前の時まで、完全支配関係が継続することが見込まれていれば、当該会社分割又は現物出資に係る適格要件のうち完全支配関係継続要件については満たすこととされました（法令 4 の 3 ⑥⑬）。詳細は **2-20**、**2-26** を参照して下さい。

2-29
解散・清算の税務

1. 解散の税務

解散においては、株主総会の特別決議を経て、直前の事業年度の期首から解散の日までを１つの事業年度として税務申告を行います（**2-10** 参照）。当該申告は、通常の継続企業の税務申告と同様（特別償却の規定を除きます）に損益法にて所得計算を行います。なお、申告期限は事業年度終了の日の翌日から２か月以内（延長している場合には３か月以内）で、通常の場合と同様です。

また、解散の登記が完了したら、当該登記簿謄本を添付の上、解散の届け出を所轄の税務署に提出します。

2. 清算における税務

(1) 概要

解散の後､残余財産の処分を進めていきます。残余財産が確定すると、その分配を行います。そうして清算が結了します。

まず、解散の日の翌日から残余財産が確定した日までが清算事務年度となります。１年以内に残余財産が確定しない場合には解散の日の翌日から１年ごとを清算事務年度とします。清算事務年度も所得計算としては、継続企業の場合と同様に、損益法で所得計算を行います*1。申告期限は事業年度終了の日の翌日から２か月以内（延長している場合には３か月以内）で、通常の場合と同様です。ただし、最後の清算事務年度の申告期限は残余財産が確定した日から１か月以内で、申告期限の延長の適用はありませんので注意が必要です。さらに、当該１か月以内に残余財産の最後の分配をする場合には、当該最後の分配の前日までが申告期限となります。

＊1　所得計算は、継続企業の場合と同様に損益法で行いますが、以下については、継続企業の場合とは一部異なる取扱いがあります。
・特別償却
・租税特別措置法上の準備金の設定
・圧縮記帳

清算が結了したら登記を行い、登記完了後に当該登記簿謄本を添付の上、清算結了の旨を所轄の税務署長に届け出ます。

(2) 税務処理

【清算法人（残余財産の分配時）】

（借）	資本金等の額	××	（貸）	諸資産	××
	利益積立金	××			××

【清算法人の株主（残余財産の分配時）】

（借）	諸資産	××[*2]	（貸）	みなし配当	××[*3]
				清算法人株式	××
				譲渡損益 or 資本金等の額	××[*4]

＊2　受け取った資産のうち現物部分の受入金額については、適格現物分配に該当すれば現物分配直前の清算法人における税務上の帳簿価額で受け入れます。それ以外の場合には時価で受け入れます。

＊3　受け取った資産の金額（時価 or 簿価）から清算法人の資本金等の額を減算した金額がみなし配当となります（法法 24 ①）。みなし配当は、受け取った資産のうち金銭部分からも現物部分からも生じますが、現物部分に関しては、**2-28** にある適格現物分配に該当すれば源泉徴収は不要です（所法 24 ①、181 ①）。
なお、適格現物分配に該当し、現物部分のみなし配当は源泉徴収が不要となった場合でも、金銭部分のみなし配当は源泉が必要になりますので、「金銭部分のみなし配当」を算定する必要があります。つまり、金銭部分の資本金等の額を算定する必要があります。その場合の計算は下記の算式で行います（国税庁ホームページ「平成 22 年度税制改正に係る法人税質疑応答事例（グループ法人税制その他の資本に関係する取引等に係る税制関係）（情報）問 13」）
「金銭部分の資本金等の額」＝

$$\text{清算法人の分配直前の資本金等の額} \times \left(\frac{\text{金銭}}{\text{残余財産の額}} \right)$$

また、みなし配当は益金不算入です（適格現物分配部分（法法62の5④）、それ以外のみなし配当部分（法法24①四））。

＊4　受け取った資産の金額からみなし配当を減算した金額を清算法人株式の譲渡対価とし、当該金額と清算法人株式の取得費との差額で譲渡損益の計算を行います（法法61の2①）。なお、完全支配関係（**2-17**）のある内国法人が清算した場合には、当該譲渡損益は清算法人の株主において損金又は益金に算入されず、資本金等の額として処理します（法法61の2⑰、法令8①二十二）。

(3) 繰越欠損金

①　残余財産確定による繰越欠損金の引継ぎ

完全支配関係のある内国法人の残余財産が確定した場合には、当該清算法人の有する繰越欠損金の一部又は全部（清算法人の株主法人の持株割合分）について、繰越欠損金を引き継ぐことができます。当該引継に関する規制は**2-30**を参照してください。

②　適格現物分配に係る繰越欠損金の使用制限

残余財産の分配において常に現物分配が行われるわけではありませんが、株主が1社である場合には、現物分配を伴うことが多々あります。そのような状況下で行われる現物分配で適格現物分配となる場合には、①の「残余財産確定による繰越欠損金の引継ぎ」に係る規制の他に、適格現物分配を行う場合の繰越欠損金の使用に係る規制も課されますので注意が必要です。つまり、現物分配が行われない、ないしは、非適格現物分配であれば含み損益のある資産が清算法人の株主法人に移転することはないため、①の「残余財産確定」による繰越欠損金の「引継ぎ」に係る規制のみが課されており、清算法人の株主法人の繰越欠損金に関しての使用制限は課していません。一方で、適格現物分配が行われ、帳簿価額で移転がなされる場合には、含み益のある資産を清算法人の株主法人に移転し、株主法人側の繰越欠損金と相殺することが可能になるため、残余財産の確定に伴い適格現物分配が合わせて行われる場合には、別途適格現物分配に係る繰越欠損金の規制として、清算法人の株主法人の繰越欠損金について使用制限が課されています。繰越欠損金の使用制限等に関しては、**2-30**を参照してください。

2-30 繰越欠損金に関する規制（全般）

1. 繰越欠損金に関する規制の概要

組織再編においては、自社の資産負債が相手方の法人に移転することから、自社の繰越欠損金をも相手方に移転する（引き継ぐ）ことができる場合があります。したがってこれを利用し、例えば移転先で引き継いだ繰越欠損金と自社に存在する資産負債の含み益を相殺することが可能になります。そこで、当該相殺目的で組織再編が行われるような状況下には、繰越欠損金の引継ぎができない等、繰越欠損金に関しての制限が設けられています。その概要は下記です。

【繰越欠損金に関する規制の概要】

	資産負債の移転元の繰越欠損金	資産負債の移転先の繰越欠損金
支配関係が生じた事業年度前の繰越欠損金 Ⓐ	繰越欠損金の引継制限（3.（2）㋐参照）	繰越欠損金の使用制限（5.（2）㋐参照）
【平成29年4月1日以後の組織再編】支配関係が生じた事業年度開始の日から支配関係発生日の前日までの間の繰越欠損金 Ⓑ	繰越欠損金のうち、譲渡等損失相当額の引継制限（3.（2）㋑参照）	繰越欠損金のうち、譲渡等損失相当額の使用制限（5.（2）㋑参照）
支配関係が生じた事業年度以降の繰越欠損金（【平成29年4月1日以後の組織再編】支配関係発生日以降の繰越欠損金） Ⓒ	繰越欠損金のうち、譲渡等損失相当額の引継制限（3.（2）㋑参照）	繰越欠損金のうち、譲渡等損失相当額の使用制限（5.（2）㋑参照）

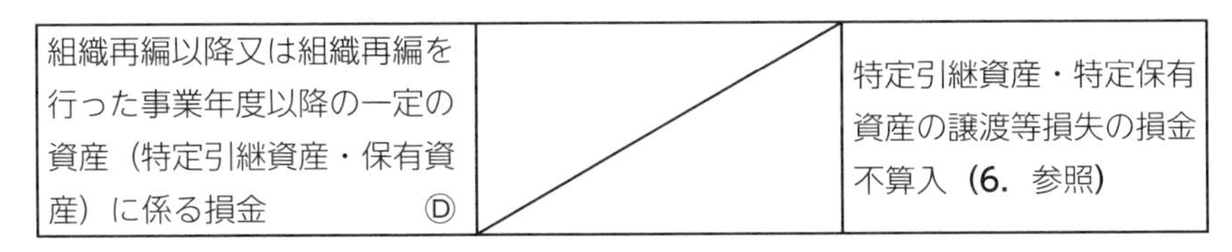

組織再編以降又は組織再編を行った事業年度以降の一定の資産（特定引継資産・保有資産）に係る損金　Ⓓ		特定引継資産・特定保有資産の譲渡等損失の損金不算入（6. 参照）

繰越欠損金目的で買収した法人と合併等をした際に、その繰越欠損金の引継ぎ等に制限をかけるという趣旨であるため、繰越欠損金を支配関係が生じた前後に分けて制限が規定されています。

【平成29年度税制改正後のイメージ図】

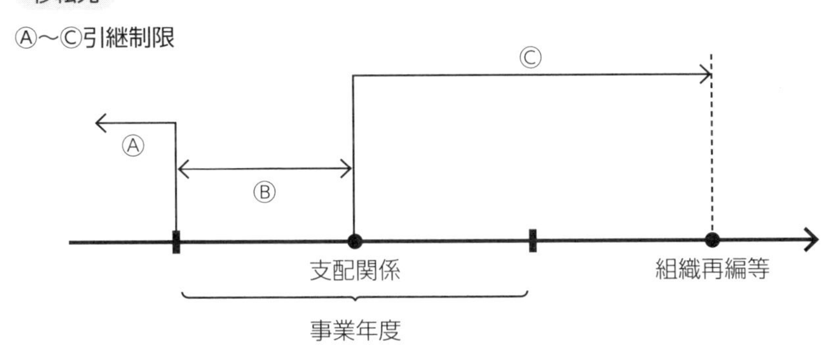

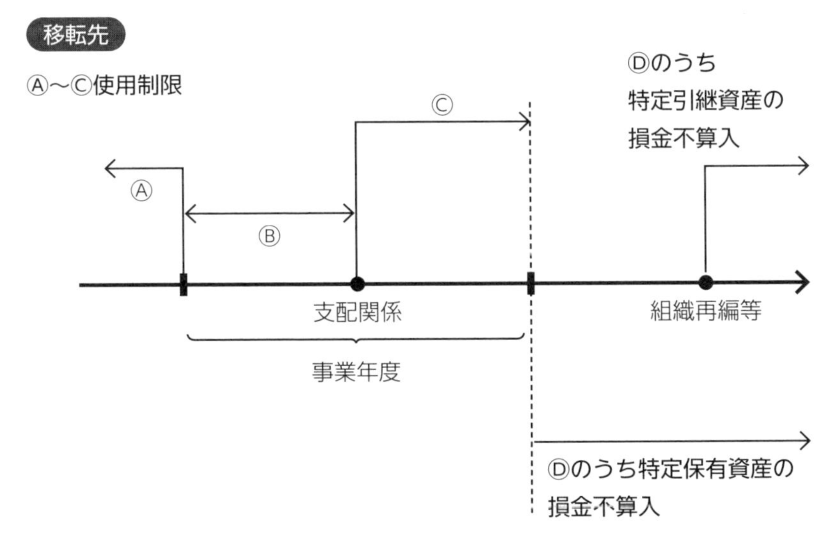

2. 各組織再編における繰越欠損金に関する制限の有無

	引継制限（譲渡等損失相当額の引継制限を含む）	使用制限（譲渡等損失相当額の使用制限を含む）	特定引継資産の譲渡等損失の損金不算入	特定保有資産の譲渡等損失の損金不算入
適格合併（完全支配関係下における非適格合併を含む）	被合併法人の繰越欠損金について課される	合併法人の繰越欠損金について課される（新設合併の場合には合併法人には、繰越欠損金は存在していないため実質制限なし）	被合併法人から承継した資産について合併法人において課される	合併法人が有していた資産について合併法人において課される
適格会社分割	そもそも引継ぎが不可なため制限は課されていない	承継法人の繰越欠損金について課される（新設分割の場合には承継法人には繰越欠損金は存在していないため実質制限なし）	分割法人から承継した資産について承継法人において課される	承継法人が有していた資産について承継法人において課される
事業譲渡	適格という概念がなく、基本的に時価で移転するため繰越欠損金等についての制限は存在していない			
適格株式交換（移転）	繰越欠損金や資産負債の移転がないため、制限なし			
適格現物出資	そもそも引継ぎが不可なため制限は課されていない	被現物出資法人において課される	現物出資法人から移転した資産について被現物出資法人において課される	被現物出資法人が有していた資産について被現物出資法人において課される

適格現物分配	そもそも引継ぎが不可なため制限は課されていない	被現物分配法人において課される	現物分配法人から移転した資産について被現物分配法人において課される	被現物分配法人が有していた資産について被現物分配法人において課される
完全支配関係のある内国法人の残余財産の確定	清算法人の繰越欠損金について課される	課されない（ただし、適格現物分配を伴う場合には適格現物分配に係る使用制限として規制の対象になる）	課されない（ただし、適格現物分配を伴う場合には適格現物分配に係る特定引継資産の譲渡等損失として規制の対象になる）	課されない（ただし、適格現物分配を伴う場合には適格現物分配に係る特定保有資産の譲渡等損失として規制の対象になる）

※　非適格組織再編（完全支配関係下の非適格合併は除きます）及び完全支配関係下以外の資本関係のもとでの残余財産の確定の場合には、そもそも繰越欠損金を引き継ぐこと等はできないため、上記制限は課されません。

3. 繰越欠損金の引継制限

(1) 規制の内容（法法 57 ③）

1. に記載の通り、組織再編においては、自社の繰越欠損金を相手方に引き継ぐことができる場合があります（法法 57 ②）。具体的には、適格合併又は完全支配関係のある法人の残余財産が確定した場合に、繰越欠損金の引継ぎが可能になります。

そこで、繰越欠損金目的で買収した法人と合併等することによる租税回避行為を防止する趣旨で繰越欠損金の引継ぎに制限が課せられています。

ただし、支配関係のある法人との適格合併が行われた場合で、当該支配関係が合併法人の合併事業年度開始の日の 5 年前の日（又は合併法人又は被合併法人の設立日のいずれか遅い日）から継続して生じている場合や、5年前の日（又は設立日のいずれか遅い日）後に支配関係が生じたものであっても、「みなし共同事業要件（**4.** 参照）」を満たす場合には、制限は課されません（法法57③、62の7）。

残余財産が確定した場合は、下記を参照してください。

内国法人との間に完全支配関係がある他の内国法人で当該内国法人が発行済株式等の全部又は一部を有するものの残余財産が確定した場合で、支配関係が内国法人の残余財産確定の日の翌日の属する事業年度開始の日の5年前の日（又は内国法人又は他の内国法人の設立日のいずれか遅い日）から継続して生じている場合には制限は課せられません。

ただし、当該被合併法人等の設立が、欠損金利用目的であると考えられる法令に規定する場合には、みなし共同事業要件を満たさない限り引継制限が課せられます（法令112④二）。

※　残余財産が確定した場合には、残余財産が確定した法人において今後事業を行っていくことは想定されないため、みなし共同事業要件を満たすことによって制限を回避することはできません。

(2)　引継ぎが不能な金額

(1) に記載の要件を満たさない場合に引継対象外となるのは、被合併法人及び他の内国法人（清算法人）における下記の金額です（法法57③）。

㋐　支配関係事業年度前に発生した繰越欠損金

㋑　支配関係事業年度以後に発生した繰越欠損金のうち譲渡等損失相当額*1

*1　被合併法人又は清算法人の支配関係事業年度以後の繰越欠損金のうち、最後に支配関係があることとなった日の属する事業年度開始の日前から被合併法人又は清算法人が有する資産（特定引継資産）*2 について、特定資産譲渡等損失の損金不算入（内容は、**6.** を参照して下さい）の規定を適用した場合に損金算入制限を受ける金額に達するまでの金額をいいます（法令112⑤一）。支配関係事業年度前に欠損金化していないものであっても、支配関係事業年度前に保有していた資産について支配関係事業年度前の欠損金と同様の規制を課す必要があるためです。

＊2　改正前は、支配関係発生日において有する資産とされていましたが、平成 29 年度税制改正により、平成 29 年 4 月 1 日以後に最後に支配関係があることとなる被合併法人との間で行われる適格合併又は他の内国法人の残余財産の確定については（改正法令附則 11 ①）、支配関係発生日の属する事業年度開始の日前から有していた資産とされました（法令 112 ⑤一）。したがって、支配関係発生日の属する事業年度開始の日前から有していた資産を同日から支配関係発生日の前日までの間に譲渡したことにより生じた損失の額から成る欠損金額も、制限の対象となります。一方、支配関係発生日の属する事業年度開始の日以後に取得した資産については、適格合併等の日以前 2 年以内の期間にみなし共同事業要件（下記 **4.** 参照）を満たさない組織再編等により移転があった資産で被合併法人等が有するものとみなされる資産（法令 112 ⑥）を除き、基本的にはその譲渡による損失の額から成る欠損金額は制限の対象とならないこととなります。

下記フローチャートで示します。

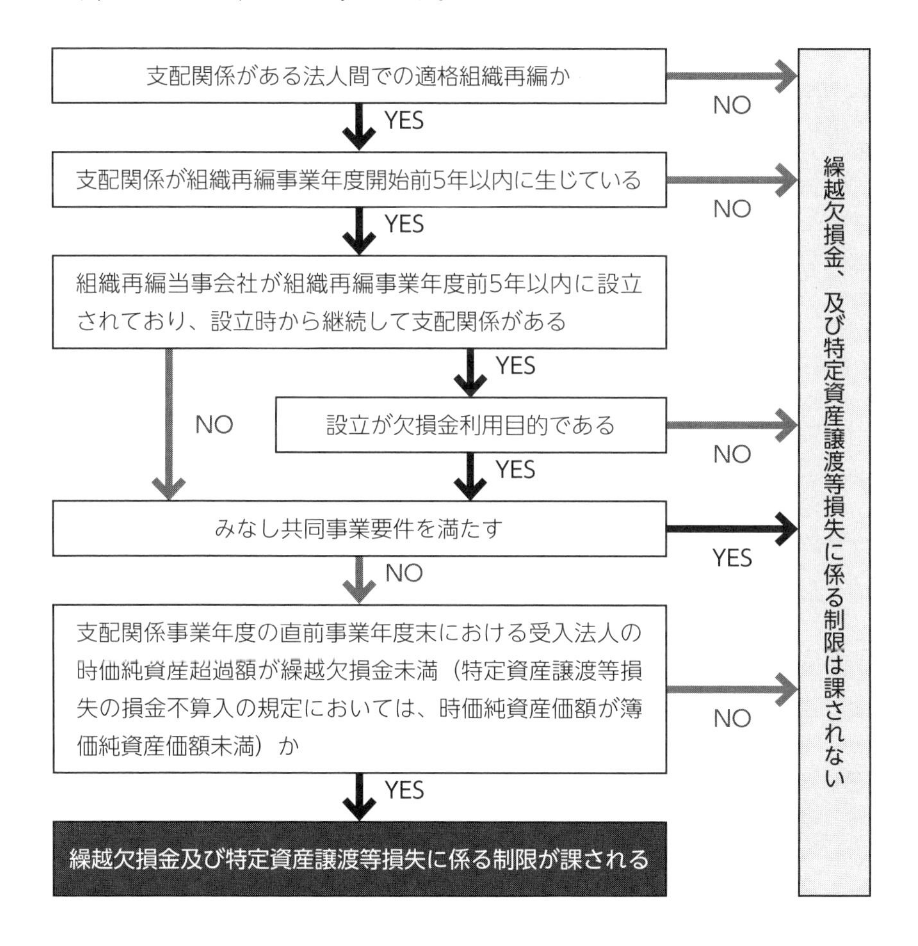

4. みなし共同事業要件

次の **(1)** ～ **(3)**、もしくは **(1)** 及び **(4)** を満たす必要があります（法令112③⑩）。なお、残余財産の確定による場合及び現物分配の場合については、みなし共同事業要件を満たすことによる規制の回避はありませんので、以下の記載において対象外となっています。

(1) 事業関連性要件

被合併法人・分割法人・現物出資法人（以下**4.**においてAとします）の移転事業*3と合併法人・分割承継法人・被現物出資法人（以下**4.**においてBとします）が組織再編前に営む事業のうちいずれかの事業とが相互に関連するものであること。

＊3　合併においては、被合併法人が合併前に営む主要な事業のうちいずれかの事業をいい、分割・現物出資においては、組織再編前に分割法人又は現物出資法人において営まれるもので組織再編により分割承継法人又は被現物出資法人において営まれることとなるものをいいます。

(2) 規模要件

Aの移転事業と、Bの事業のうちAの移転事業と関連のある事業のそれぞれの売上金額、従業者の数、これらに準ずるものの規模の割合が、概ね5倍を超えないこと。

※　合併の場合のみ、資本金も指標として利用することができます。
※　全ての指標について5倍以内である必要はなく、いずれかの指標について5倍以内であれば要件は満たされます。

(3) 規模継続要件

Aの移転事業及びBの事業のうちAの移転事業と関連のある事業のそれぞれが、最後に支配関係があることとなった時から適格組織再編の直前の時まで継続して営まれており、かつ、支配関係発生時と適格組織再編直前の(2)で使用した指標による規模が概ね2倍を超えないこと。

つまり、Aの移転事業、Bの事業のうちA事業と関連のあるいずれかの事業それぞれについて、(2) で使用した指標が、支配関係発生時と適格組織再編直前で概ね2倍以内である必要があります。

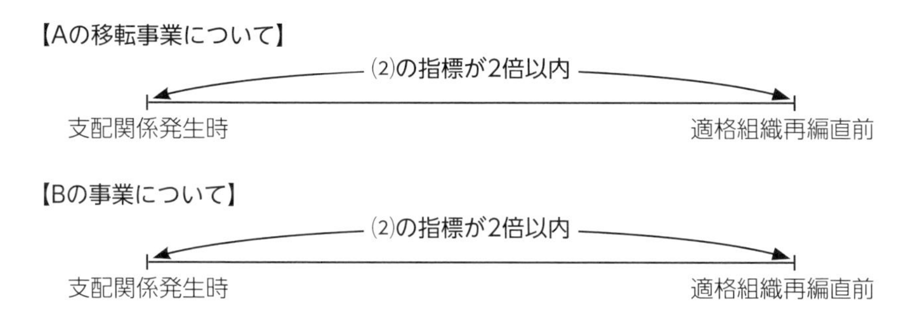

(4) 経営参画要件

Aの適格組織再編の前における特定役員[*4]又は役員等[*5]であるいずれかのもの[*6]と、Bの適格組織再編の前における特定役員であるもののいずれかのもの[*6]とが、適格組織再編後にBの特定役員となることが見込まれていること。

*4 特定役員とは、社長、副社長、代表取締役、代表執行役、専務取締役もしくは常務取締役又はこれらに準ずるもので法人の経営に従事しているものをいいます。

*5 合併の場合には、合併前の被合併法人の特定役員のいずれか[*6]、分割又は現物出資の場合には、組織再編前の分割法人又は現物出資法人の役員又はこれらに準ずるものうち法人の経営に従事しているもの[*6]のいずれか、であり、分割及び現物出資の場合には、特定役員である必要はありません。ただし分割及び現物出資でも、分割承継法人側及び被現物出資法人側は特定役員であることが求められます。

*6 最後に支配関係があることとなった日前において役員又はこれらに準ずるものであったものに限ります。

【合併の場合】

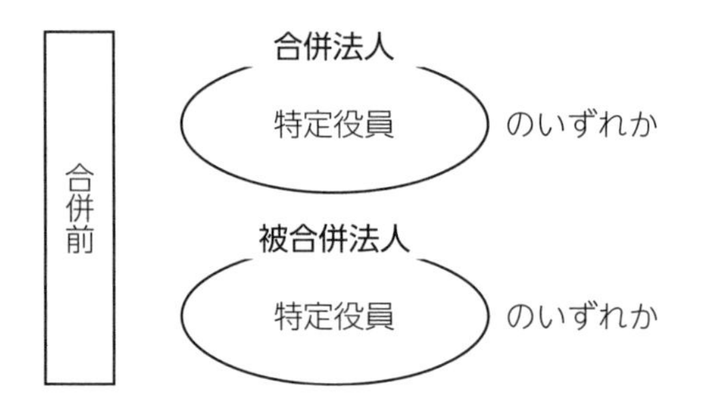

【分割又は現物出資の場合】

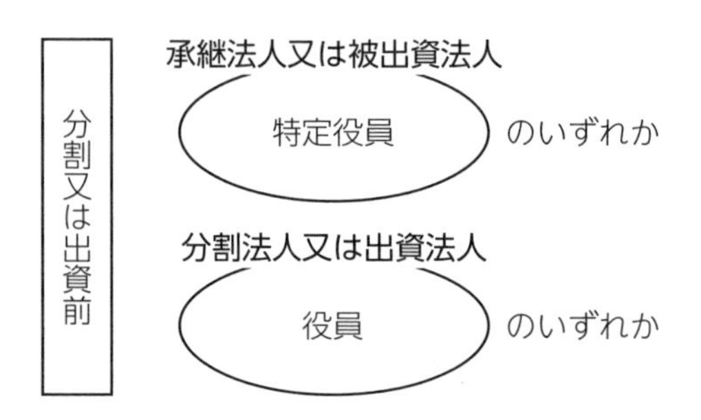

5. 繰越欠損金の使用制限

(1) 規制の内容（法法 57 ④）

適格組織再編においては、移転元の資産負債が組織再編直前の帳簿価額で移転されます。したがって、これを利用し、移転した資産に係る含み益と自ら保有していた繰越欠損金を相殺することが可能になります。そこで、当該目的等で、買収した法人との合併等により、そのような租税回避行為を防止する趣旨で、移転先の法人が有していた繰越欠損金の使用にも制限が課せられています。

ただし、支配関係のある法人との適格合併・完全支配関係下で行われた非適格合併で譲渡損益調整資産の規定の適用を受けたもの・適格分割・適格現物出資・適格現物分配が行われた場合で、当該支配関係が、合併法人・分割承継法人・被現物出資法人・被現物分配法人（以下**5.** 及び**6.** においてCとします）の組織再編事業年度開始の日の5年前の日（又はC又は被合併法人・分割法人・現物出資法人・現物分配法人（以下**5.** 及び**6.** においてDとします）の設立日のいずれか遅い日）から継続して生じている場合や、5年前の日（又は設立日のいずれか遅い日）後に支配関係が生じている場合であっても、「みなし共同事業要件（**4.** 参照)」を満たす場合には、制限は課されません（法法57③④、62の7)。

ただし、当該被合併法人等の設立が、欠損金利用目的であると考えられる法令に規定する場合には、みなし共同事業要件を満たさない限り、使用制限が課せられます（法令112⑨④)。

ただし、現物分配に関する繰越欠損金の使用制限については、みなし共同事業要件を満たすことによる規制回避はできません。

また、完全支配関係がある内国法人の残余財産が確定した場合の規制は、あくまで引継制限（**3.** 参照）ですので、親会社である内国法人側の使用制限は存在しません（残余財産の分配に適格現物分配を伴う場合には、「適格現物分配の規制として」使用制限がかかります)。

(2) 使用不可となる金額

(1) に記載の要件を満たさない場合に使用対象外となるのは、Cの法人における下記の金額です。

㋐ 支配関係事業年度前に発生した繰越欠損金

㋑ 支配関係事業年度以後に発生した繰越欠損金のうち譲渡等損失相当額[*7]

＊7 譲渡等損失相当額の意義は、**3. (2)** と同じです。

6. 特定引継資産・特定保有資産の譲渡等損失の損金不算入

(1) 特定引継資産の譲渡等損失の損金不算入

繰越欠損金の引継制限や使用制限と同様に、C（**5.** 参照）の組織再編事業年度開始の日の5年前（又は設立日のいずれか遅い日）の日から継続して支配関係が生じている場合には、本制限はかかりません。

ただし、Cの組織再編事業年度開始の日の5年前の日（又は設立日のいずれか遅い日）後に支配関係が生じている場合において、みなし共同事業要件を満たさない場合には、適用期間*8 中の「特定引継資産*9」の譲渡、評価換え、貸倒れ、除却その他これらに類する事由による損失から一定の金額を控除した金額については、Cの所得の計算上、損金不算入となります（法法62の7①②一、二）。

また、当該設立が、欠損金利用目的であると考えられる法令に規定する場合には、みなし共同事業要件を満たさない限り、本制限が課せられます（法令123の8①二）。

＊8 組織再編事業年度開始の日から、以下のうち最も早い日までの期間です。
- ・組織再編事業年度開始の日以後3年を経過する日
- ・最後に支配関係があることとなった日以後5年を経過する日
- ・通算制度の開始に伴う資産の時価評価損益の適用を受ける場合等は、その適用を受ける事業年度終了の日
- ・非適格株式交換等に係る株式交換完全子法人等の有する資産の時価評価損益の適用を受ける場合には、非適格株式交換等の日の属する事業年度終了の日

＊9 Dから当該適格組織再編により移転を受けた資産で、DがCとの間に最後に支配関係があることとなった日前から有していた資産をいいます。ただし、以下の資産は制限対象外です（法令123の8②、112⑥）。
- ・棚卸資産（土地、土地の上に存する権利を除きます）
- ・短期売買商品
- ・売買目的有価証券
- ・適格組織再編の日における帳簿価額又は取得価額が1,000万円に満たない資産
- ・支配関係発生日における時価が帳簿価額を下回っていない資産（平成29年4月1日以後に行われる適格組織再編成等については、支配関係発生日の属する事業年度開始の日における時価が帳簿価額を下回っていない資産）（これを

対象外とするには、確定申告書へ明細添付、書類保存要件（法規27条の15②））
・完全支配関係下における非適格合併により移転を受けた資産で法人税法61条の11第1項の譲渡損益調整資産（**2-22**参照）以外のもの
・（平成29年4月1日以後に行われる適格組織再編成等より追加）支配関係発生日の属する事業年度開始の日以後に有することとなった資産

(2)　特定保有資産の譲渡等損失の損金不算入

移転元から引き継いだ資産に関して、C（**5.** 参照）において上記**(1)**の規制が設けられているのと同様に、Cの有している特定保有資産に関する譲渡等損失についても損金算入制限があります（法法62の7①②二）。Cの有していた資産の含み損を使った租税回避行為等を防止するためです。

具体的には、Cの組織再編事業年度開始の日の5年前の日（又は設立日のいずれか遅い日）後に支配関係が生じている場合において、みなし共同事業要件を満たさない場合に、適用期間中の「特定保有資産[*10]」の譲渡、評価換え、貸倒れ、除却その他これらに類する事由による損失の額から一定の金額を控除した金額については、Cの所得の計算上、損金不算入となります。

適用期間内ですので、組織再編以後のみではなく、組織再編事業年度開始の日からの譲渡等が対象であることに留意が必要です。**(1)**の特定引継資産はDから引き継ぐ資産についてのCにおける規制ですので、結果的に組織再編以後についての規制になりますが、特定保有資産についてはCがもともと保有している資産であり、かつ適用期間内が規制の対象ですので、組織再編事業年度開始の日からの譲渡等が規制対象となります。

また、設立から継続して支配関係がある場合でも、当該設立が欠損金利用目的であると考えられる法令に規定する場合には、みなし共同事業要件を満たさない限り、損金不算入規定が課せられます（法令123の8①二）。

＊10　Cが、Dとの間に最後に支配関係があることとなった日前から有していた資産（平成29年4月1日以後に支配関係があることとなる場合における特定

保有資産の特定資産譲渡等損失額においては（改正法附則 18)、支配関係発生日の属する事業年度開始の日前から有していた資産となります。つまり、支配関係発生日の属する事業年度開始の日以後に取得した資産については、みなし共同事業要件を満たさない適格組織再編成等の日以前 2 年以内の期間に、他のみなし共同事業要件を満たさない適格組織再編成等により移転があった資産で内国法人が有するものとみなされる資産（法令 123 の 8 ⑨）を除き、その譲渡による損失の額は制限の対象とならないこととなりました）をいいます。ただし、以下の資産は制限の対象外です（法令 123 の 8 ⑨、②)。

- ・棚卸資産（土地、土地の上に存する権利を除く）
- ・短期売買商品
- ・売買目的有価証券
- ・適格組織再編の日の属する事業年度開始の日における帳簿価額又は取得価額が 1,000 万円に満たない資産
- ・支配関係発生日における時価が帳簿価額を下回っていない資産（平成 29 年 4 月 1 日以後に行われる適格組織再編成等については、支配関係発生日の属する事業年度開始の日における時価が帳簿価額を下回っていない資産)（これを対象外とするには、確定申告書へ明細添付、書類保存要件（法規 27 条の 15 ②))
- ・（平成 29 年 4 月 1 日以後に行われる適格組織再編成等より追加）支配関係発生日の属する事業年度開始の日以後に有することとなった資産

2-31 その他の税金（全般）消費税・不動産取得税・登録免許税等

その他（消費税、不動産取得税及び登録免許税等）の税金に関してのまとめは下表の通りです。

	移転資産に係る消費税	移転先法人での消費税納税義務の特例*1	移転する不動産についての不動産取得税
株式譲渡	非課税取引 (消法6、消令48)	なし	不動産の移転なし
吸収合併	不課税 (消法2①八、消令2①四)	あり (消法11、消令22)	非課税 (地法73の7二)
会社分割	不課税 (消法2①八、消令2①四)	あり (消法12、消令23、24)	要件*2を満たせば非課税 (地法73の7二、地令37の14)
事業譲渡	課税対象資産については課税 (消法2①八)	一定の新設会社への譲渡の場合、あり (消法12⑦三、消令23⑨)	課税
株式交換・移転	子法人株主：非課税取引 (消法6、消令48) 子法人：不課税	なし	不動産の移転なし
現物出資	課税対象資産部分について対象 (消法2①八、消令2①二)	会社設立に際しての現物出資の場合、あり (消法12⑦二)	要件*3を満たせば非課税 (地法73の7①二の二、地令37の14の2)
現物分配	不課税（消法2①八）	なし	課税

<table>
<tr><th></th><th>登録免許税
(組織再編自体の登記)</th><th>登録免許税
(資本金変動)</th><th>登録免許税
(不動産の所有権移転)</th></tr>
<tr><td>株式譲渡</td><td>該当なし</td><td>該当なし</td><td>不動産の移転なし</td></tr>
<tr><td>吸収合併</td><td>消滅法人にて3万円
(存続法人は右記のみ)</td><td>0.15%
(消滅会社の資本金を超える部分は0.7%。下限3万円)</td><td>固定資産税評価額の0.4%</td></tr>
<tr><td>会社分割</td><td>分割法人にて3万円
(承継法人は右記のみ)</td><td>0.7%
(下限3万円)</td><td rowspan="2">固定資産税評価額の原則2%</td></tr>
<tr><td>事業譲渡</td><td>該当なし</td><td>原則0.7%
(新株を発行した場合のみ。下限3万円)</td></tr>
<tr><td>株式交換・移転</td><td>不要</td><td>・株式交換の場合
原則として登記不要。資本金増加があれば原則0.7%
(これが3万円に満たないときは3万円)
・株式移転の場合
原則として0.7%
(これが15万に満たないときは15万円。必ず15万円はかかる)</td><td>不動産の移転なし</td></tr>
<tr><td>現物出資</td><td>不要</td><td>原則0.7%
(下限15万円、ただし既存の会社の増資の場合は下限3万円)</td><td rowspan="2">原則2%</td></tr>
<tr><td>現物分配</td><td>不要</td><td>該当なし</td></tr>
<tr><td>株式交付</td><td>不要</td><td>原則0.7%
(新株を発行した場合のみ。下限3万円)</td><td>不動産の移転なし</td></tr>
</table>

＊1　移転先の消費税の納税義務の有無の判定において、基準期間における移転元の課税売上高等も含め、判定を行うという特例です（消法11、12）。現物出資及び事業譲渡の場合でも、法人が100％子会社を新設するために現物出資をし、当該新設法人に事業の全部又は一部を引き継ぐ場合及び法人が金銭で100％子会社を設立し、設立後6ヶ月以内に設立時から予定されていた事業譲渡を行った場合には、特例が適用されます（消法12⑦、消令23⑨）。

＊2　以下の要件を全て満たす会社分割は不動産取得税が非課税となります（地法73の7二、地令37の14）。

1. 分割対価として分割承継法人株式以外の資産が交付されないこと
2. 分割型分割の場合には、按分型（**2-20**参照）であること
3. 分割事業に係る主要な資産負債が分割承継法人に移転していること
4. 分割事業が分割承継法人において分割後に引き続き営まれることが見込まれていること
5. 分割直前の分割事業に係る従業者のうち、その総数の概ね80％以上に相当する数の者が分割後に分割承継法人の業務に従事することが見込まれていること

　これは、法人税法上の「支配関係がある場合の会社分割」が適格分割となる場合の要件と同じです（支配関係継続要件は除きます）。なお、法人税法上の適格・非適格に関係なく、上記要件を満たせば不動産取得税は非課税となります。

＊3　法人が新たに法人を設立するために現物出資（現金出資をする場合における当該出資の額に相当する資産の譲渡を含みます）を行う場合で、以下の条件を満たす不動産の取得は不動産取得税が非課税となります（地法73の7①二の二、地令37の14の2）。

1. 株式会社が新たに株式会社を設立するために現物出資（現金出資をする場合における当該出資の額に相当する資産の譲渡を含みます）を行う場合であって、当該新たに設立される株式会社の設立時において、次に掲げる要件が満足されるとき
   (1) 現物出資を行う株式会社が、新設会社の発行済株式の90％以上を所有していること
   (2) 新設会社が出資会社の事業の一部の譲渡を受け、当該譲渡に係る事業を継続して行うことを目的としていること
   (3) 新設会社の取締役の1人以上が出資会社の取締役又は監査役であること
2. 株式会社以外の法人が同種の法人を設立するために現物出資を行う場合であって、前号に掲げる場合に類するとき

第3章

目的からみる組織再編スキーム

Scheme

3-1 子会社から孫会社へ変更する組織再編

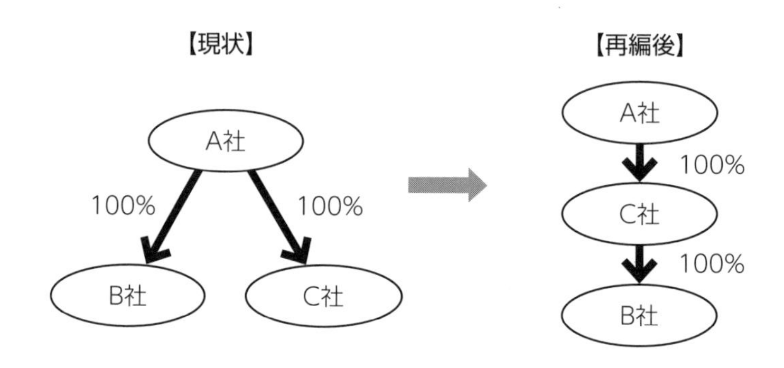

1. 手法の考察

A社の所有するB社株式をC社に移転し、B社を、A社からみた子会社から孫会社にします。

手　法	特　徴
株式譲渡	親会社（A社）から子会社（C社）にB社株式を譲渡します。株式譲渡ですので、対価である金銭等のやり取りが生じます。また、時価での譲渡が必要になります（時価で譲渡しても、グループ法人税制の適用によりA社側で生じた譲渡損益は一定期間繰り延べられます（法法61の11①)。また、時価以外の価額で取引した場合には、時価との差額が寄附金・受贈益として認定されるリスクが残ります)。
会社分割	B社株式を分割対象とし、分割会社A社・承継会社C社を親とする親から子への会社分割
株式交換	C社を株式交換完全親会社・B社を株式交換完全子会社とする株式交換(A社はB社株式を手放す代わりに、C社株式を取得します)
現物出資	C社に対してB社株式を現物出資。現物出資ですので一定の場合以外には検査役等による財産価値の評価が必要になります(会法207)(**2-3**参照)。

事業譲渡	B社株式を移転資産とする事業譲渡。対価を現金としなければ、現金は動きません。ただし、事業譲渡の場合、税務上適格という概念がありませんので、時価で移転した上で、グループ法人税制の適用により譲渡損益の繰延、という流れになります。時価での移転が基本です。

その他、法人税以外の税金の取扱い（**2-31**）も、手法により異なりますので、留意する必要があります。

2. 簿価移転（会社分割・株式交換・現物出資）

本ケースのように支配関係のあるグループ内の再編であれば、会計上は「共通支配下の取引」となり、基本的に簿価での取引となります。

また、その後も（完全）支配関係が継続する等適格要件を満たせば税務上も簿価での移転となります。株式交換の場合には、繰越欠損金等の制限は存在しませんが、会社分割又は現物出資の場合でA社とC社の支配関係が、組織再編事業年度前5年以内に生じている場合等は、繰越欠損金の制限等に注意が必要です。

3. 無対価

会社分割、株式交換及び現物出資の場合には、その対価として現金を動かす必要がない点に特徴がありますが、中でも、会社分割、株式交換においては、現金だけではなく対価が一切ない無対価で行うこともできます（**3-9**参照、ただし、会社法上、株式交換を無対価で行う場合の増加資本の取扱いが明らかではないため、無対価株式交換は実務的にはあまり行われていません）。なお、無対価の場合、資本金及び資本準備金を増加させることはできません。逆に、株式を発行する会社分割、株式交換であれば、資本金及び資本準備金を増やすこともゼロとすることもできます。さらに、直接の「完全」支配関係下で行われる会社分割及び株式交換においては、（完全）支配関係継続要件等他の要件を満たせば当該無対価会社分割等は適格となります。

4. 株式という物の会社分割

会社法上は、会社法2条29号、30号で会社分割の意義について、「権利義務の全部又は一部を～承継させる～」と規定されており、会社分割の対象が事業に限らず物であることも想定されています。会計上も会社法に倣いますので同様です。

税務上も、法人税基本通達、法人税法施行令113条5項で、事業の移転のない会社分割における繰越欠損金の使用制限に係る特例が定められており、事業の移転を伴わない会社分割が想定されていると考えられています。ただ、本ケースでは関係ありませんが、税務上適格要件や繰越欠損金の制限に係るみなし共同事業要件等を考える必要がある場合で、「事業」を判定に使用する状況下においては、物だけの会社分割の場合には、当該要件を満たさないことも考えられますので注意が必要です。

また、株式のみを対象とする会社分割の場合に、当該移転対象が、株式という物だけを対象にしているか、移転する資産としては株式のみであくまで会社分割の対象としては子会社管理事業という事業なのかは、分割契約書の記載や管理業務に携わる人の有無、その移転の有無等総合的に判断します。

5. 債権者保護手続

会社分割によると債権者保護手続が必要となるケースがあります（**2-4** 参照）。一方、株式交換の場合には一定の場合を除き、債権者保護手続は不要です（**3-5** 参照）。また、現物出資の場合には、**1.** に記載の検査役の調査等により受け入れる財産の金額は担保されますので、組織再編で必要となるような債権者保護手続は不要です。事業譲渡の場合にも、個別に債権者の承諾を得る必要がありますので、債権者保護手続としては不要となります。

3-2 孫会社から子会社へ変更する組織再編

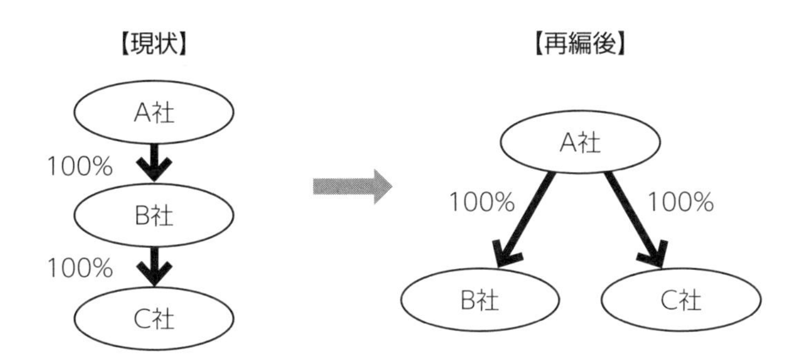

1. 手法の考察

B社の所有するC社株式をA社に移転し、C社をA社からみた孫会社から子会社にします。

手　　法	特　　徴
株式譲渡	子会社（B社）から親会社（A社）に孫会社であるC社株式を譲渡します。株式譲渡ですので、対価である金銭等のやり取りが生じます。また、時価での譲渡が必要になります（時価で譲渡しても、完全支配関係下であれば、グループ法人税制の適用によりB社側で生じた譲渡損益は一定期間繰り延べられます（法法61の11①）。また、時価以外の価額で取引した場合には、時価との差額が寄附金・受贈益として認定されるリスクが残ります）。
会社分割	C社株式を分割対象とする、分割会社B社・承継会社A社とする子から親への会社分割。
現物配当（分配）	C社株式を分配対象とするB社からA社への現物配当（分配）

事業譲渡	C社株式を移転資産とする事業譲渡。対価を現金としなければ、現金は動きません。ただし、事業譲渡の場合、税務上適格という概念がありませんので、時価で移転した上で、グループ法人税制の適用により譲渡損益の繰延べという流れになります。

その他、法人税以外の税金の取扱い（**2-31**）も、手法により異なりますので、留意する必要があります。

2. 簿価移転（会社分割・現物配当（分配））

本ケースのように支配関係があるグループ内の再編であれば、会計上は「共通支配下の取引」となり、基本的に簿価での取引となります。

また、会社分割の場合には、その後も（完全）支配関係が継続する等の適格要件を満たせば税務上も簿価での移転となります。なお、現物分配における適格要件は、分配直前の「完全」支配関係が求められているにすぎません（**2-28** 参照）。

ただし、適格分割又は適格現物分配の場合で、A社とB社の支配関係が、組織再編事業年度前5年以内に生じている場合等は、繰越欠損金の制限等に注意が必要です。

3. 無対価

会社分割及び現物配当（分配）の場合には、その対価として現金を動かす必要がない点に特徴がありますが、中でも、会社分割においては、現金だけではなく対価が一切ない無対価で行うこともできます（**3-9** 参照）。また、直接の「完全」支配関係下で行われる会社分割においては、（完全）支配関係継続要件等他の要件を満たせば当該無対価会社分割は適格分割となります。

4. 株式という物の会社分割

この場合の留意点等は、**3-1** の **4.** を参照してください。

5. 債権者保護手続

会社分割によると債権者保護手続が必要となるケースがあります（**2-4** 参照）。一方、株式譲渡・現物配当・事業譲渡では債権者保護手続は不要です。

3-3 持株会社化に用いる組織再編

【会社分割・現物出資】

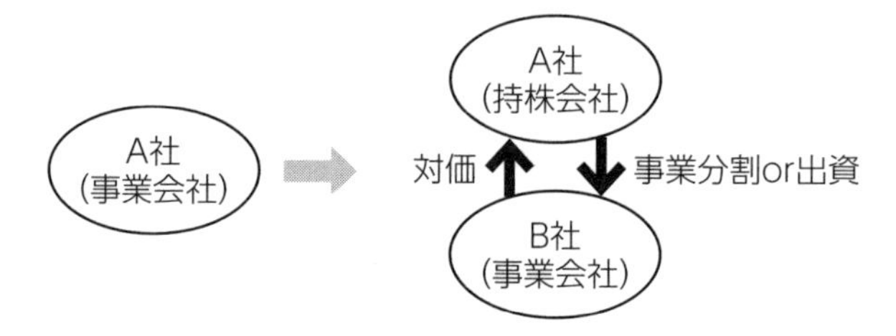

【株式移転】

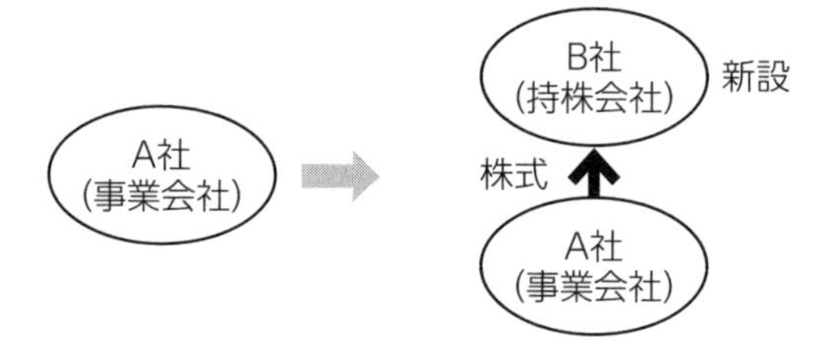

1. 手法の考察（株式移転・会社分割・現物出資）

まず、持株会社化を実現するには、株式移転と会社分割・現物出資が考えられます。会社分割は、すでにある事業会社から事業部隊を子会社に移す方法（下に出すことで持株会社とするパターン）です。株式移転は、持株会社を新設する方法（上に作ることで持株会社とするパターン）です。現物出資も会社分割と似ており、すでにある事業会社から事業部隊を子会社に出資という形で移す方法です。現物出資の場合には、出資ですのでその出資額の半分につき資本金としなければならない点に注意が必要です。ですので、減資をしない限りは、事業会社が、外形標準課税適用法人や会計監査人設置会社になる場合があります。

2. 新設型組織再編の場合の注意点

新設分割で事業会社を設立する又は株式移転（子会社株式をもって親会社を設立）の場合には、無対価組織再編を行うことはできません。すなわち、対価の発行という事務手続（登記等）が生じます。また、新設型の組織再編の場合には、当然のことながら組織再編をもって新設会社が設立されますので、新設会社の運営上の整備（口座の開設、事業遂行上必要となる免許や許認可の取得）も再編後に開始となります。したがって、事業内容によっては再編と同時に新設会社の運営がスタートできるとも限らないので注意が必要です。

また、債権者保護手続についても吸収型と新設型で差が出ます。株式移転については債権者保護手続は原則不要ですが、会社分割の場合で、新設分割の場合には、承継会社が存在していない等の理由から、当該分割について完全に債権者保護手続を省略できるケースもあり、吸収分割を採用するよりも短期間で組織再編を行えるケースもあります（**3-5** 参照）。

3. 簿価移転

本ケースのような支配関係のあるグループ内の再編であれば、会計上は「共通支配下の取引」となり、基本的に簿価での取引となります。

また、その後も（完全）支配関係が継続する等適格要件を満たせば税務上も簿価での移転となります。

ただし、株式移転には繰越欠損金の制限等はありませんが、適格分割や適格現物出資の場合で、A社とB社の支配関係が、組織再編事業年度前5年以内に生じている場合等は、繰越欠損金の制限等に注意が必要です。

4. 無対価

吸収型の会社分割（つまり、最小限の現金で子会社を設立しておき、当該子会社に事業部隊を分割する吸収分割）においては、対価が一切ない無対価で行うこともできます（**3-9** 参照）。なお、無対価であれば会社分割に伴い資本金及び資本準備金を増加させることはできません。一方で、株を発行する会社分割であれば、資本金及び資本準備金を増やすことも、ゼロとすることもできます。さらに、直接の「完全」支配関係下で行われる吸収分割においては、（完全）支配関係継続要件等他の要件を満たせば、当該無対価会社分割は適格分割となります。

一方で、新設型の組織再編である株式移転や現物出資の場合には、無対価で行うことはできません。

5. 債権者保護手続

会社分割によると債権者保護手続が必要となるケースがあります（**2-4** 参照）。一方、現物出資や一定の場合を除いた株式移転については債権者保護手続は不要です。

6. 上場申請その他

株式移転の場合には、新たに完全親会社を設立するということになります。したがって、もともとの事業会社が上場会社の場合、当該事業会社は上場廃止となり、新たに親会社で上場申請を行うことになりますので、新規上場よりは簡易的な手続（テクニカル上場）が適用されることもありますが、時間と手間を要します。

会社分割の場合には、従来からの上場会社が、持株会社となりますので、いずれかの会社の上場廃止や上場申請という手続自体は不要です。しかし、会社分割の場合には、事業部隊を移転させますので、口座の変更等の手続や、不動産が移転する場合には登録免許税や不動産取得税（**2-31** 参照）が発生することがある点も考慮に入れる必要があります。

3-4 株主総会決議が不要な組織再編

1. 組織再編における株主総会決議

組織再編においては、当事会社はその組織再編に関する契約又は計画について株主総会の特別決議を経なければならないのが原則です（会法783①等)。これは、組織再編は会社の基礎に重大な変更をもたらすためです。

しかし、①会社の規模に比して組織再編により承継する資産等の規模がさほど大きくない場合や、②議決権の多数を有している株主が賛同しているため、株主総会を開催する必要がない場合においては、株主総会の決議を経る必要がありません。①を簡易組織再編、②を略式組織再編といいます。

上場会社や株主が多数の会社においては、株主総会を開催することは多大なコスト、時間がかかりますから、これらの会社にとって株主総会の省略は大きなメリットがあるといえます。

2. 簡易組織再編の要件

(1) 合併

① 吸収合併

存続会社が交付する合併対価の合計額が、存続会社の純資産額の5分の1を超えない場合、存続会社において株主総会決議を要しません（簡易合併）（会法796②)。これに対し、消滅会社においては簡易合併はありません。

② 新設合併

新設合併においては、簡易合併はありません。

(2) 会社分割

① 吸収分割

承継会社が交付する分割対価の合計額が、承継会社の純資産額の5分の1を超えない場合、承継会社の株主総会決議を要しません(会法796②)。

分割会社においては、承継させる資産額が分割会社の総資産額の5分の1を超えない場合、株主総会決議を要しません(会法784②)。

② 新設分割

分割会社においては、承継させる資産額が分割会社の総資産額の5分の1を超えない場合、株主総会決議を要しません(会法805)。なお、新設会社はまだ存在しませんので、株主総会を開催する余地がありません。

(3) 株式交換・株式移転・株式交付

① 株式交換

株式交換完全親会社が交付する株式交換対価の額が、親会社の純資産額の5分の1を超えない場合、株主総会決議を要しません(簡易株式交換)(会法796②)。これに対し、株式交換完全子会社においては簡易株式交換はありません。

② 株式移転

株式移転においては、簡易組織再編はありません。

③ 株式交付

株式交付親会社が交付する対価の合計額が、当該親会社の純資産額の5分の1を超えない場合、株主総会決議を要しません(会法816の4①)。株式交付子会社においては、会社法上株主総会決議は不要です。

(4) 無対価の場合

無対価＝0ですから、「対価が5分の1を超えない」場合に当てはまり、簡易組織再編の要件を満たします。

(5) 例外

上記 **(1)** から **(4)** にあてはまる場合であっても、下記の場合は簡易組織再編の手続によることはできません（会法796②但書）。

① 差損が生ずる場合

② 承継する側の会社が非公開会社であり、かつ組織再編対価が譲渡制限株式であるとき

3. 略式組織再編

総株主の議決権の90％以上を支配している親会社（特別支配会社）が、その子会社と組織再編行為をする場合には、子会社側の株主総会の決議を要しません（会法784①、796①）。

【株主総会省略の可否のまとめ】

	承継させる側の会社	承継する側の会社
吸収合併	略式に該当すれば省略可	合併対価が純資産額の５分の１以下又は略式に該当すれば省略可
新設合併	必要	－
吸収分割	承継させる資産額が分割会社の総資産額の５分の１以下又は略式に該当すれば省略可	分割対価が純資産額の５分の１以下又は略式に該当すれば 省略可
新設分割	承継させる資産額が分割会社の総資産額の５分の１以下であれば省略可	－
株式交換	略式に該当すれば省略可	株式交換対価が純資産額の５分の1以下又は略式に該当すれば省略可
株式移転	必要	－
株式交付	－	株式交付対価が純資産額の５分の１以下であれば省略可

当事会社間に特別支配関係がなければなりませんので、当事者の一方（承継する側の会社）がまだ存在しない新設型組織再編（新設合併、新設分割、株式移転）には適用がなく、もっぱら吸収型組織再編（吸収合併、吸収分割、株式交換）の場合のみ適用されます。

4. 簡易事業譲渡・略式事業譲渡

(1) 原則

次に掲げる行為をする場合には、株主総会の特別決議による承認を受けなければなりません（会法467①、309十一）。

① 事業の全部の譲渡

② 事業の重要な一部の譲渡*1

③ 子会社の株式又は持分の全部又は一部の譲渡*2

④ 他の会社の事業全部の譲受け

⑤ 事業の全部の賃貸、事業の全部の経営の委託等

⑥ 当該株式会社成立後2年以内に、成立前から存在する財産であってその事業のために継続して使用するものの取得*3

*1 譲渡の対象となる資産の帳簿価額が譲渡会社の総資産額の5分の1超の場合に限ります。

*2 譲渡の対象となる株式又は持分の帳簿価額が譲渡会社の総資産額の5分の1を超え、かつ譲渡の効力発生日において当該子会社の議決権の過半数を有しないときに限ります。

*3 対価として交付する財産の帳簿価額の合計額が譲受会社の純資産額の5分の1超の場合に限ります。

(2) 簡易事業譲渡

他の会社の事業全部の譲受け（**(1)** ④）をする場合であっても、対価として交付する財産の帳簿価額が譲受会社の純資産額の5分の1を超えないときは、譲受会社側の株主総会の決議を要しません（会法468②）。

(3) 略式事業譲渡

(1) の①から⑤に該当する場合であっても、契約当事者の一方が他方の特別支配会社であるときは、支配されている方の会社においては株主総会の決議を要しません（会法468①）。

3-5 債権者保護手続が不要な組織再編

1. 概 要

株式譲渡、事業譲渡、現物出資及び現物分配は、包括承継となる組織再編ではありませんので、債権者保護手続は不要です。したがって、比較的短期間に行える特徴があります。

これに対し、解散・清算の場合における債権者に対する公告及び催告（会法 499）は省略できる場合が存在せず、必ず行わなければなりません。

2. 合併・会社分割

合併は、例外なく債権者保護手続が必要となります（会法 789、799、810）。これに対して、会社分割においては、債権者保護手続が省略できる場合があります。

【債権者保護手続の省略の可否】

	消滅会社（合併）/分割会社（分割）	存続会社（合併）/承継会社（分割）
吸収合併	必要	必要
新設合併	必要	—
吸収分割（分社型）	(1) 債務が移転しない場合 (2) 債務が移転するが重畳的債務引受等により引き続き分割会社が債務を負担する場合には省略可	必要
吸収分割（分割型）	必要	必要
新設分割（分社型）	(1) 債務が移転しない場合 (2) 債務が移転するが重畳的債務引受等により引き続き分割会社が債務を負担する場合には省略可	—
新設分割（分割型）	必要	—

つまり、新設分社型分割においては、債務が移転しない場合又は重畳的債務引受もしくは連帯保証をする場合には、全く債権者保護手続を行わず会社分割を行うことが可能となり、時間や事務手続を大幅に省略できます。

♣コラム　移転対象に負債が含まれていない場合の債権者保護手続

移転対象に負債が含まれていなくても、債権者保護手続を省略するには、契約書において重畳的債務引受又は連帯保証を謳うのが実務の取扱いです。オフバランスとなっている負債があるおそれを考慮しての対応です。

3. 株式交換・株式移転・株式交付

(1) 株式交換

株式交換は、完全子会社と完全親会社の株式を交換するだけであって原則として財産の状態に変化が生じませんから、通常は債権者保護手続が不要です。ただし、下記の場合は債権者保護手続が必要となります。

① 完全子会社が新株予約権付社債を発行しており、かつ完全親会社がその新株予約権付社債を承継する場合（会法789①三、②）

→完全子会社・完全親会社ともに債権者保護手続が必要です。

② 株式交換対価が完全親会社株式以外のものである場合（会法799①三、②）＊1

→完全親会社のみ債権者保護手続が必要です。

＊1　ただし、株式及び株式以外の財産を交付する場合で、株式以外の財産が株式交換対価の20分の1未満であれば、債権者保護手続は不要です。

(2) 株式移転

株式移転については、株式交換と同様に、原則として財産の状態に変化が生じないため、債権者保護手続は不要であることが通常ですが、**(1)**①と同様、完全子会社が新株予約権付社債を発行しており、かつ完全親会社がその新株予約権付社債を承継する場合に限り、完全子会社において債権者保護手続が必要です（会法810①三、②）。

(3) 株式交付

株式交付の場合も、原則として債権者保護手続は不要です。ただし、株式交付の対価として株式交付親会社の株式以外の財産を交付する場合は、株式交付親会社の財産が減少する可能性があるため、株式交付親会社において債権者保護手続が必要となります（会法816の8）。

4. 債権者保護手続を省略する場合の注意点

2. のように、会社分割による承継の対象とならなかった債権者（以下「残存債権者」といいます）に対しては、債権者保護手続を要しません。しかし、例えば、債務超過の状態にある会社が全ての積極財産及びこれと同額の債務を新設分割により新設会社に切り出した場合、分割会社は設立会社の株式を取得しますが、残存債権者にとっては、自己の債権の引き当てとなる分割会社の積極財産を実質的には失ってしまうことになります。このような場合、残存債権者が会社分割について詐害行為取消権（民法424）を行使したり*2、残存債権者から承継会社（又は設立会社）に対して債務の履行を請求されるリスクが生じます*3。

したがって、分割会社が積極財産を大幅に切り出す場合においては、既存債権者の債務の履行に支障を来たすおそれがないか、慎重に検討する必要があります。

*2 本文中の例のように、債務超過の会社が会社分割により資産を切り出し、めぼしい資産がなくなった分割会社に残存債権者が取り残されるという、残存債権者を害するような会社分割が頻発しました。そこで、残存債権者の対抗手段として、民法424条による詐害行為取消権により会社分割の取消しを訴える事例が生じました。会社分割が詐害行為取消権の対象となるか否かについては議論がありましたが、現在の裁判例では、会社分割が詐害行為取消権の対象となると判断されています（最判平成24.10.12）。

*3 上記*2のように、残存債権者を害する会社分割については詐害行為取消権の対象となることが認められましたが、さらに平成26年の会社法改正（平成27年5月1日施行）により、会社分割によって承継されない債務の債権者（残存債権者）を害することを知って会社分割をした場合、残存債権者は承継会社に対して、承継した財産の価格を限度として債務の履行を請求できる旨の規定が新設されました（会法759④～⑦、764④～⑦）。

3-6
短期間で行える資産等の移転

1. 組織再編において工数を費やすポイント

組織再編により、資産及び負債、又は事業を移転しようとする際に、時間や作業の手間を要するのは、一般的には下記の項目です。

(1) 相手との交渉（買収及び非支配株主との取引の場合）

(2) 債権者保護手続

(3) バリュエーション（基本的に買収及び非支配株主との取引の場合）

(4) 移転資産及び負債の切り分け（買収の場合にはより厳密に）

したがって、非支配株主の絡まないグループ内の組織再編等であれば、時間や手間を要するのは（2）の債権者保護手続となります。債権者保護手続についても、省略できる場合はあります（**3-5**参照）ので、省略できるスキームを選択した場合には、時間短縮となります。

2. その他の資産移転方法

組織再編でなくても、現金を動かさず資産等の移転を行うことは可能です。具体的には、下記のような手法です。また、下記に関しては、組織再編でないため**1.**に記載の債権者保護手続は不要です。**(2)**の現物出資の場合には、検査役の調査又はその代わりに公認会計士等の証明を要し、若干の煩雑さはありますが、債権者保護手続を要する組織再編との比較衡量となることと思われます。

(1) 完全親子会社間で行う現物配当（現物分配）（子会社からその親会社に資産を移転する取引）

① バリュエーション

現物配当（分配）は基本的に完全親子会社間での取引となりますので、簿価移転となりバリュエーションも不要です（会計上及び税務上簿価移転となるのか時価移転となるのかの厳密な処理は、現物配当（現物分配）に係る**第２章**を参照してください）。

② 機関決定

配当を行う子会社において株主総会を開き剰余金の分配に関する決議を経る必要がありますが、現物配当は、完全親子会社間で行われる場合がほとんどですので、株主総会の開催もそれほど負担にならないことが多いです。

(2) 現物出資（投資会社の資産を被投資会社に移す取引（ex. 親会社の資産等を子会社に移す取引））

① バリュエーション

グループ内の現物出資であれば、簿価移転となります（会計上及び税務上簿価移転となるのか時価移転となるのかの厳密な処理は、現物出資に係る**第２章**を参照してください）のでバリュエーションは不要です。

グループ外に投資する場合には、時価での移転となり、基本的にはバリュエーションが必要になります。

② 検査役の調査

グループ内外を問わず、省略できる場合（**2-3** 参照）を除き、検査役の調査が必要です。出資する資産の評価額について、公認会計士等の証明があれば検査役の調査は省略できますが、それはつまり、グループ内への出資で簿価移転の場合であっても、検査役の調査を省略するために、公認会計士等の証明は必要になるということになります。

③ 機関決定

出資する資産が投資会社にとって重要な資産である場合には、投資会社において取締役会決議が必要になります（会法362④一）。

④ その他

被投資会社においては、自己株式を交付する場合を除いて株式を発行するため発行済株式数が増加しますし、出資額の半分以上は資本金が増加しますので、登記が必要になります。また、資本金が増加したことにより、被投資会社が税務上外形標準課税対象法人となることがあります。

3-7 労働者の承継に関する問題

1. 組織再編等における労働関係

組織再編の種類により、労働者（労働契約）の承継が生じる場合と生じない場合があります。株式交換及び株式移転は、いずれも株主構成に変動は生じますが、権利義務を他の会社に承継させるものではありませんので、労働者の承継も生じません。よって、株式交換及び株式移転においては、労働者との関係に関して考慮すべき特有の問題点はありません。労働者との間で問題が生じるのは、主として合併及び会社分割の場合です。また、事業譲渡においても、事業の一部として労働者の承継が生じることがあります。

2. 合併における労働者の承継と問題点

(1) 総説

合併は、消滅会社の権利義務が存続会社又は新設会社に包括的に承継されます。したがって、消滅会社に雇用されていた労働者は、全て存続会社又は新設会社に承継されることとなります。ここで注意しなければならないのは、原則として合併前の労働条件がそのまま適用になるということです。なお、民法625条1項においては、「使用者は、労働者の承諾を得なければ、その権利を第三者に譲り渡すことができない」とされていますが、合併の場合にはこの規定は適用されない（労働者の承諾は不要）と解されています。

(2) 問題点

合併により、消滅会社が労働者と締結していた労働契約の内容がそのまま存続会社に承継されることとなります。そうすると、承継された労働者と従前から存続会社に雇用されていた労働者の間で労働条件が異なることとなってしまい、労務管理上好ましくありません。そこで、消滅会社に雇用されていた労働者については、合併後存続会社の労働条件とする、すなわち当該労働者の労働条件を変更することが考えられます。

(3) 労働条件の変更

合併により消滅会社の労働者は当然に存続会社に承継されますが、労働者の労働条件を一方的に変更することはできません。消滅会社の労働者の労働条件を合併時に変更する場合、まずは労使協議により誠実に話し合い、円満な解決を図るべきです。そして、労働条件を変更するには、事前に労働者の個別の同意を得る必要があります（労働契約法8）。

また、合併に伴い就業規則を統一化する方法により労働条件を変更することも多いですが、合併後の就業規則が労働者の不利益に変更される場合も原則として労働者の個別の同意が必要です。ただし、どうしても同意が得られない場合、労働契約法10条の規定により「変更後の就業規則を労働者に周知させ、かつ、就業規則の変更が、労働者の受ける不利益の程度、労働条件の変更の必要性、変更後の就業規則の内容の相当性、労働組合等との交渉の状況その他の就業規則の変更に係る事情に照らして合理的なものである」ときは、個別同意を得ることなく就業規則を変更することが可能です。

なお、税務上、非適格組織再編において、引き継いだ従業者につき退職給与債務を引き受けた場合で、当該金額を退職給与負債調整勘定として処理するためには、支給する退職給与につき、非適格組織再編前の在籍期間その他の勤務実績等を勘案する旨を約する必要がありますので、注意が必要です（**2-19** 参照）。

(4) 余剰人員の削減

合併は、2つ以上の会社が合一となるものですから、合併後に余剰人員が生じる可能性があります。この場合において、合併を理由として労働者を解雇することはできません。労働契約法16条においては、「解雇は、客観的に合理的な理由を欠き、社会通念上相当であると認められない場合は、その権利を濫用したものとして、無効とする。」とされているところ、会社の合併というのみでは本条の要件を満たしているとは到底解されないからです。

したがって、余剰人員を削減する場合には、希望退職を募集する等の方策をとる必要があります。

また、合併当事者の資本関係によっては、税務上の適格要件を満たすには、被合併法人の従業者の概ね80%以上が、合併法人での業務に従事する見込みであることが求められる場合がありますので、組織再編に伴う余剰人員の削減には注意が必要です。

3. 会社分割における労働者の承継と問題点

(1) 総説

会社分割は、会社の事業に関する権利義務の全部又は一部を他の会社に承継させる行為です。会社分割によって当然に労働者が承継会社又は新設会社に承継されるものではなく、吸収分割契約又は新設分割計画において承継会社又は新設会社に承継されると定められた労働者が、会社分割の効力発生日に承継会社又は新設会社に承継されることとなります。この場合において、承継される労働者の同意は必要ありません。

(2) 労働契約承継法

前述のとおり、会社分割に際して労働者の承継が生じる場合であっても、個別の労働者の同意は必要ありません。しかし、労働者の保護を図ることを目的として、「会社分割に伴う労働契約の承継等に関する法律」(以下「労働契約承継法」といいます)が制定されています(**2-6** 参照)。会社分割により労働者の承継が生じる場合には、同法の規定による手続を経なければならないことに注意が必要です(**2-6** 参照)。

(3) 問題点

会社分割によって承継会社又は新設会社に承継された労働者の労働条件は、原則として従前の労働条件と同一であるため、承継会社又は設立会社の人事制度にあわせてこの労働条件を変更する必要性が高い点、労働条件を変更する際には原則として労働者の個別同意を得なければならない点については合併の場合と同様です。

また、税務上の退職給与負債調整勘定についての注意点も合併の場合と同様です。

4. 事業譲渡における労働者の承継と問題点

(1) 総説

事業譲渡は、一定の事業目的のため組織化された有機的一体として機能する財産の全部又は一部を他の会社に譲渡する行為です。労働者も事業譲渡による承継の対象となりますが、会社分割の場合と異なり、労働者を譲受会社に承継させるにはその労働者の個別の同意が必要です。

また、個別の同意を得て労働者を承継する方法のほかに、譲渡会社を退職し、譲受会社に新規採用させる形で労働者を移動させる方法もあります。その場合には、一度退職金を支払う場合や、そこでは退職金は支払わず勤続期間を引き継ぐ場合等があります。

(2) 問題点

事業譲渡における労働契約の承継は、前述の通り労働者の個別の同意が必要となりますが、合併や会社分割の場合と同様、承継される労働契約の内容は、原則として従前の労働契約と同一となります。もし、労働条件を変更した上でその労働契約を譲渡会社に承継したい場合は、この労働条件の変更についても労働者の個別同意を得なければなりません。

3-8 許認可事業を行っている場合の対応

1. 総説

合併、会社分割により許認可事業を他の会社に承継させる場合、その承継させる会社において手続が必要な場合があります。具体的にどのような手続が必要であるかについては、それぞれの許認可の種類によって異なりますが、概ね、(1) 届出だけで足りる場合、(2) 承継会社において許認可の再取得が必要な場合、(3) 組織再編自体に許認可が必要な場合の3パターンとなります。

2. 各パターンごとの対応

(1) 届出だけで足りる場合

倉庫業、飲食店業、特定貨物自動車運送事業等がこれに当たります*。この場合においては、定められた期日内に届出をすれば適法に事業を営むことができますので、問題が生ずることは基本的にはありません。

* 倉庫業については倉庫業法17条、飲食店業については食品衛生法53条、特定貨物自動車運送事業については貨物自動車運送事業法35条によります。

(2) 承継会社において許認可の再取得が必要な場合

一般に許認可事業といわれる事業では、これに該当することが多いです。組織再編の効力発生後に引き続いて当該許認可事業を営む場合、承継会社においてあらかじめその許認可を取得しておかなければなりません。あらかじめ許認可を取得する場合の注意点は、それぞれの許認可の種類によって異なりますが、一般論としては下記の通りです。合併契約書の締結等の作業に入ってから許認可を取得できる見込みがないことが判明すると、スキームを根本的に見直さなければならない事態にもなりかねませんので、事前に監督官庁や行政書士に相談する等、入念な調査をしなければなりません。

① 財産的要件をクリアできるか

「純資産額が○万円以上」「預貯金の額が○万円以上あること」等、財産的要件をクリアしていることが許可の要件となっていることがあります。また、許可を受けるに際し、一定額の営業保証金を供託しなければならない許認可事業もあります。したがって、承継会社がこれらの財産的要件をクリアしているかを事前に確認する必要があります。もし財産的要件をクリアできていないようであれば、増資等も検討しなければならないでしょう。

② 人的要件をクリアできるか

例えば、宅地建物取引業においては専任の宅地建物取引士を置かなければならず、有料職業紹介事業においては一定の講習を受けかつ一定の職歴のある職業紹介責任者を置かなければならないとされています。このように、一定の資格を有する者を置かなければならないとされている許認可事業も多くありますので、資格を有する従業員はいるか、いなければ資格を取得させることができるか、資格を有する従業員を雇用できる見込みがあるか等を検討しなければなりません。

また、一定の事由（欠格事由）に該当する役員がいてはならないとされていることも多くありますので、この点にも注意が必要です。

③ 事務所要件をクリアできるか

「事務所が○㎡以上あること」「他の会社と同居していないこと（同居している場合パーティションなどで明確に区分すること）」等、事務所に関する要件がある場合もあります。これも、要件を満たしていない場合は要件を満たす事務所に移転することができるか等を検討しなければなりません。

④　許認可を取得できるまでの期間

許認可の種類によっては、申請が受理されてから正式に許可が出るまで数か月かかるものもあります。組織再編後スムーズに事業を行うためには、取得できるまでの期間をなるべく早めに把握しておかなければなりません。どうしても効力発生日までに許可が出る可能性がなければ、効力発生日を延期せざるを得ないこともあります。

(3) 組織再編自体に許認可が必要な場合

特に金融、電力、ガス、海運、運送等の公共性の高い許認可業種においては、事前に所管官庁の許可を得なければそもそも当該組織再編の効力自体が生じないと規定されていることがあります（銀行法30等）。これらの事業を行っている会社が組織再編をする場合、事前に所管官庁と打ち合わせをするなど十分な準備をしておかないと、組織再編自体が頓挫するという多大なダメージを受けることとなってしまいます。

【組織再編に許認可が必要な業種（主要なもの）】

銀行業、	保険業、	一般ガス事業、
一般送配電事業、	鉄道事業、	港湾運送事業、
一般旅客定期航路事業、	一般旅客自動車運送事業、	一般貨物自動車運送事業、
第二種貨物利用運送事業		等

3. 許認可事業を承継できない場合

2.（2）あるいは（3）の場合において、承継会社が許認可を受けることができないこととなったときは、スキームを変えるほかありません。株式移転、株式交換、株式譲渡等、株主が変わることについては許認可の影響を受けないことが多いので、代用できるのあればこれらの方法を検討することとなるでしょう。

3-9
対価を発行しない組織再編

1. 会社法における無対価組織再編

会社法上の「吸収分割承継株式会社が吸収分割に際して吸収分割会社に対してその事業に関する権利義務の全部又は一部に代わる金銭等を交付するときは、当該金銭等についての次に掲げる事項」（会758①四）との規定ぶりから、吸収分割が無対価で行われることがあることを想定していると考えられます。吸収合併の場合も同様に無対価組織再編が行えると考えられています（会法749①二）。

また、会社法においては、無対価で組織再編を行える資本関係として、「直接」完全支配関係である必要があるのか、間接保有も含むのか、また、完全支配関係ではなく支配関係下でも行えるのか、詳細な規定はありません。ただし、後述する**3.** のとおり、税務上当該組織再編が適格組織再編となるには「直接」の「完全」支配関係であることが求められますので、無対価組織再編を行う状況下として、「直接」の「完全」支配関係下であることがほとんどです。

ただし、新設型の組織再編（新設合併、新設分割、株式移転）に関しては、株式の交付なくして会社の設立ができませんので、無対価組織再編はできません。

2. 会計基準における無対価組織再編

(1) 会計基準上の規定

会計上は、企業結合会計基準及び事業分離等会計基準に関する適用指針 203-2 項に無対価の場合の会計処理が定められています。そのパターンは下記です。

・子会社同士の合併
・親会社から子会社への会社分割
・子会社から他の子会社への会社分割
・子会社から親会社への会社分割

そして、同203-2項の規定は、上記の組織再編を、「結合当事企業のすべてが同一の株主に株式のすべてを直接又は間接保有されているとき(完全親子会社関係にあるとき)」の結合当事企業の会計処理として定めています。つまり、会計上は、間接保有も含めた「完全」支配関係下にある場合に、無対価の組織再編が行われることを前提としています。それは、会計上は実質的な企業結合グループとしての範囲でとらえ、その中で無対価組織再編を行っても実態に変化のない場合に無対価組織再編が行われると考えているためです。

また、上記適用指針において、無対価で行われる組織再編として掲げられているのは合併・会社分割のみですが、株式交換についても無対価で行われることがあります。ただし、株式交換を無対価で行った場合の増加資本の会社法上の取扱いが明らかではないため、無対価株式交換はあまり行われていません。

(2) 処理の概要

無対価組織再編が、完全支配関係下で行われることを前提としているため、基本的に無対価で組織再編を行った場合の資産の移転等は簿価での移転となり、譲渡損益等は生じません。また、株式を発行しない以上、資本金及び資本準備金を増加させることはできません。

これに対し、下記**3.** に記載の通り、税務上も簿価移転となる適格要件を満たすには、組織再編の前において当事者間に会計よりタイトな「直接」の「完全」支配関係があることが求められます。したがって、間接完全支配関係下において無対価組織再編を行った場合には、会計上は簿価移転となりますが、税務上は非適格となりますので、申告調整が必要になります。

3. 法人税法上の無対価組織再編

(1) 法人税法上の規定

税務上は、組織再編の前において「直接」の「完全」支配関係下にある場合のみに当該無対価組織再編が適格要件を満たすとの規定となっています。無対価組織再編の場合、適格要件のうち、金銭不交付要件を満たすか否かという問題が生じますが、ここでいう金銭不交付要件は「株式以外の対価が交付されないこと」を求めていますので、無対価の場合であっても、株式以外の対価は交付されませんので当該要件を満たします。その上で、無対価組織再編を行っても組織再編の前後で資本関係が全く変化しない場合に当該無対価組織再編が適格となることを求めています。当該「組織再編の前後で資本関係が全く変化しない場合」というのが、組織再編の前において「直接」の「完全」支配関係下にある場合となります。したがって、結果的に、直接完全支配関係下にある場合に無対価組織再編が行われるケースがほとんどです（当該組織再編が適格となるためには、適格要件の他の要件を満たす必要はあります）。

*　　　　　　　　　　*

以下、組織再編の前において「直接」の「完全」支配関係下にある場合について、詳細に解説します。

無対価組織再編が適格要件を満たすのは、組織再編の前に下記の資本関係にある場合に限定されています。

(2) 合併

① いずれか一方の法人による完全支配関係がある場合

「合併法人が」「被合併法人の」発行済株式等の全部を保有する関係（法令4の3②一）

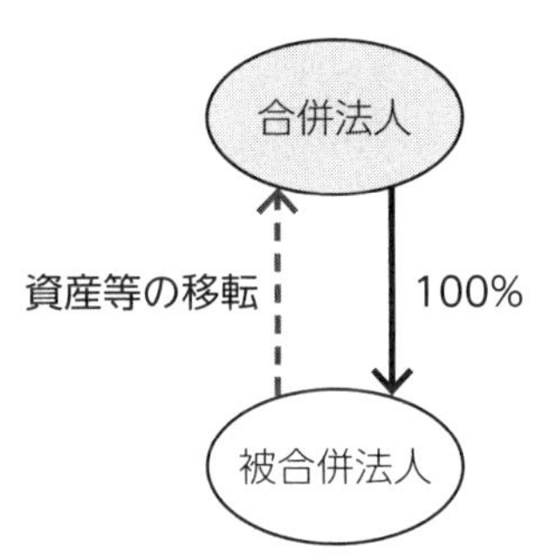

② 同一の者による完全支配関係がある場合（法令4の3②二）

ア．合併法人が被合併法人の発行済株式等の全部を保有する関係

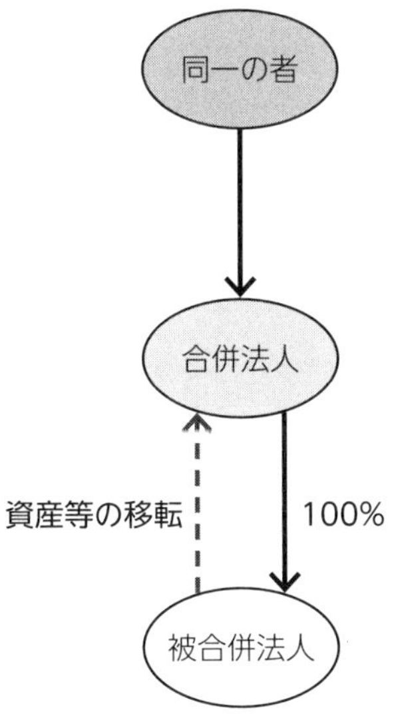

合併法人と被合併法人は同一の者を通じて、兄弟関係（ともに同一の者に完全支配されている関係）にあるともいえます。

イ．被合併法人及び合併法人の株主等の全てについて、その者が保有するその被合併法人株式の持株比率（算定上、合併法人が有する被合併法人株式を除きます）と、その合併法人株式の持株比率（算定上、被合併法人が有する合併法人株式を除きます）とが等しい場合

なお、平成30年度税制改正前の下記「一の者が被合併法人及び合併法人の発行済株式等の全部を保有する関係」、「合併法人及びその合併法人の発行済株式等の全部を保有する者が被合併法人の発行済株式等の全部を保有する関係」及び「被合併法人及びその被合併法人の発行済株式等の全部を保有する者が合併法人の発行済株式等の全部を保有する関係」は、この②イ．に包含されています。

改正前　一の者が被合併法人及び合併法人の発行済株式等の全部を保有する関係

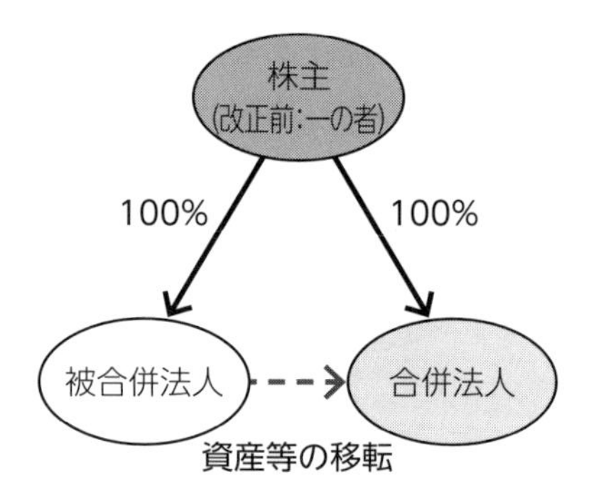

改正前　合併法人及びその合併法人の発行済株式等の全部を保有する者が被合併法人の発行済株式等の全部を保有する関係

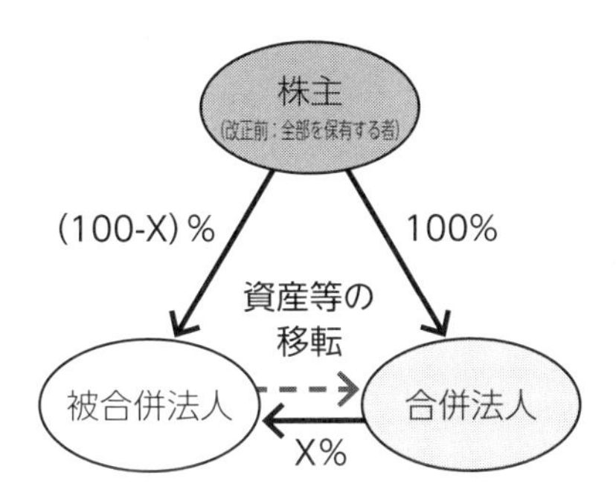

改正前　被合併法人及びその被合併法人の発行済株式等の全部を保有する者が合併法人の発行済株式等の全部を保有する関係

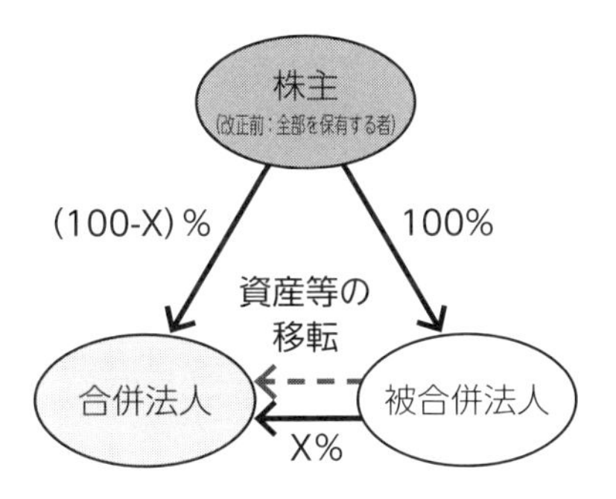

(3) 会社分割

会社分割においては、基本的には、分割対価を分割会社の株主に最終的に交付するか否かによって、当該会社分割が分社型分割に該当するか分割型分割に該当するかを判断します。したがって、会社分割を無対価で行う場合には、当該会社分割が、分社型もしくは分割型のどちらに該当するかをどのように判断するかが問題となります。

この点に関して、会社法上は、対価の交付がない以上、無対価での吸収分割は、分割型分割にはなりえず分社型分割となります（会計規２③四十）。会社法上の分社型分割か分割型分割かの分類は、大きく債権者保護手続の要否及びその範囲に影響します。

会計上も会社法の考え方に準じますが、会計「処理」に関しては、無対価で会社分割を行った場合に分割会社において純資産が減少することに着目し、その実態が分割型分割と同じであることから、無対価会社分割は分割型分割に準じて処理することが規定されています。

これに対し、税務上は会社分割における当事会社の関係ごとに、当該会社分割が分社型に当たるか分割型に当たるかが規定されています。

【無対価会社分割のパターン別分類】

	会社法	会計「処理」	税務
親会社から子会社へ分割	分社型分割 （会規２③四十）	分割型分割 （企業結合適用指針203-2、437-3）	分社型分割 （法法２十二の十ロ）
子会社から親会社へ分割	分社型分割 （会規２③四十）	分割型分割 （企業結合適用指針203-2、437-3）	分割型分割 （法法２十二の九ロ）
子会社間の分割	分社型分割 （会規２③四十）	分割型分割 （企業結合適用指針203-2、437-3）	分割型分割 （法法２十二の九ロ）

分割型分割

① いずれか一方の法人による完全支配関係がある場合

「分割承継法人が」「分割法人の」発行済株式等の全部を保有する関係（法令４の３⑥一イ）

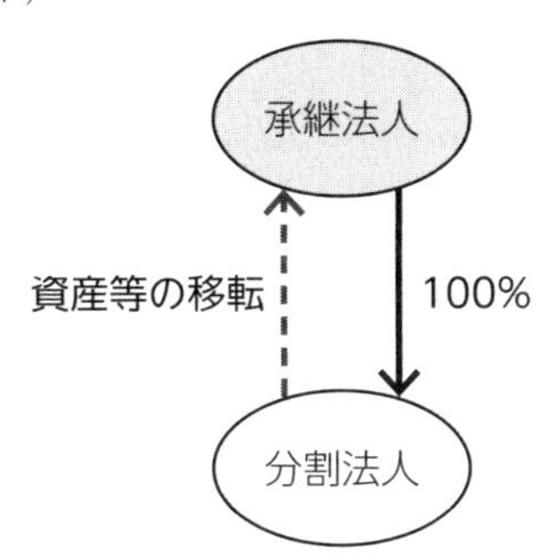

② 同一の者による完全支配関係がある場合（法令４の３⑥二イ）

ア．分割承継法人が分割法人の発行済株式等の全部を保有する関係

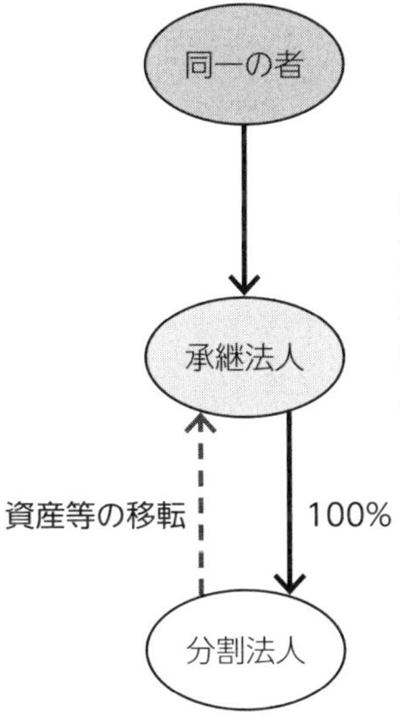

承継法人と分割法人は同一の者を通じて、兄弟関係（ともに同一の者に完全支配されている関係）にあるともいえます。

イ．分割法人の株主等と分割承継法人の株主等の全てについて、その者が有する分割法人株式の持株比率（算定上、分割承継法人が有する分割法人株式を除きます）と、分割承継法人株式の持株比率とが等しい場合

なお、平成30年度の税制改正前の下記「一の者が分割法人及び分割承継法人の発行済株式等の全部を保有する関係」及び「分割承継法人及びその分割承継法人の発行済株式等の全部を保有する者が分割法人の発行済株式等の全部を保有する関係」は、この②イ．に包含されています。

改正前　一の者が分割法人及び分割承継法人の発行済株式等の全部を保有する関係

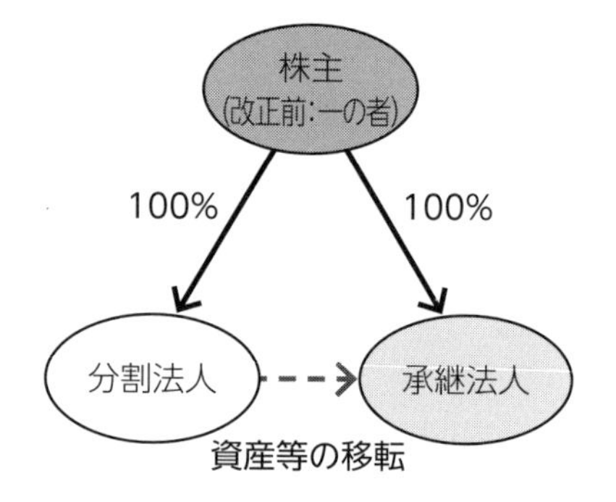

改正前　分割承継法人及び分割承継法人の発行済株式等の全部を保有する者が分割法人の発行済株式等の全部を保有する関係

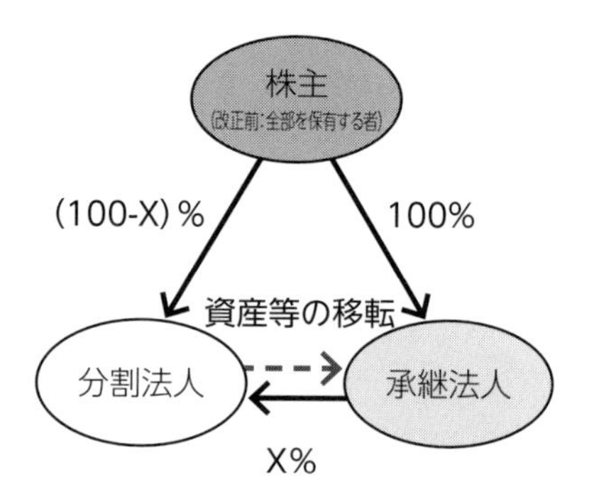

分社型分割

「分割法人が」「分割承継法人の」発行済株式等の全部を保有する関係（法令4の3⑥一ロ、二ロ）

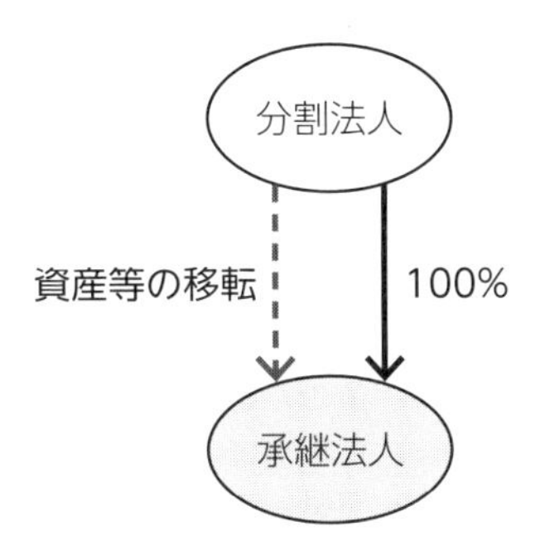

(4) 株式交換

同一の者による完全支配関係がある場合

株式交換完全子法人及び株式交換完全親法人の株主等の全てについて、その者が保有するその株式交換完全子法人株式の持株比率（算定上、株式交換完全親法人が有する株式交換完全子法人株式を除きます）と、株式交換完全親法人株式の持株比率とが等しい場合（法令4の3⑱二）。

なお、平成30年度税制改正前の下記「一の者が株式交換完全子法人及び株式交換完全親法人の発行済株式等の全部を保有する関係（同一者完全支配関係）」及び「株式交換完全親法人及びその株式交換完全親法人の発行済株式等の全部を保有する者が株式交換完全子法人の発行済株式等の全部を保有する関係」は、この規定に包含されています。

改正前　一の者が株式交換完全子法人及び株式交換完全親法人の発行済株式等の全部を保有する関係

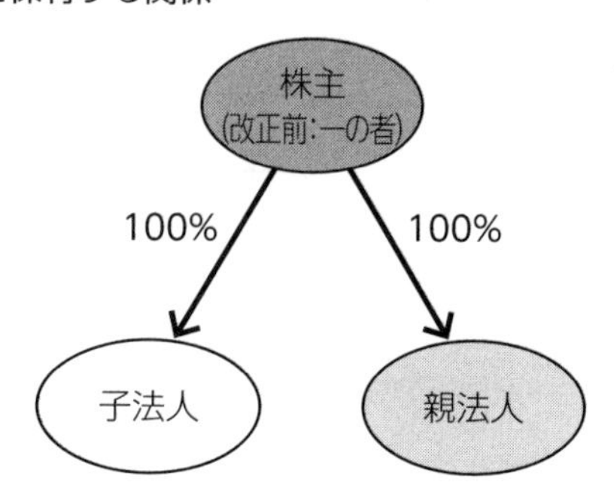

改正前　株式交換完全親法人及び当該株式交換完全親法人の発行済株式等の全部を保有する者が株式交換完全子法人の発行済株式等の全部を保有する関係

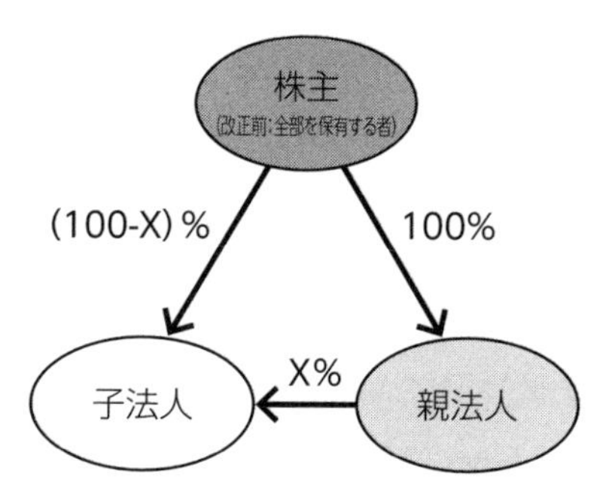

(5) 支配関係下にある場合及び50%以下の資本関係がある場合に分類される無対価組織再編

無対価組織再編につき、税務上適格要件を満たす上で求められる直接完全支配関係は、組織再編の前において求められているものです。したがって、組織再編の前においては直接完全支配関係があり、その後に直接完全支配関係がなくなり支配関係となることが見込まれているような場合に適格組織再編となるには、「支配関係がある場合」の適格要件を満たしていく必要があります（法令4の3③⑦⑲）。また、組織再編の前においては直接完全支配関係があり、その後に完全支配関係がなくなり50% 以下の資本関係となることが見込まれているような場合に当該無対価組織再編が適格組織再編となるには、「共同事業を営むための場合」の適格要件を満たしていく必要があります（法令 4 の 3 ③④⑦⑧⑲⑳）。

まとめ

【無対価についての各規定のまとめ】

	会社法	会計基準	法人税法
資本関係について	具体的記載なし	直接又は間接完全支配関係	適格要件を満たすためには、直接完全支配関係
組織再編の類型について	具体的記載なし（ただし新設型は無対価不可）	吸収合併及び吸収分割のみの規定	吸収合併、吸収分割及び株式交換

3-10 課税の有無による組織再編の見方

1. 概 要

買収目的の組織再編は非適格組織再編になるケースが多いです。そのため、譲渡損益課税・みなし配当課税・組織再編後における資産調整勘定の損金算入・負債調整勘定の益金算入等による所得へのインパクトがあります（資本関係のない相手との組織再編であっても、「共同事業を営むための組織再編」の要件を満たせば、適格組織再編となります）。

一方で、事業の効率化を目的に行うグループ内の組織再編の場合には、基本的に適格組織再編となり、帳簿価額での移転（引継ぎ）となりますので、非適格組織再編の場合のような課税は生じません。ただし、適格組織再編の場合には、繰越欠損金についての規制が課されるケースがある（**2-30** 参照）こと、及び法人税以外の租税（不動産取得税等）は、適格組織再編による事業等の移転のケースにも発生することがあります（**2-31** 参照）ので、注意が必要です。

2. 適格要件を満たすこと以外の課税の有無の相違

(1) 消費税

同じ事業の移転であれば、合併や会社分割は消費税が不課税（消法２①八、消令２①四）であるのに対し、事業譲渡や現物出資は、課税対象資産の移転部分に関して消費税がかかります（消法２①八、消令２①二）。また、非課税となる資産の移転による課税売上割合へのインパクトがあります。そのため、土地や有価証券等の非課税対象資産の金額が大きい場合には、注意が必要です。

(2) 外形標準課税

事業年度末における資本金が1億円超の法人は外形標準課税の対象となります（地法72の2①一）。そのため、組織再編により資本金が増える場合には、その後の当該法人における課税の負担が増えます。なお、外形標準課税制度は、資本金等の額ではなくあくまで資本金での判定ですので、会社法（＝会計基準）の定めによる処理によって増加した資本金で判定します。この点、組織再編に係る会社法及び会計基準では、例えば、合併や会社分割により払込資本を増やすべき場合であっても、資本金や資本準備金をゼロとし、全額をその他資本剰余金とすることも可能です（新設分割においても同様です）。一方で、現物出資によると、合併や会社分割のような規定はなく、原則通り発行価額の2分の1までは資本金を増加させなければなりません（会法445）。

(3) 均等割

(2) の外形標準課税とは異なり、均等割は資本金等の額（増減資の調整、会社法上の資本金及び資本準備金との比較考慮後）を課税標準とします。そのため、グループ内外を問わず、適格・非適格を問わず、組織再編において「株式」を発行した場合には、発行法人においては資本金等の額は増加します。また、通常、完全支配下において行われる無対価組織再編によっても、資本金等の額が変動します。現金等の財産を交付する場合（交付した部分）については、資本金等の額は増加しません（増加させることができません）。

(4) 不動産取得税

不動産取得税については、組織再編等の手法により、課税・非課税に大きく差があります。詳細は**2-31**を参照して下さい。法人税法上の適格・非適格とは関係なく、課税・非課税が定められていますので、適格組織再編であっても不動産取得税が生じる場合があり、特に多額の不動産が移動する場合には注意が必要です。

3-11 損益の発生の有無による組織再編の見方

1. 買収目的の組織再編

買収目的の第三者が絡む組織再編においては、原則、下記の通り損益が発生します。

【立場別損益の種類】

組織再編当事者	発生する損益の種類
分離側	譲渡損益
受入れ側	のれん・負ののれん
分離側の株主	交換損益が生じる場合あり（**2**-14 参照）
受入れ側の株主	交換損益が生じる場合あり（**2**-14 参照）

2. グループ内の組織再編

事業の効率化の目的で行うグループ内の組織再編においては、基本的に「共通支配下の取引」となり帳簿価額での引継ぎとなります（グループ内取引でも非支配株主がいる場合の非支配株主との取引は、時価により行われます）。また、対価が分離先企業の株式のみであり、分離側の投資は継続していることがほとんどですので、分離元企業で会計上損益は生じません。

ただし、グループ内取引であれば全く損益が生じないわけではなく、例えば、下記の場合には損益が生じます。

下記の場合でも、連結上はグループ内取引は相殺消去されます。

(1) 親会社を存続会社・子会社を消滅会社とする合併及び親会社を承継会社・子会社を分割会社とする会社分割

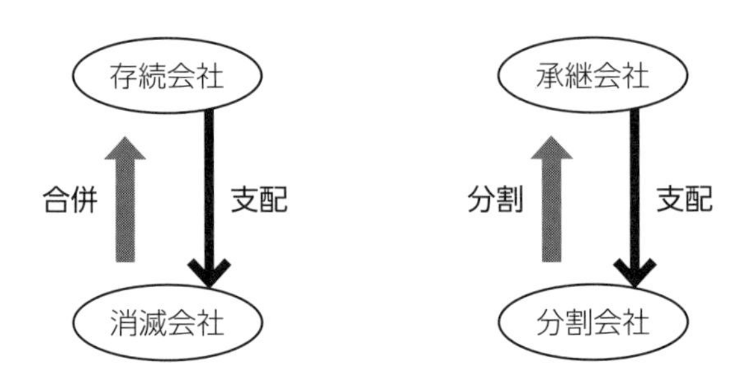

この場合、親会社において、受け入れた資産負債の帳簿価額と保有していた子会社株式の帳簿価額の全部（合併の場合）又は一部（会社分割の場合）との差額が株式消滅損益となります。なお、株式消滅損の発生する合併及び会社分割においては簡易合併及び簡易分割はできません（会法796②但書）。なお、株式消滅損が生じるような状況下においては、事前（直前の決算や四半期決算）に子会社株式の減損を行っていると考えられ、その場合には株式消滅損は生じないことになります。

これに対して、株式以外の対価が発行されない子会社同士の合併や会社分割の場合には親会社において損益は生じません。

ですので、グループ内組織再編により親会社の個別財務諸表上損益へのインパクトを与えたくない場合は、親子の関係ではなく子会社同士の関係である必要があります。

【参考】非支配株主が存在する場合に親会社を存続会社、子会社を消滅会社とする合併を行う場合

非支配株主が存在する場合の非支配株主持分相当に関しては、外部からの取得となりますので、親会社としては、取得した非支配株主持分と支払った対価（時価）との差額をその他資本剰余金として処理します（企業結合適用指針206（2）①イ）。当該差額は、のれんで処理するわけではない点に注意が必要です。

(2) 親会社を存続会社又は承継会社とする合併・会社分割（垂直系組織再編に限ります[*1]）により、以前に消滅会社又は分割会社である子会社に売った（ダウンストリームに限ります）資産等が戻ってきたとき（企業結合適用指針439）

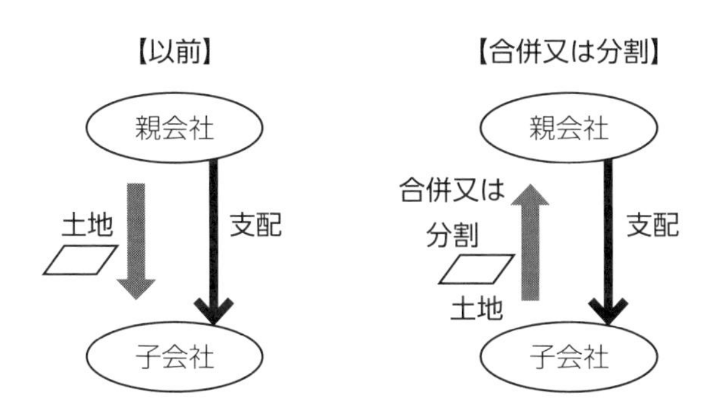

個別上の合併や会社分割の処理においても、当該資産の連結上の簿価で受け入れます（企業結合会計基準（注9））ので、当該資産の個別上の簿価と連結上の簿価の差額が個別上の損益となります。

＊1　子会社同士の合併等水平型の組織再編は対象外です（企業結合適用指針439(3)）。

(3) 事業譲渡

グループ内であっても事業譲渡に関しては、損益が発生することがあります。

【グループ内事業譲渡における損益の発生】

	発生する損益の種類
譲渡会社	譲渡損益
譲受会社	のれん・負ののれん

具体的な会計処理は下記です。

① 譲渡会社（ex. 親会社）

（借）	諸負債	××	（貸）	諸資産	××
	対価	××		移転損益	差額

※ 譲渡会社では、移転する資産負債を取り崩すとともに、譲受会社から受け取った現金等の対価を、移転前の譲受会社における適正な帳簿価額により受け入れます（企業結合適用指針 223)。これは、対価に現金が含まれている場合であっても同様です。したがって、両者に差額がある場合には移転損益が発生することになります。なお、移転事業に係る繰延税金資産及び負債は、ここでは取り崩さず、通常通り事業年度末において、解消した一時差異として取り崩すこととなります。

② 譲受会社（ex. 子会社）

（借）	諸資産	××	（貸）	諸負債	××
	のれん	××		対価	××

※ 譲渡会社から受け入れる資産負債は、譲渡会社における移転直前の適正な帳簿価額により計上し（企業結合適用指針 224(1))、支払う現金等の財産の適正な帳簿価額との差額は、のれん（又は負ののれん）として処理します（企業結合適用指針 224(1))。

3. 税効果

取引自体の処理以外にも、税効果によって多額の損益が発生することがありますので、「損益が発生しない」というリクエストのもとスキームを構築する際には、繰延税金資産の回収可能性の問題も含め、個別上・連結上の税効果処理まで含め検討することが必要です。

4. 課税所得の発生

会計上損益が発生しない場合でも、税務上課税所得が発生するケースがありますので注意が必要です。例えば、下記の場合です。

(1) 会社分割後に、承継会社株式を譲渡することが見込まれているため、税務上は非適格分割となるが、会計上は会社分割時点では投資は継続しているため共通支配下の取引として処理する場合（ただし、会社分割時点で完全支配関係がある場合には、グループ法人税制の適用対象となり、当該分割に係る分割法人の譲渡損益のうち譲渡損益調整資産に係る損益は、株式を譲渡する（完全支配関係が解消する）まで繰り延べられることになります)。

(2) グループ内での事業譲渡の場合（会計上は帳簿価額での引継ぎ、税務上は時価取引となります。この場合にも、完全支配関係が存在する場合には、グループ法人税制の適用対象となり、譲渡法人における譲渡損益のうち譲渡損益調整資産に係る損益は、完全支配関係が解消するまで等、一定の期間繰り延べられることになります)。

3-12 事業承継を目的とした組織再編

1. 事業承継を目的とした組織再編総論

昨今、事業承継についての話題を様々なところで目にします。ここでは事業承継を目的とした組織再編をテーマにします。

事業承継を目的とした組織再編を検討するにあたり、そもそも事業承継にはどのような類型があるかを考えます。

【事業承継の類型】

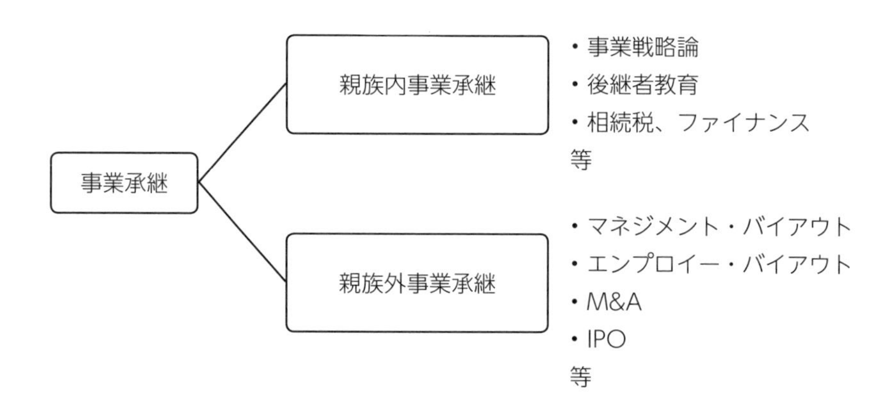

親族内事業承継は、現経営者の子や親族を後継者とする事業承継です。親族内事業承継では、事業に将来性があるのか、後継者候補にどのように適切な教育をほどこすか、株式を後継者に移すにあたり、税や資金はどうなるか等が問題となります。

一方、親族外事業承継には、役員や従業員が事業を引き継ぐマネジメント・バイアウトやエンプロイー・バイアウト、M&Aで外部に事業を売却、株式を上場する手法等があげられます。

従前は、事業承継といえば親族内承継がまずあげられました。しかし、昨今は親族内承継の割合が落ち込んでおり、M&A等が活発化するとともに、廃業を考える経営者も増えています。

親族内・親族外問わず事業を円滑に承継していくには、早期の着手と事前の十分な準備が必要となります。

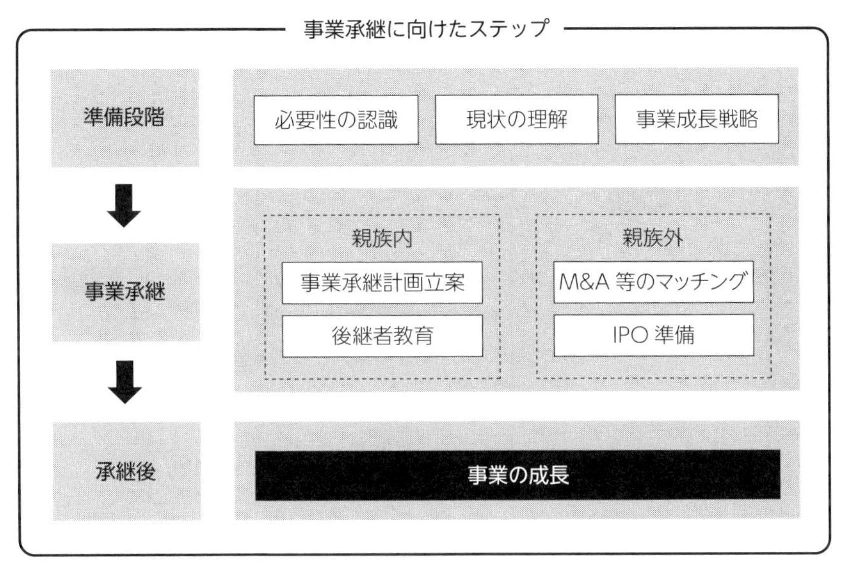

出典：事業承継ガイドライン（中小企業庁）をもとに作成

2. 目 的

続いて事業承継と組織再編についての目的を検討します。

オーナー企業経営者が事業承継を考えるにあたって、親族外事業承継では、信頼できる方に事業を引き継げるのか、従業員の雇用は継続されるのか等が重大な関心事項です。また、運営してきた事業にいくらの対価がつくのかも気になるところでしょう。

親族外事業承継における組織再編では、事業の売却スキームが問題と

【例：親族外事業承継における組織再編】

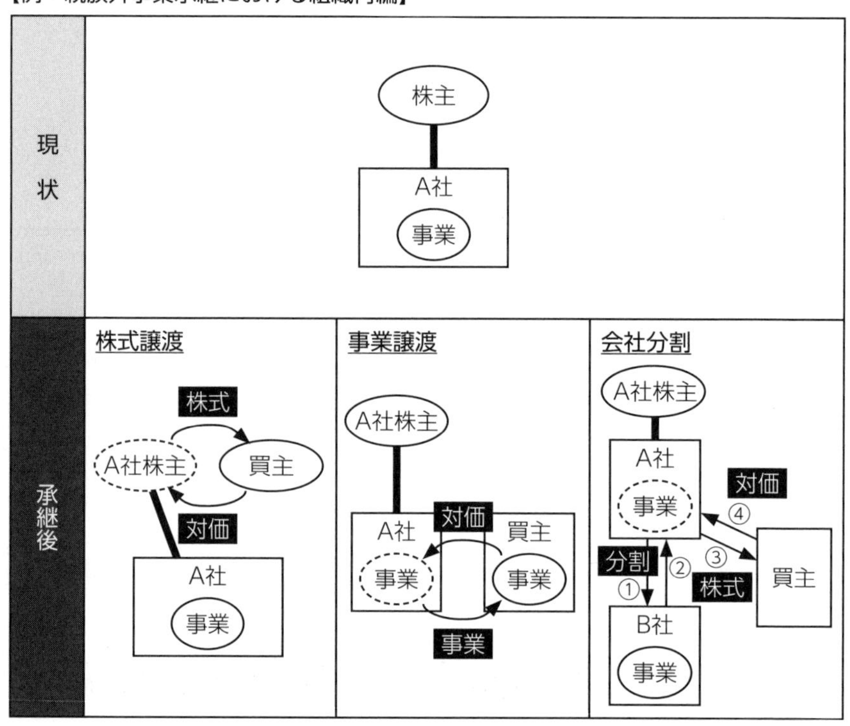

なります。交渉相手が親族ではないので、税金やコスト、事業のリスク等を十分に検討し、売却先と話合いの上、最良のスキームを決定します。

一方、親族内事業承継の重要な関心事には株価対策や、株式の集約方法、遺留分対策等があげられます。

事業承継を目的とした組織再編

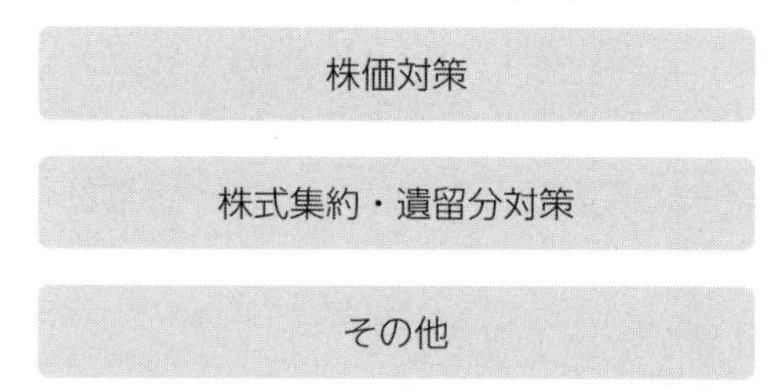

オーナー企業株式は相続財産であり、相続が発生すると株式の価値に見合った相続税を納めなければなりません。とりわけ業績の良い企業の株式は高額な相続財産となってしまいます。

未上場の株式は上場株式と異なり容易に換金できるものではないため、株式に課税される相続税の納税は容易ではありません。そのため、円滑に後継者に株式を移転するために株価対策が必要となります。

また、企業の業績が良いほど株式は高額な評価額となるため、オーナーの財産の多くの割合が未上場株式であることが少なくありません。事業を承継する後継者は株式を承継しなければなりませんが、その場合、他の相続人の遺留分を侵害してしまう可能性があります。円滑に後継者に株式を移転するためには株価対策だけでなく、株式の集約方法や遺留分対策まであわせて検討する必要があります。

そこで株価対策、株式の集約・遺留分対策を実現するため、どのような組織再編を行うことができるのかを検討します。

具体的な手法を紹介する前に注意点をあげますと、**事業承継に関連する組織再編を実行する際には事業上の必要性が極めて重要**となります。事業上の理由なく、相続税対策のみを目的として組織再編を行うと、後日思わぬ税務否認を受ける可能性があります。したがって、組織再編を実行するには事業上の必要性と理由の検討を事前に十分に行ってください。

さらに、組織再編を行った後には一定期間類似業種比準価額方式による評価が利用できなくなったり、資産を時価評価しなくてはならなくなったりする可能性があります。この点からも事前に株式承継の時期等を考慮し、注意点を検討しておくことが大切になります。

3. 平成30年度以降の税制改正

平成30年度税制改正で事業承継税制が大きく変わりました。事業承継税制は従前から存在していたのですが、適用要件等の理由から実務ではあまり利用されていませんでした。本改正で、この事業承継税制を利

【平成30年度以降の改正 事業承継税制】

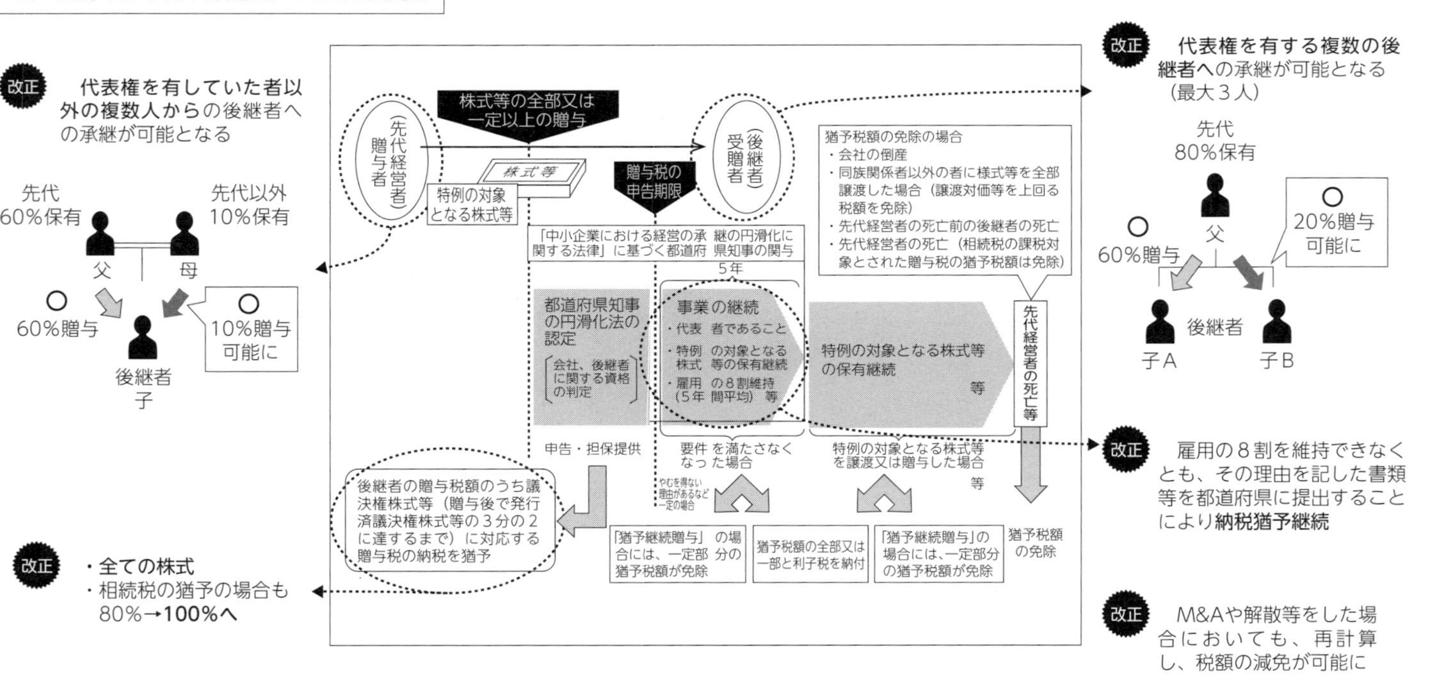

出典：国税庁資料に加筆

- 新事業承継税制を適用するには、**令和6年3月末**までに**承継計画を提出**、**令和9年末**までに**株式の相続・贈与**が必要
- これ以降は、**従前の事業承継税制**の適用となる
  - →議決権株式等の3分の2×相続時80%（贈与時100%）の猶予

用するにあたって大きなハードルといわれていた雇用確保要件等の内容が緩和され、親族内の事業承継においての適用例が増加したといわれています。

新事業承継税制を適用すると、承継対象株式の全部についての相続・贈与税が100％猶予されます。当初は令和5年3月末までに承継計画を策定のうえ提出し、令和9年末までに株式を先代から後継者に相続・贈与する必要がありましたが、税制改正により承継計画の提出については令和6年3月末にまで延長されました。適用にあたっては先代、後継者、その他について要件があります（詳細は、前頁及び**4-5**参照）。

また、令和5年度の改正において、相続時精算課税制度や暦年贈与の制度が変わりました。とりわけ贈与財産の加算期間（従前の死亡前3年から7年に）が変更されましたので、今後はより早めの事業承継対策着手が必要となる可能性があります。

3-13 事業承継における株価対策としての組織再編

1. 株価の評価方法

円滑な事業承継を実現するには株価対策は重要な意味をもちます。組織再編は株価対策を行う上で有効な手法ですが、その前提として非上場株式（取引相場のない株式）は相続財産としてどのように評価されるのでしょうか。

株式には様々な評価方法があります。M&A 等の親族外事業承継においては DCF 法等の手法により公正な取引価額を算定し、これを基礎に相手方との交渉の上で株価が決定されます。

一方、株式を親族が相続等で承継する場合、税務上の株価で評価しなければなりません。

株式評価方法ごとの評価額のイメージ

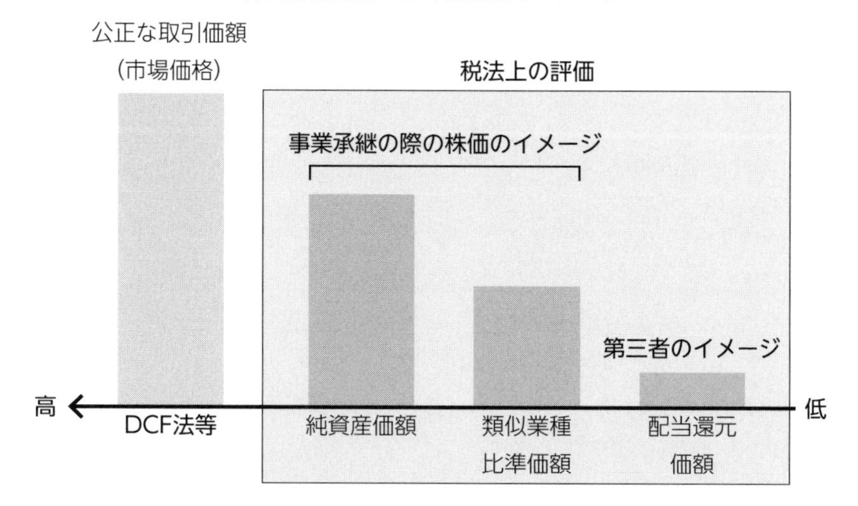

税務上の原則的な評価方式には、類似業種比準価額方式と純資産価額方式があります。対策を行えばいずれの方式についても株価を引き下げることができるのですが、一般的には類似業種比準価額方式についての株価対策が有効といわれています。

純資産価額方式の株価対策の代表例に評価減の効果を享受する方法（例えば、評価減の効果がある不動産投資等を行う）がありますが、その場

【取引相場のない株式の評価方法】

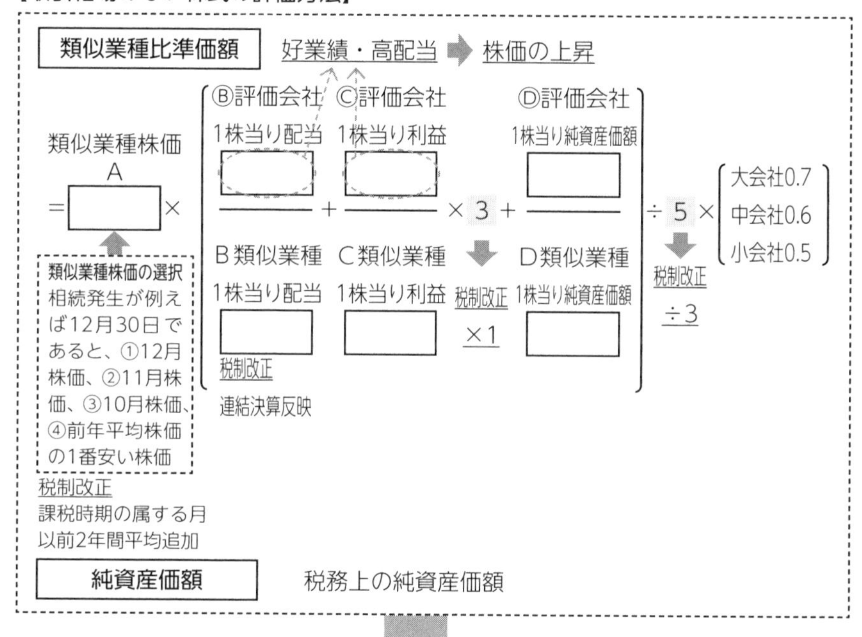

■原則的評価方式による価額

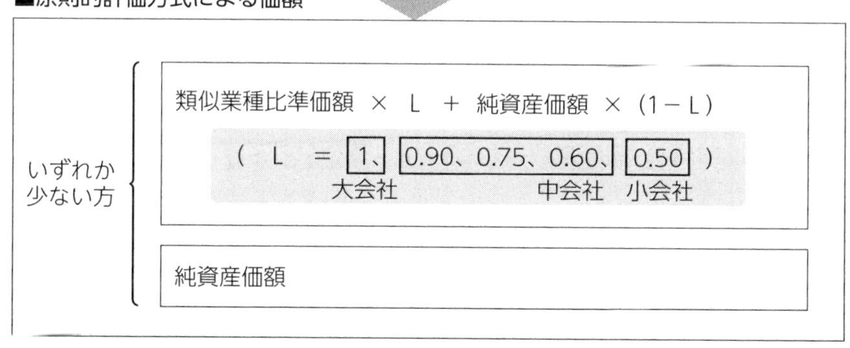

合、本業以外に大きな投資を行う必要があり、投資を行った結果、本業以外のリスクを抱えることになる可能性があるからです。

類似業種比準価額方式による株価の算定方法は、国税庁から発表されている類似業種株価に対して、自社と類似業種の配当、利益、純資産を比較することによって行います。自社の配当、利益、純資産が大きければ株価が高くなり、小さければ株価が低く算定されます。

したがって、類似業種比準価額方式による株価対策は、配当、利益、純資産を引き下げることによって行うのですが、純資産を引き下げることは、本業以外のリスクを抱えることにつながるため、配当及び利益を中心に検討を行うことになります。

この点、平成29年度税制改正により、配当対策が以前よりも重要性を増しています。

2. 株価対策の組織再編手法

組織再編を利用して株価対策を行う場合にはいくつかの手法があります。

株価対策の方法例

(1)	類似業種比準価額方式の利益・配当を下げる
(2)	類似業種比準価額方式の利用できる割合を上げる
(3)	将来の株価上昇を抑制する

等

(1) 類似業種比準価額方式の利益・配当を下げる

まずは、配当、利益を引き下げることにより、類似業種比準価額方式における株価を下げる方法です。

類似業種比準価額方式による株価は、類似業種と評価会社の配当・利益・純資産額の三要素を比較して決定されますので、自社の三要素が下がれば株価が下がります。

まず、配当については株主総会の決議によって金額を決定できますので会社の意思で下げることができます。

次に利益については、配当ほど簡単ではありません。

例えば、保険やリースを用いることにより利益を圧縮したりすることができます。ただし、利益金額が大きい場合には相当の効果をのぞむことは難しくなります。

そこで、組織再編を用いて高収益事業を分離あるいは利益を安定化させる手法が株価対策として有効となります。

利益の対策例

- 特別償却
- 役員退職金の支給
- 棚卸資産の評価減
- 貸倒損失の計上
- 除去損失の計上
- 保険やリースによる損金
- 役員報酬の増加
- 決算賞与の支給

等

以下が組織再編の具体例となります。

【例①　分社型分割で高収益事業を分離】

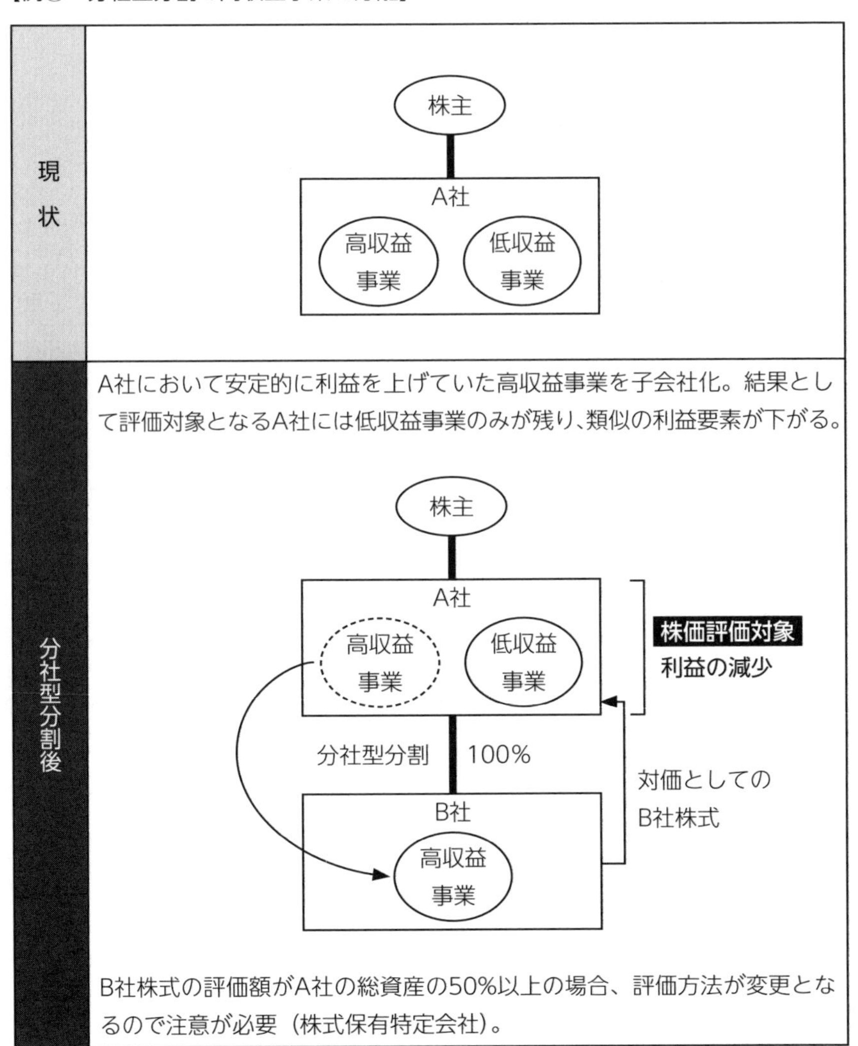

【例②　株式交換で高収益事業を分離】

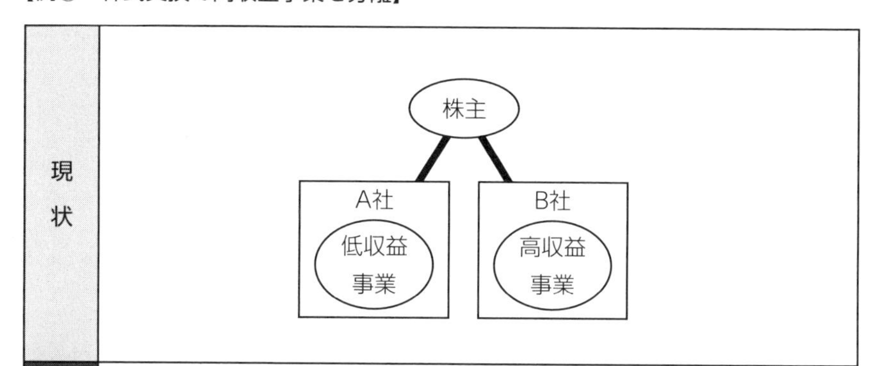

株式交換後

株主は、低収益事業を抱える株価の低いA社と高収益事業を抱える株価の高いB社の株式を保有、相続税評価額は両者の株式の合計額であった。
B社をA社の子会社とすることで、利益が低く、株価の低いA社株式のみを保有。結果として相続税評価額が減少。

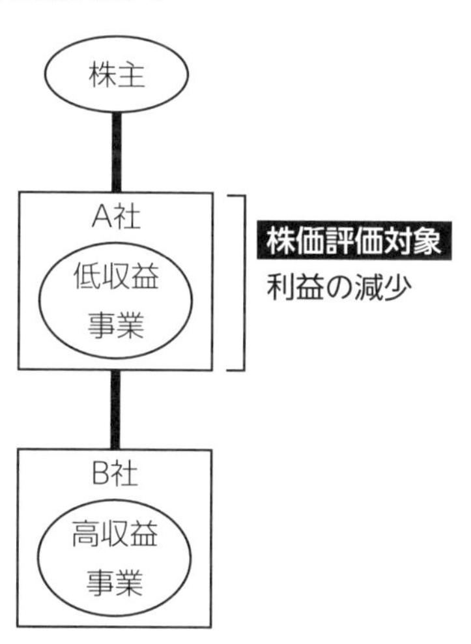

B社株式の評価額がA社の総資産の50%以上の場合、評価方法が変更となるので注意が必要（株式保有特定会社）。

【例③　合併で利益の安定化】

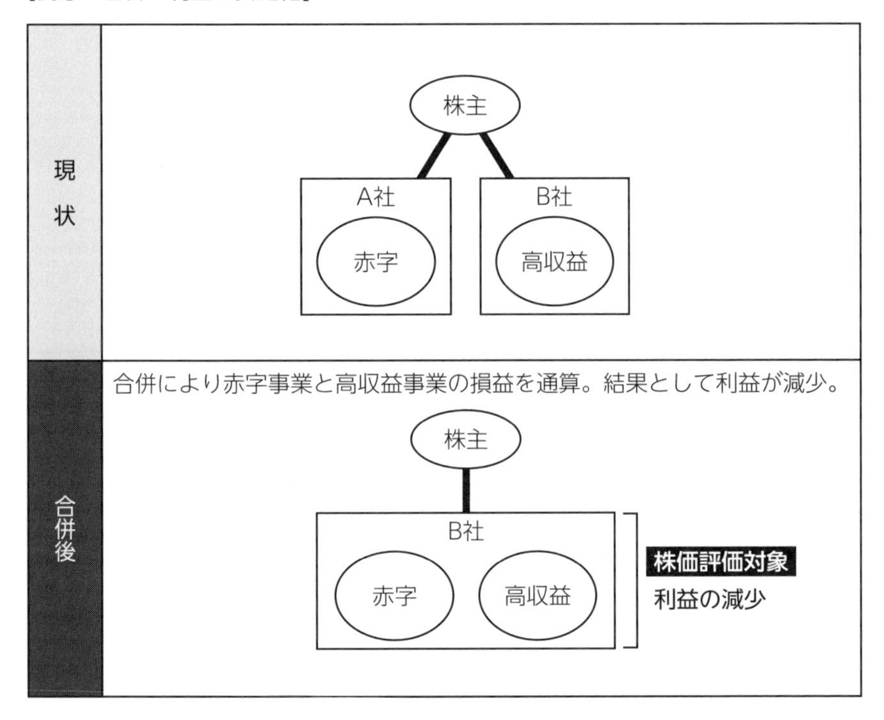

(2) 類似業種比準価額方式の利用できる割合を上げる

株価対策を実行する場合、一般的に類似業種比準価額方式と純資産価額方式では前者の方が株価が低くなるといわれています。

株価の原則的評価は、類似業種比準価額方式と純資産価額方式の折衷、又は純資産価額方式のいずれか低い方で行われます。折衷割合は、大会社であれば類似業種比準価額方式を1とし、中会社であれば類似業種比準価額方式の割合が0.6から0.9、小会社であれば0.5となります。

会社の規模はどのように決定されるのかというと、従業員数が70名以上であれば大会社、従業員数の他、業種に応じた売上高・総資産額で決定されます。

【会社の規模と類似業種比準価額方式の評価割合】

評価明細書）

用）

判定基準		
㋣ 直前期末以前１年間における従業員数に応ずる区分	70人以上の会社は、大会社(㋠及び㋷は不要)	
	70人未満の会社は、㋠及び㋷により判定	

㋠ 直前期末の総資産価額(帳簿価額）及び直前期末以前１年間における従業員数に応ずる区分				㋷ 直前期末以前１年間の取引金額に応ずる区分			会社規模とLの割合（中会社）の区分	
総資産価額（帳簿価額）			従業員数	取引金額				
卸売業	小売・サービス業	卸売業、小売・サービス業以外		卸売業	小売・サービス業	卸売業、小売・サービス業以外		
20億円以上	15億円以上	15億円以上	35人超	30億円以上	20億円以上	15億円以上	大会社	
4億円以上 20億円未満	5億円以上 15億円未満	5億円以上 15億円未満	35人超	7億円以上 30億円未満	5億円以上 20億円未満	4億円以上 15億円未満	0.90	中
2億円以上 4億円未満	2億5,000万円以上 5億円未満	2億5,000万円以上 5億円未満	20人超 35人以下	3億5,000万円以上 7億円未満	2億5,000万円以上 5億円未満	2億円以上 4億円未満	0.75	会
7,000万円以上 2億円未満	4,000万円以上 2億5,000万円未満	5,000万円以上 2億5,000万円未満	5人超 20人以下	2億円以上 3億5,000万円未満	6,000万円以上 2億5,000万円未満	8,000万円以上 2億円未満	0.60	社
7,000万円未満	4,000万円未満	5,000万円未満	5人以下	2億円未満	6,000万円未満	8,000万円未満	小会社	

・「会社規模とLの割合（中会社）の区分」欄は、㋠欄の区分（「総資産価額（帳簿価額）」と「従業員数」とのいずれか下位の区分）と㋷欄（取引金額）の区分とのいずれか上位の区分により判定します。

中　会　社

会社が大きくなれば類似業種比準価額方式が利用できる割合が大きくなる。

例：小売・サービス業、従業員65人、総資産額2億5,000万円、取引金額10億円なら中会社(0.9)

出典：「取引相場のない株式（出資）の評価明細書」第1表の2の一部抜粋

このように、類似業種比準価額方式によって評価ができる割合は規模に応じて大きくすることができます。大会社になれば類似業種比準価額方式による評価を100%とすることができるので、より大きな株価対策の効果が見込めるのです。

また、会社規模の判定は業種によって基準が異なるので、組織再編により業種を変更させることも一つの手段となります。

【例①　合併によりグループ会社を統合し規模を上昇させる】

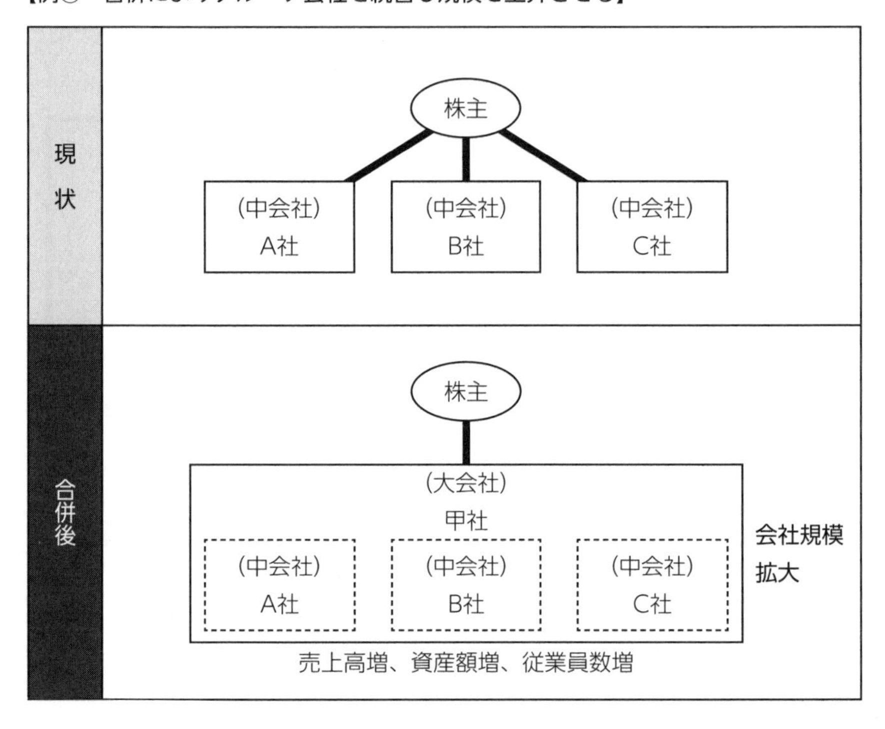

【例②　合併によりグループ会社を統合し規模（業種変更）を上昇させる】

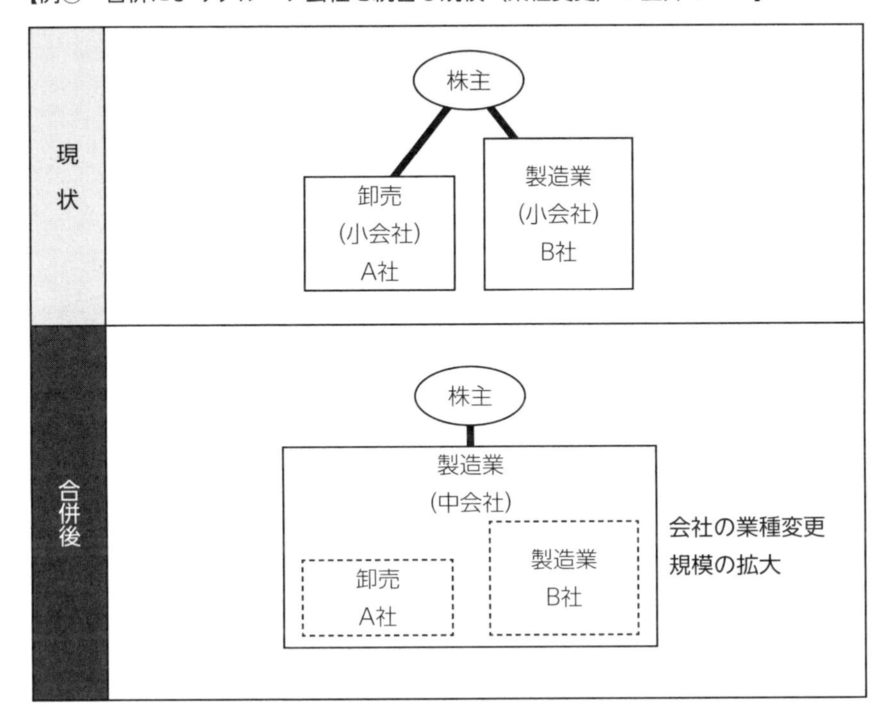

(3) 将来の株価上昇を抑制する

安定的な利益を上げている会社は、時間の経過に伴い株価が上昇していきますが、持株会社を設立し、事業会社の株式を間接保有することで株価上昇を抑制する効果が生まれます。税法上の純資産価額による評価では、資産に含み益がある場合、法人税相当額に対応する金額を控除することができるルールとなっているからです。現状では控除の割合は37%となっています。

例をあげますと、現在株価が1億円、5年後に株価が2億円になっているとします。ここで1億円の株価の時に持株会社を設立し事業会社の株式の保有形態を間接保有に変更すると、株価の上昇に対し37%の評価減を享受することができます。

結果として、5 年後に直接保有をしていると 2 億円の株価となりますが、持株会社を通じた間接保有では評価減の効果を享受し、1.63 億円の株価となります。

ただし、評価減の効果は法人税の実効税率の変化により変更されていきますので注意が必要です。

【例：株式移転で持株会社を設立する】

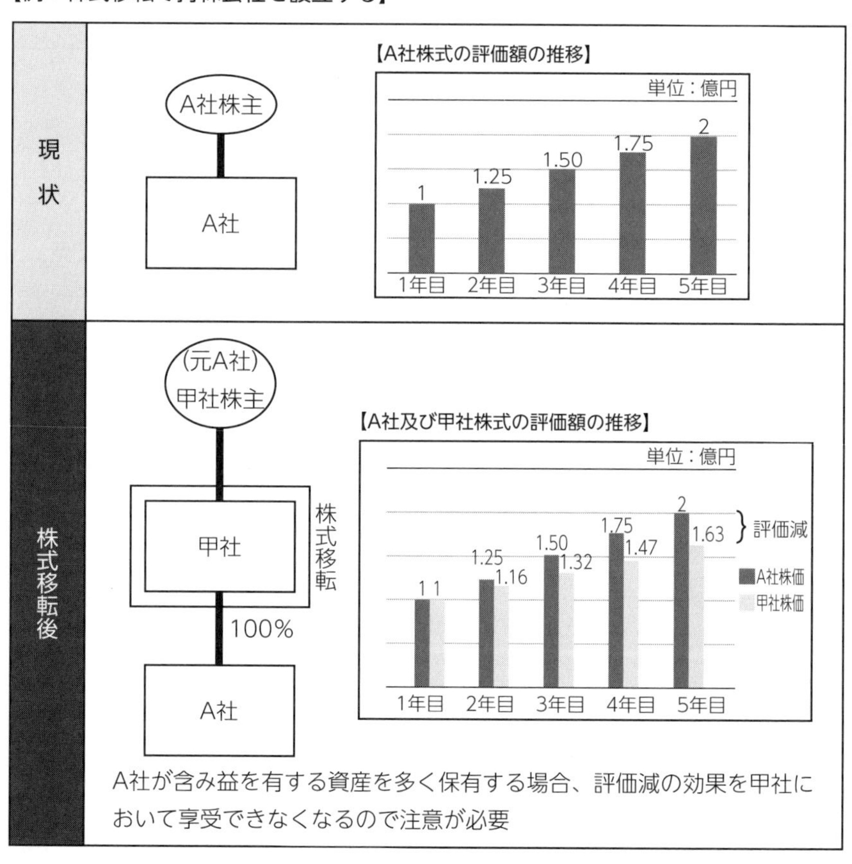

3-14 事業承継における株式集約・遺留分対策としての組織再編

1. 事業承継における株式集約・遺留分対策

株式会社の支配権は議決権の有無できまります。過半数の議決権を有していればおおよその事項の決定ができますが、3分の2以上の議決権を確保ができれば、定款変更や組織再編行為等の重要事項の意思決定も機動的に行うことができます。したがって、後継者が迅速な経営の意思決定を行うには、会社の支配ができるだけの議決権を承継することが必要となります。しかしながら、社歴の長い企業では、株式が多数の株主に分散し、現世代あるいは後継者の保有株式数が過半数を下回っている例もしばしば見受けられます。

また、株式の価値は企業の業績が優良であればあるほど上昇します。その結果、優良企業のオーナーの資産のほとんどは自社株式というケースもめずらしくありません。このような場合、後継者が全ての株式を承継してしまうと、後継者以外の遺留分を侵害してしまう可能性が発生します。後々の遺留分減殺請求によるトラブルの原因にもなりかねません。

そこで、組織再編は分散した株式の集約や遺留分対策に有効な手段となります。

2. 持株会社を設立し分散した株式を買い集める

株主が多数に上ると安定的な経営が難しくなります。安定的な経営を実現するために株式を買い集める受け皿として持株会社を活用します。

この場合、株式を買い取るために金融機関から借入を行うことが考えられます。個人で借入を行い株式を買い取った場合、借入の支払利息を経費にすることができません。一方、法人であれば経費にすることが可能です。

また､借入の返済原資としては事業会社からの配当が考えられますが、個人の配当に関する税金は、金額の大きさによっては最高税率に近い税額となります。一方、法人の場合、受取配当金等の益金不算入の取扱いを受けることができます。

【例：持株会社を設立し分散した株式を買い集める】

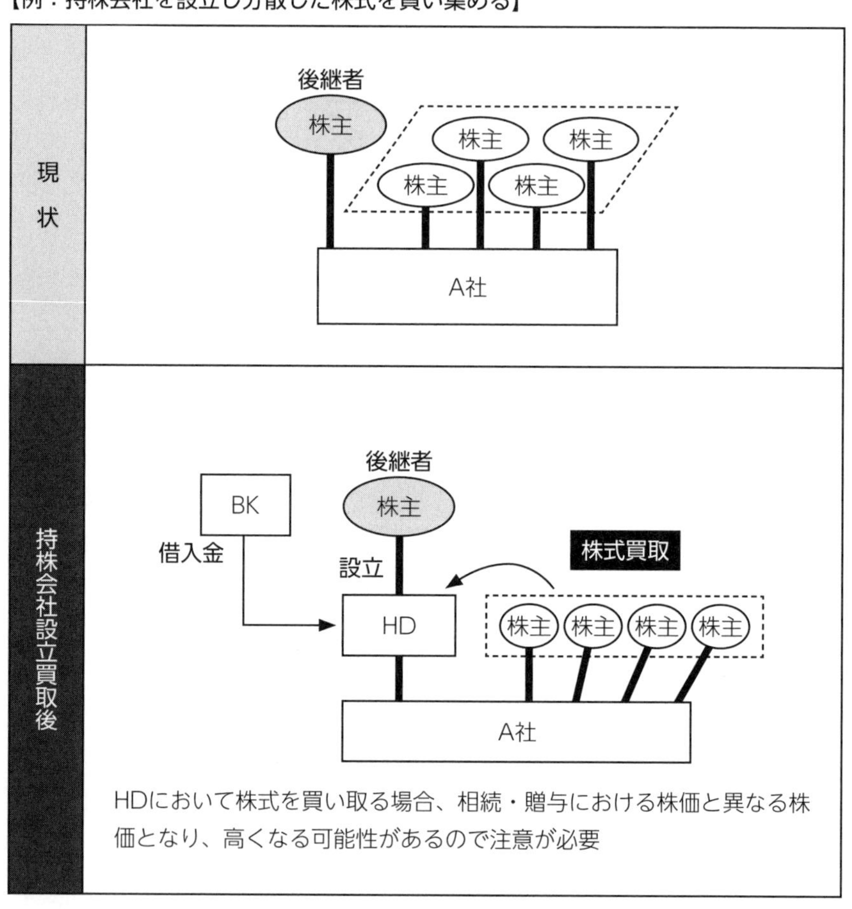

3. 相続発生により後継者以外が相続した株式を会社が買い取る

オーナーの資産の大部分が自社株式で相続が発生した場合や、株式が分散している場合に、事業に関係のない方が株式を保有していることがあります。

そのような場合、株式を相続した方は事業と関係がないので換金したいと考えている場合も多く、一方、後継者は経営の安定のために株式を集約したいと考えます。

通常、会社が自社株式を買い取る場合、株主についてはみなし配当課税の取扱いを受け、個人株主には高額な税額が発生してしまう可能性があります。

しかし、相続発生から約3年10か月以内に相続人が株式を発行会社に売却すればみなし配当は生じず、譲渡益課税として約20%の課税ですみます。

組織再編とは少し論点が異なりますが、定款に規定を設けていれば、相続が発生した際に特別決議により会社が強制的に株式を買い取ることができ、分散対策として有効です。

【例：相続により後継者以外が所有する株式を会社が買い取る】

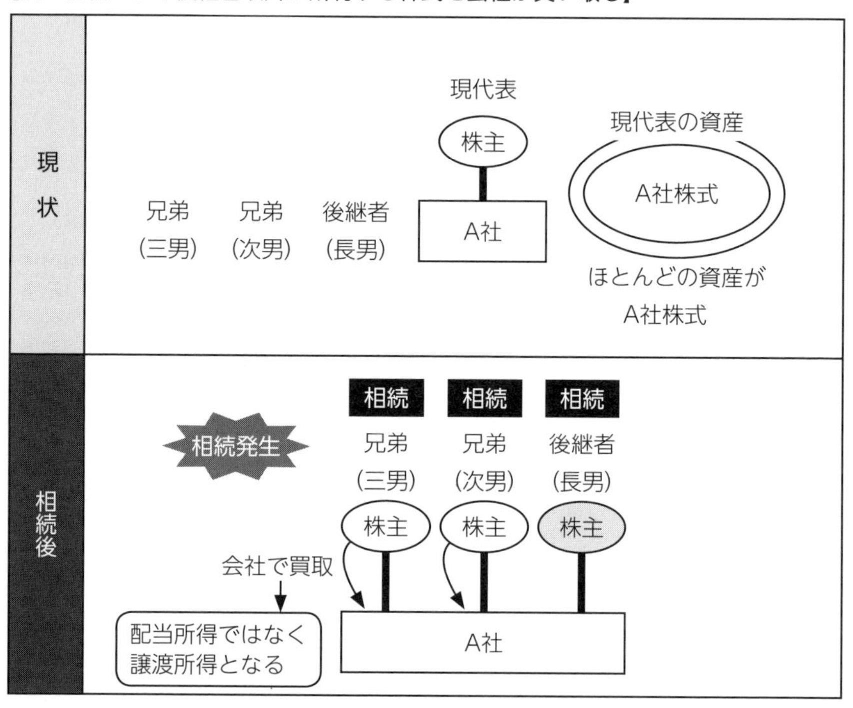

3-15 効率的事業承継としての組織再編

1. 事業承継：その他

事業承継と組織再編を考える際、その他の論点として相続人が事業の後継者とならない場合や複数の後継者がそれぞれ別の事業を担当している場合等が考えられます。

2. 後継者が不在のため資産と事業を分離する

従来は親族内事業承継が主流でしたが、後継者不在のオーナー企業も多く、従業員に事業をまかせたりM&Aで事業を売却したりするケースが増えています。

良い売却先が良いタイミングで見つかれば事業承継の心配からオーナーは解放されます。しかし、良い売却先が見つからなかった場合、将来相続発生時点において事業と関係ない相続人が株式を保有してしまいます。

その場合、事業と関係ない親族は、経営は従業員あるいは外部から招聘した経営者にまかせて、株主としての立場で会社との関係を継続することになります。そこで、事業と資産を分離する組織再編は有効な手段となります。

【例：事業と資産を分離するために資産管理会社を設立】

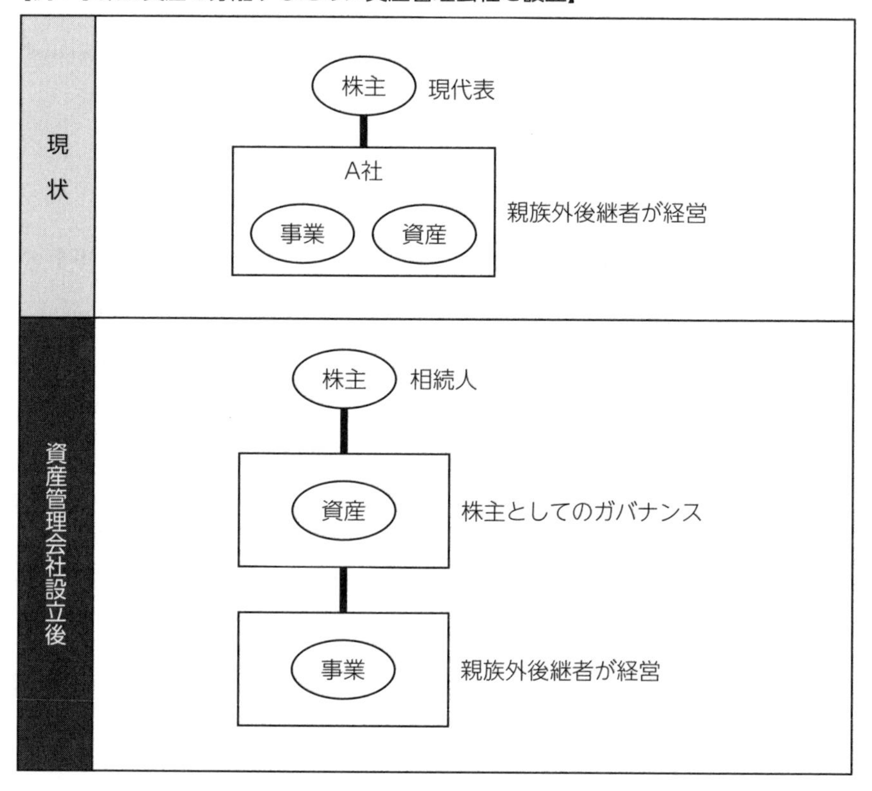

3. 複数の後継者が別の事業を担当していた場合

例えば、A事業は長男が、B事業は次男が担当している場合があります。相互の事業に関連性が深ければよいです。しかし、事業関連性がうすい中で長男、次男で株式を分けあうことになれば、仮に意見対立があった場合、迅速な意思決定を行うことが難しくなります。

そこで、会社分割等の組織再編を行うことにより、A事業はA社、B事業はB社と、事業ごとに会社を分け、将来の株式相続ひいては将来の円滑な事業運営に備えることができます。

【例：会社分割し担当ごとに会社を分ける】

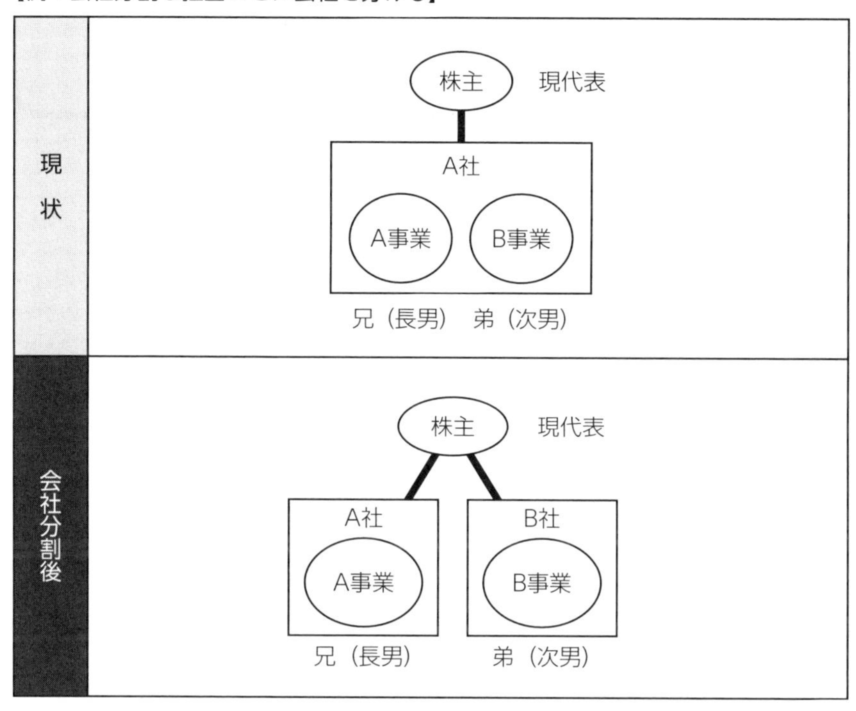

3-16 事業再生・整理・清算を目的とした組織再編

1. 総 論

多くの個人事業主や企業の業績がコロナ禍により著しく悪化しました。その対策の一環として実施されたいわゆるゼロゼロ融資、実質無利子・無担保の資金により一息ついた企業は多いと思います。現在に至ってはコロナ禍も沈静化し、当該融資の返済が本格化していくなかで、資金繰りの懸念が生ずる事例が多くなることが予測されます。

ここでは事業再生を目的とした組織再編をテーマとします。これを検討するにあたり、そもそも事業再生にはどのような類型があるのでしょうか。

事業再生の類型には再建型と清算型があります。再建型は債権者の同意を得て事業を再生・継続させます。一方、清算型は事業を廃止し会社を消滅させます。一般的に事業再生の対象となるのは、事業に収益性を有する優良事業を抱えているが財務上の問題がある場合です。事業に成長性や収益性が見出せない場合、再生ではなく整理や清算がテーマとなります。整理や清算も再生と関連性があるテーマですので、再生と合わせてとりあげます。

債務整理の類型には法的整理と私的整理があります。法的整理は裁判所の関与の下、破産や特別清算等の法的手続を行います。また、通常私的整理では弁護士など専門家等の関与により任意に債務の整理を行います。

事業再生・債務整理の類型

再建型	債権者の同意を得て事業を再生・継続	法的整理	裁判所の関与、破産や特別清算等法的手続き
清算型	事業の廃止、消滅	私的整理	専門家等の関与、任意に債権整理

2. 目 的

事業再生の目的といえば、例えば地域経済への影響や雇用の維持等多くがあげられますが、再生するにせよ清算するにせよ、損失の拡大を防止することが共通の目的となります。

事業再生を目的とした組織再編

事業再生

整理・清算　　等

本書では、組織再編を中心に再生を検討するので、事業再生と整理・清算に分類し、進めていきます。

3-17
事業再生における組織再編

事業再生の局面では組織再編がよく行われ、DES、DDS、増資、減資等様々な手法があげられます。

DESはデット・エクイティ・スワップの略で、金融機関等の債権者が再生対象企業に対して有する貸付金を株式に交換することをいいます。一方、DDSはデット・デット・スワップの略で、金融機関等の債権者が再生対象企業に対して有する貸付金を通常のより返済順位の低いローン（資本的劣後ローン）に変換することをいいます。いずれも、再生対象企業の資本を改善する効果があります。

再生には様々な手法がある中、よく目にする手法として第二会社方式があります。

第二会社方式とは、優良事業を抱えてはいるが、財政状態が悪化し、事業の継続が困難な会社において、優良事業と不採算事業を分け、優良事業を第二会社と呼ばれる新会社に承継させる方法です。

優良事業を引き継いだ第二会社は、スポンサー等の支援を受けて再生を行い、財政状態が悪化している移転元会社については、債務免除等による金融機関等の支援を受けて、清算あるいは再生を行います。

【第二会社方式を利用した事業再生】

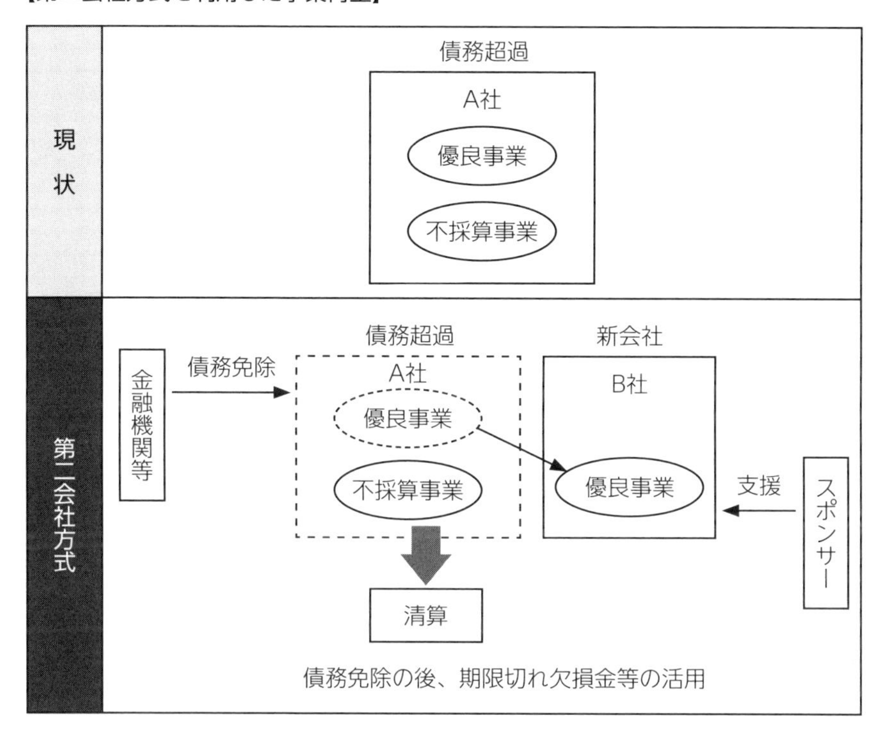

第二会社方式での再生を行う場合、組織再編の手法として会社分割と事業譲渡が考えられます。

会社分割を選択した場合、包括的に優良事業が第二会社に承継されるので、債権者保護手続が必要ではありますが、債権者の同意が不要です（**2-4** 参照）。また、一定の要件を満たせば不動産取得税等のコストが安くなります（**2-31** 参照）。一方、包括承継が行われるため、移転元会社が抱えていた偶発債務のリスクをもあわせて承継されることとなります。

これに対し、事業譲渡を選択した場合、債権者の同意等の個別の手続を経るので、偶発債務等のリスクは遮断できますが、不動産取得税等のコストが高くなります。

いずれの手法を採用するかは、再生における個別の状況を十分に検討した上で決定していきます。

【会社分割と事業譲渡のメリット・デメリット】

	メリット	デメリット
会社分割	・不動産取得税や消費税等のコストを抑えられる場合がある ・債権者の同意が不要 ・許認可の承継が円滑になる場合がある 等	・偶発債務を引き継ぐリスク 等
事業譲渡	・偶発債務のリスクを分断 等	・不動産取得税や消費税等のコスト発生 ・債権者の同意が必要 等

第二会社方式により事業再生を図る場合に限らず、事業再生の局面においては債権者の十分な理解が必要となります。債権者、とりわけ金融機関の金融支援がない場合、再生を実現することが難しくなるからです。

債権者は支援の結果、再生計画が実現し、以前の状態よりも有利となるからこそ支援を行います。そのためには、会社法上必要とされる債権者保護手続とは別に、実現可能性のある再生計画の立案、経営責任の明確化等を図った上で、債権者等に対する再生計画の十分な説明が必要となるでしょう。

3-18
整理・清算における組織再編

1. 整理・清算となる場合

経営が行き詰った際、収益性がある優良事業を有していたり、事業に成長可能性がある場合には、事業再生に取り組むことができます。しかし、収益性の回復や事業の成長が見込めない場合、無作為でいると損失が拡大してしまうので事業を整理・清算しなければなりません。

整理・清算を行う際には、損失の拡大防止、最小化が重要な課題となります。その中で重要となるのが税務上の取扱いです。

例えば、グループ内の不採算の子会社を閉鎖するケースを考えてみましょう。親会社は当初、利益を上げる目的で子会社を設立します。しかし、計画通りにいかず、やむを得ず整理を考えることもあるでしょう。親会社には設立時点よりの出資や子会社を支援するための貸付金があることが通常で、整理にあたっては回収ができない部分は損失になります。

当該損失が税務上損金に該当するか否かは、損失の最小化にとって極めて重要です。親会社では当該損失が実現する分、法人税等が減少し、結果として実質的な整理損失が縮小するからです。

【例：グループ内の不採算の子会社を清算】

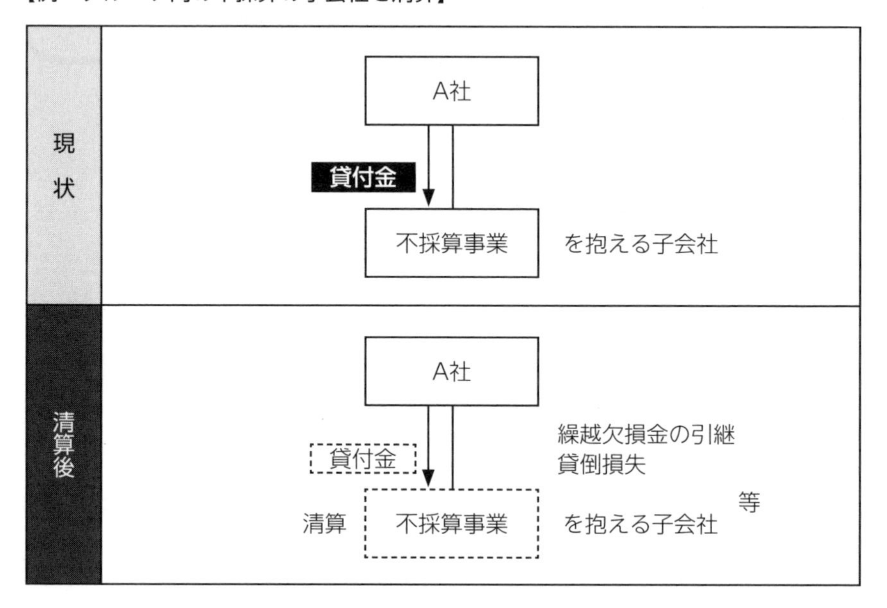

2. 清算の場合の税務上の注意点

(1) 繰越欠損金の引継ぎ

清算にあたり対象会社が完全子会社かそれ以外かによって取扱いが異なります。完全支配関係のある子会社については、グループ法人税制が適用され、親会社においては、子会社株式に関する損失を認識できない代わりに、子会社が有していた繰越欠損金を引き継ぐことができる場合があります（**2-30** 参照）。一方、完全支配関係がない場合は、親会社は、子会社株式に関する損失を認識することになり、子会社の繰越欠損金を引き継ぐことはできません。

(2) 利用期限の切れた欠損金

会社が解散を行う際に債務超過であった場合、債務免除の方法等により整理を行う必要があります。債務免除が行われると益金が生じますが、会社が有する繰越欠損金の範囲内であれば税金は生じません。

ここで、繰越欠損金の利用期限は10年であり、会社の債務超過が長期にわたっていた場合には期限が切れていることがあります。その場合、期限の切れた欠損金を利用することによって税金の発生を回避することができます。期限の切れた欠損金の詳細は、**4-2**を参照してください。

ただし、債務超過の会社で時折みられますが、粉飾決算を過去に行っていた等があった場合、一定の手続を行わなければ期限が切れた欠損金の利用ができないので注意が必要です。

【例：解散前の貸借対照表】

(3) 貸倒損失に係る寄付金認定

親会社は子会社を整理するにあたり、貸付金等の債務免除をするのが一般的ですが、当該債務免除により発生する貸倒損失には税務上の寄付金認定リスクが存在します。

税務上、貸倒損失を計上するためには、貸付行為及び債務免除に経済合理性がなければなりません。経済的合理性がない場合には寄付金として取り扱われ損金計上が認められなくなります。

したがって、貸倒損失を計上する際には十分な事前検証が必要です。

税務上のリスクを軽減するため、例えば、国税に対する事前相談を行ったり、清算にあたって裁判所の関与する特別清算を選択したりすることが必要となる場合もあるでしょう。

再建支援等事案の事前相談に係る検討事項の概要はどのようなものですか。

再建支援等事案に係る検討項目及びその概要は次のとおりです。

検討項目及びその内容	
再建の場合	整理の場合

1．損失負担の必要性

(1)．事業関連性のある「子会社等」であるか
資本関係、取引関係、人的関係、資金関係等の事業関連性を有するか

↓

(2)．子会社等は経営危機に陥っているか	
イ　債務超過等倒産の危機に瀕しているか	イ　整理損失は生じるか（実質債務超過か）
ロ　支援がなければ自力再建は不可能か	ロ　支援がなければ整理できないか

↓

(3)．支援者にとって損失負担等を行う相当な理由はあるか
再建又は整理することにより将来のより大きな損失の負担を回避等ができるか

2．再建計画等（支援内容）の合理性

(1)．損失負担額（支援額）の合理性（要支援額は的確に算定されているか）
イ　損失負担額（支援額）は、再建又は整理するための必要最低限の金額となっているか
ロ　自己努力はなされているか

↓

(2)．再建管理等の有無	
再建管理は行われるか	整理計画の管理は行われるか（長期の場合）

↓

(3)．支援者の範囲の相当性
イ　支援者の範囲は相当か
ロ　支援者以外の事業関連性を有する者が損失負担していない場合、合理的な理由はあるか

↓

(4)．負担割合の合理性
事業関連性からみて負担割合は合理的に決定されているか

↓ いずれにも該当する場合

寄付金に該当しない

出典：国税庁ホームページ

3-19 スクイーズ・アウト（完全子会社化の手法）

1. 概 要

スクイーズ・アウトとは、株式会社において、非支配株主が有する持分の全部を、その意思によらずに支配株主が取得することをいいます。取得の際、原則として非支配株主に対して取得対価を支払うこととなります。この取得対価については特に制限はありませんが、通常は金銭を取得対価とすることが多いです。金銭を対価とするスクイーズ・アウトをキャッシュ・アウトと呼ぶこともあります。

2. メリット

スクイーズ・アウトを行うことにより、対象会社は非支配株主が存在しなくなり、原則として株主が１名である株主構成の会社（完全子会社）となります。そうすると、スクイーズ・アウトには下記のようなメリットがあるといえます。

(1) 意思決定がスムーズになる

株式会社において重要な意思決定をする場合、株主総会による決議が必要になることがあります。株主総会を開催するためには、原則として、業務執行機関による総会開催の決定→招集通知の発送→開催という手続をふまなければならず、意思決定に少なからず時間がかかります。しかし、株主が１人であれば、総株主の同意による株主総会の開催の省略（会法319）ができるため、多くの株主が存在する場合に比べて意思決定がスムーズになります。

(2) 組織再編がしやすくなる

株主が1人ですと、略式組織再編が使えたり、反対株主の存在を懸念する必要がなくなったりと、組織再編をスムーズに行うことが可能になります。したがって、組織再編に先立って、スクイーズ・アウトを行うことも考えられます。

(3) 株主管理コストの削減

株主総会を開催するときは、前述の通り株主に対して招集通知を発送しなければならず、通知を発送するためには全ての株主の氏名・住所等を常に管理しておかなければなりません。株主が数名程度であればさほど問題にはなりませんが、相続等により株式が散逸してしまった場合、株主の管理が極めて煩雑となります。このような場合は散逸してしまった株式を集約することにより株主管理コストを軽減することができます。

3. スクイーズ・アウトの方法

スクイーズ・アウトには、概ね下記の方法があります。

【スクイーズ・アウトの方法】

(1) 全部取得条項付種類株式を利用する方法
(2) 株式併合による方法
(3) 株式等売渡請求による方法
(4) 株式交換による方法

なお、平成29年度税制改正により、平成29年10月1日以後に行われる上記 **(1)** から **(3)** については、株式交換等として*[1]株式交換と同様の適格要件*[2]が適用され（改正法附則11②、改正法令附則2②）、適格要件を満たさない場合には完全子法人の時価評価課税等が適用されることになります（法法62の9①）。対象資産や評価損益の取扱い等は非適格株式交換及び非適格株式移転と同様です（**2-23** 参照）。

＊1　平成30年度税制改正により、株式交換以外の株式交換等の範囲が明確化され、全部取得条項付種類株式の端数処理又は、株式併合の端数処理のうち、株式交換等に該当するものは、下記とされました。

これらにより、最大株主等である「法人」との間に、これらの法人による「完全支配関係」を有することになるもの

⬇

つまり、下記の場合には、株式交換等に該当しません（法法二十二の十六）。
・最大株主等が個人である場合
・最大株主等である法人による「完全」支配に関係がない場合

＊2　ここでの適格要件は、支配関係がある法人間で行う株式交換と同様です（**2-23**参照）。なお、当該適格要件についても、平成29年度税制改正にて改正がされています（**2-23**参照）ので、改正後のものとなります。対価要件について、次の対価を交付する場合にも適格要件を満たすことになります（法法2十二の十七）。対価要件については、平成30年度税制改正においても明確化（下記④の追加）されています。
①　全部取得条項付種類株式に係る取得の価格の決定の申立てに基づいて交付される金銭その他の資産
②　株式の併合に反対する株主等に対するその買取請求に基づく対価として交付される金銭その他の資産
③　株式売渡請求の取得の対価として交付される金銭その他の資産
④　全部取得条項付種類株式の端数処理及び株式併合の端数処理について、これらにより生ずる株式交換完全子法人等の端株の対価として交付される金銭その他の資産

全部取得条項付種類株式の取得決議による旧株の譲渡については、それに係るみなし配当についての改正[*3]以外は従前通りです。

【完全子法人の旧株主及び完全親法人の課税関係】

類　型	完全子法人の旧株主の課税関係	完全親法人の課税関係
全部取得条項付種類株式の取得決議による旧株の譲渡	・法人税法第61条の2第14項の要件を満たせば譲渡損益は繰延 ・端数処理については通常の譲渡として譲渡損益発生 (法法61の2①)	端数の合計数に相当する数の株式の売却先としてこれを取得した場合には、その取得価額は取得の時における時価（法令119①二十七）
株式併合	・併合そのものでは譲渡損益は発生せず単価の修正のみ (法令119の3⑦、119の4①) ・端数処理については通常の譲渡として譲渡損益発生（法法61の2①)	・併合そのものでは譲渡損益は発生せず単価の修正のみ (法令119の3⑦、119の4①) ・端数の合計数に相当する数の株式の売却先としてこれを取得した場合には、その取得価額は取得の時における時価 (法令119①二十七)
株式売渡請求による旧株の譲渡	・旧株の譲渡については通常の譲渡として譲渡損益発生（法法61の2①)	取得した株式の取得価額は取得の時における時価 (法令119①二十七)。

＊3　みなし配当の額が生ずる事由となる自己の株式の取得から除外される取得事由に、全部取得条項付種類株式を発行する旨の定めを設ける定款等の変更に反対する株主等の買取請求に基づく買取りが追加されました（法令23③十)。

(1) 全部取得条項付種類株式を利用する方法

全部取得条項付種類株式とは、株主総会の決議により、その株式の全部を会社が取得することができる旨の条項が付された株式のことです（会法108①七)。この条項を付した株式を下記のように利用することにより、スクイーズ・アウトをすることができます。若干複雑ですが、従来から多く使われてきた方法です。

①　事前開示

全部取得条項付種類株式により全部取得を行う場合、株主の権利に重大な影響を及ぼすため、取得対価等一定の事項について事前開示手続が必要となります（会法171の2)。

②　株主総会決議

ア．普通株式以外の他の種類株式を発行する旨の定款一部変更決議

まず、普通株式を取得する際の受け皿として、普通株式とは異なる種類株式（以下、仮に「A種類株式」とします）を発行できるよう、定款の一部変更をします。

イ．普通株式に全部取得条項を付する定款一部変更決議

例えば「普通株式100株につきA種類株式1株を交付する」等と定めます。この株式交付割合は、非支配株主の株式数が1未満になるように設定します。

ウ．全部取得条項付種類株式の取得決議

イ．によって全部取得条項が付された株式（従前の普通株式）について、これを取得する旨の決議をします。これにより、既存の株主のうち支配株主のみが株主として残り、非支配株主は端数処理の対象となります。

なお、上記**ア．～ウ．**の決議は、通常は同一の株主総会において行います。

③　端数の売却

全部取得条項付種類株式を取得することにより、非支配株主については、それぞれ1株未満の端数となります。この端数の合計数（合計数のうち1株未満は切り捨て）を売却し、この売却代金を非支配株主であった者に対して交付します。売却は、裁判所の許可を得て任意売却の方法によることが多いです（会法234②）。

④　事後開示

対象会社は、取得日から6か月間、一定の事項を記載した書面（又は電磁的記録）を本店に備え置かなければならず、株主や株主であった者から請求があった場合は閲覧等をさせなければなりません（会法173の2）。

【例：株主甲（100株）、乙（15株）、丙（9株）、丁（6株）という株主構成の会社における手続】

→総会において、下記を決議 ① A種類株式を発行する旨の定款一部変更決議 ② 普通株式に取得条項を付す旨の定款一部変更決議。取得対価は、普通株式20株につきA種類株式1株とする ③ 普通株式を全部取得する旨の決議 →これにより、甲（5株）、乙（0.75株）、丙（0.45株）、丁（0.3株）となる。 →端数（1株）は売却[*4]、売却代金を乙・丙・丁に交付 →甲が発行済株式の全部（5株）を有する会社となる。

＊4 端数合計は1.5株ですが、合計のうち1株未満の数については切捨て処理をします（会法234①）。

【全部取得条項付種類株式を利用した場合のメリット・デメリット】

メリット	・特別決議を可決できるだけの議決権を有していれば足りる ・比較的多く利用されているため、実例が多い
デメリット	・株主総会決議が必要 ・手続が技巧的でやや煩雑 ・端数の処理手続が必要 ・新株予約権を発行している場合、手続内で新株予約権を取得することができない[*5] ・平成29年10月1日以後においては、適格要件を満たさない場合には非適格株式交換等となり、完全子会社の一定の資産につき時価評価が必要（上記**3.**及び**2-23**参照）

＊5 対象会社が新株予約権を発行している場合、仮にスクイーズ・アウトを実行して非支配株主を排除したとしても、それ以降に新株予約権を行使されると再度他の株主が登場してしまうことになります。したがって、新株予約権を発行している会社においては、何らかのかたちで新株予約権を全部取得する（あるいは放棄してもらう）手段を検討しなければなりません。
なお、発行された新株予約権に、対象株式に全部取得条項が付されたときは会社が無償で新株予約権を取得できる旨の取得条項が付されていれば、会社は新株予約権を取得することができます。

(2) 株式併合による方法

株式併合とは、一定の割合により複数の株式を合わせ、より少数の株式とする手続をいいます(会法180)。例えば、100株を1株に併合する場合、従前の100株は併合により1株となり、同様に200株は2株等となります。

株式併合という制度自体は従来からありましたが、非支配株主の保護の制度が存在しなかったため法的安定性を欠くと考えられており、スクイーズ・アウトの手法としてはあまり利用されていませんでした。しかし、平成26年の会社法改正（平成27年5月1日施行）により、事前開示、差止請求、反対株主の株式買取請求等、非支配株主の保護に関する制度が整備されたため、今後は利用可能性が高くなるものと思われます。

① 事前開示

(1) と同様、事前開示手続が必要となります（会法182の2)。

② 株主総会による株式併合決議

株主総会決議においては、例えば100株を1株の割合で併合する等、併合の割合を定めます（会法180①一)。この併合の割合は、非支配株主が1株未満となるように設定します。

③ 端数の売却（会法235）

④ 事後開示

対象会社は、効力発生日から6か月間、一定の事項を記載した書面（又は電磁的記録）を本店に備え置かなければならず、株主や株主であった者から請求があった場合は閲覧等をさせなければなりません(会法182の6)。

【株式併合を利用した場合のメリット・デメリット】

メリット	・特別決議を可決できるだけの株式保有割合があれば足りる ・全部取得条項付種類株式を利用した場合よりも手続がわかりやすい
デメリット	・株主総会の特別決議が必要 ・端数の処理手続が必要 ・新株予約権を発行している場合、手続内で新株予約権を取得することができない ・平成29年10月1日以後においては、適格要件を満たさない場合には非適格株式交換等となり、完全子会社の一定の資産につき時価評価が必要（上記**3.**及び**2-23**参照)

(3) 特別支配株主の株式等売渡請求

対象会社の総株主の議決権の90％以上を有する株主が、他の株主の全員に対して株式等[*6]の売渡しを請求することができる手続です。

＊6　対象会社が新株予約権を発行しているときは、当該新株予約権の全部についても売渡請求をすることができます（会法179②）。株式だけでなく、新株予約権も対象となるため、「株式等」とされています。＊5で指摘の通り、スクイーズ・アウトの実行後に新株予約権が行使されると、再度他の株主が発生してしまう可能性がある点を受けて、株式とあわせて新株予約権の売渡しを請求できることとされています。

①　特別支配株主から対象会社へ通知

特別支配株主が株式等売渡請求をしようとするときは、株式を発行している会社（対象会社）に対して一定の事項を通知し、その承認を受けなければなりません（会法179の3）。

②　対象会社における決定

対象会社は、①の通知があった場合、承認するか否かを決定します（会法179の3③）。承認するか否かの決定をしたときは、特別支配株主に対して決定の内容を通知します（会法179の3④）。

③　売渡株主に対する通知

対象会社は、株式等売渡請求を承認したときは、取得日の20日前までに、売渡株主（売渡請求の対象となる株主）に対して、売渡請求を承認した旨及び特別支配株主の氏名等を通知しなければなりません（会法179の4①）。

④　事前開示

対象会社は、③の通知又は公告のいずれか早い日から一定の事項を記載した書面（又は電磁的記録）を本店に備え置かなければならず、売渡株主から請求があった場合は閲覧等をさせなければなりません（会法179の5）。

⑤　取得日の到来

取得日が到来すると、売渡株主が有していた株式は、特別支配株主に移転します（会法179の9）。

⑥　事後開示

対象会社は、取得日から6か月間（非公開会社の場合は1年間）、一定の事項を記載した書面（又は電磁的記録）を本店に備え置かなければならず、売渡株主であった者から請求があった場合は閲覧等をさせなければなりません（会法179の10）。

【特別支配株主の株式等売渡請求を利用した場合のメリット・デメリット】

メリット	・株主総会決議が不要 ・新株予約権についても売渡請求の対象とすることができる
デメリット	・議決権の90%以上を保有していなければ手続を実施できない ・平成29年10月1日以後においては、適格要件を満たさない場合には非適格株式交換等となり、完全子会社の一定の資産につき時価評価が必要（上記3.及び2-23参照）

(4) 株式交換による方法

対象会社を完全子会社とし、支配株主を完全親会社とする株式交換を行うことにより、スクイーズ・アウトと同様の効果をもたらすことができます。

株式交換対価が完全親会社株式であれば、非支配株主は株式交換後に完全親会社の株主となりますが、株式交換対価を金銭にすれば（現金株式交換）、子会社・親会社と一切の資本関係がなくなることとなります。

【株式交換（現金株式交換）を利用した場合のメリット・デメリット】

メリット	・端数処理手続が不要である ・対象会社の新株予約権を消滅させることができる
デメリット	・支配株主が株式会社又は合同会社以外の場合、利用することができない ・株主総会決議が原則として必要 ・非適格組織再編となるため、完全子会社の一定の資産につき時価評価が必要（2-23参照）

4. 非支配株主の対抗手段

スクイーズ・アウトは、非支配株主の意思にかかわらずその保有する株式を取得することになりますから、非支配株主の保護を図る必要があります。この観点から、それぞれの手続において非支配株主がとりうる対抗手段が設けられています。各手続によりとりうる手段は若干異なりますが、主に、①差止請求、②株式買取請求、③株式の取得価格決定の申立て、④無効又は取消しの訴えがあります。

【スクイーズ・アウトにおいて非支配株主がとりうる対抗手段】

	全部取得条項付種類株式の取得	株式の併合	特別支配株主の株式等売渡請求	株式交換
差止請求	あり (会法 171 の 3)	あり (会法 182 の 3)	あり*7 (会法 179 の 7)	あり (会法 784 の 2)
株式買取請求	あり (会法 116 ①二)	あり (会法 182 の 4)	なし	あり (会法 785)
価格決定の申立て	あり (会法 172 ①)	なし	あり (会法 179 の 8)	なし
無効又は取消しの訴え	決議取消しの訴え*8の対象になる可能性はあり	決議取消しの訴えの対象になる可能性はあり	売渡請求の無効の訴え (会法 846 の 2)	決議取消しの訴え又は株式交換無効の訴え (会法828①十一)

＊7　特別支配株主の株式等売渡請求における差止請求は、次の場合に該当し非支配株主が不利益を受けるおそれがあるときにすることができます。
・法令に違反する場合
・通知や事前開示の手続に違反した場合
・対価等が著しく不当であって、非支配株主が不利益を受ける場合
　これに対し、その他の手続における差止請求は「法令又は定款に違反し株主が不利益を受けるおそれがある場合」に認められる点で異なります。

＊8　株主総会の決議取消しの訴えは、招集の手続又は決議の方法が法令もしくは定款に違反し、又は著しく不公正なとき等会社法 831 条 1 項に規定された場合に認められます。この点、対価の不当性のみをもって決議取消しが認められることは非常に困難と思われます。なお、特別支配株主の株式等売渡請求においては株主総会決議が存在しないため、決議取消しの訴えを提起する余地はありません。

3-20 子会社化の手法（完全子会社化を除く）

1. 子会社の定義及び意義

(1) 定義

会社法における「子会社」は、次のように定義されています（会法2三）。

① 会社がその総株主の議決権の過半数を有する株式会社

② 当該会社がその経営を支配している法人として法務省令（会規3）で定めるもの

【①の例】

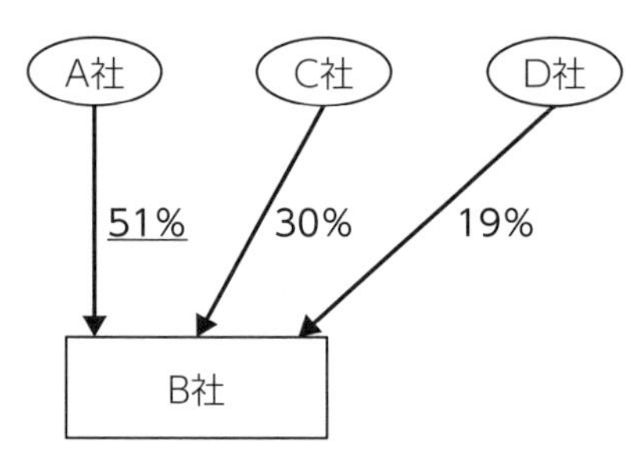

Ａ社はＢ社の議決権の過半数を有しているので、Ｂ社はＡ社の子会社となる。

【②の例】

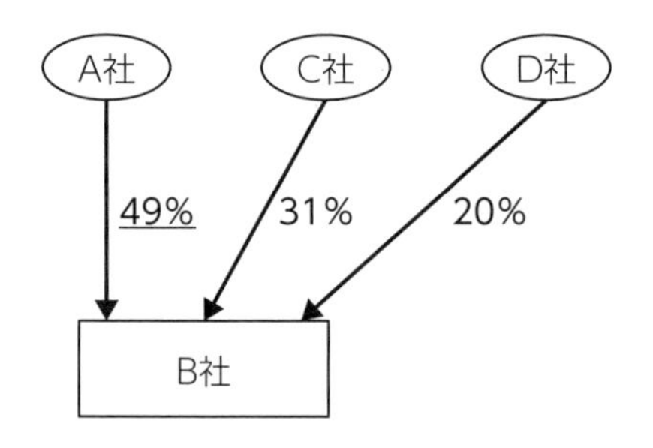

Ａ社はＢ社の議決権の過半数を有していないが、Ａ社がＢ社の財務及び事業の方針の決定を支配している場合、Ｂ社はＡ社の子会社となる。

①又は②のいずれかに該当すれば子会社となりますが、ここでは、①の総議決権の過半数の取得をするための手続について検討します*1。

＊1　②について定めている会社法施行規則３条においては、議決権割合が過半数に満たない場合であっても、一定の要件（財務及び事業の方針の決定を支配している場合）に該当するときには子会社となるとされています。

(2) 議決権の過半数を有することの意義

総議決権の過半数を有する株主は、その会社の意思決定の大部分を単独で行うことができます。株式会社の重要な意思決定は株主総会の決議によって行いますが、議決権の過半数を有していれば、株主総会において単独で普通決議を可決することができるためです。

なお、特別決議を可決するためには、定款に別段の定めがある場合を除き、「過半数が出席し、その出席した株主の総議決権の3分の2以上の賛成」が必要となりますが、過半数を有していれば大きなアドバンテージがあるといえます。

2. 子会社化の手法

子会社でない既存の会社を子会社とするためには、当該会社の議決権がある株式の過半数を取得すればよいこととなります。株式の過半数を取得するための手法には、以下のようなものがあります。

【株式の過半数を取得するための手法】

①　株式譲渡（発行済株式を既存株主から譲渡により取得する）
②　募集株式の発行（第三者割当により会社から株式を引き受ける）
③　株式交付

これに対し、株式交換はあくまで「完全」子会社とするための手法です。

3. 株式譲渡

(1) 概要

既存の株主から議決権の過半数に相当する数の株式を譲り受けることができれば、これにより子会社化することができます。株式譲渡は手続的には簡易ですが、譲渡人との合意が成立することが前提となりますので、株式が多くの株主に散逸しているような場合は、過半数を取得するために多くの株主と交渉しなければならないため実行が難しいこともあるでしょう。

(2) 手続の流れ

① 譲渡人と譲受人の合意

② 譲渡承認請求

非公開会社（株式譲渡制限のある会社）の場合、株式の譲渡について会社の承認を受けなければなりません。具体的には、取締役会等定款で定めた承認機関によって承認を受けることとなります（会法136等）。

③ 譲渡契約

株券発行会社の場合、株券を交付しなければ譲渡の効力が生じないため、譲渡契約を締結するだけでなく株券の交付も必要となります（会法128①）。

④ 株主名簿の書換請求

株式の譲渡を受けた者は、その氏名又は名称及び住所を株主名簿に記載しなければ、その取得を会社その他の第三者に対抗することができませんので（会法130①）、原則として譲渡人と共同して会社に対して株主名簿の名義書換を請求することとなります（会法133）[*2]。

＊2 株券発行会社の場合、譲渡を受けた者が株券を提示すれば単独で名義書換請求ができます（会規22②一）。

4. 募集株式の発行

(1) 概要

既存の株主から発行済株式を取得しなくても、会社が新たに発行する株式又は自己株式を引き受けることにより、議決権の過半数の株式を取得することもできます*3。会社から株式を直接取得するので、個々の株主との合意は不要ですが、株主総会決議や取締役会決議が必要となるため、多少煩雑ではあります。

また、株式譲渡の場合と異なり、原則として発行済株式数や資本金（及び資本準備金）が増加することとなります*4。

＊3 新たに発行する株式だけでなく、会社が保有する自己株式があれば、それを引き受けることもできます。新株を引き受ける場合、自己株式を引き受ける場合いずれにおいても、手続は同じです。

＊4 新株を発行せず全て自己株式を交付する場合は、発行済株式数や資本金（及び資本準備金）は増加しません。

(2) 手続の流れ

① 募集事項の決定

会社は、募集株式の数、払込金額、払込期日等一定の事項を決定します。非公開会社の場合は株主総会の特別決議、公開会社の場合は取締役会決議により決定します（会法 199、201 ①）*5。

＊5 公開会社において、募集株式発行後に過半数株主が出現することになるときは、払込期日（払込期間を定めたときは、その期間の初日）の 2 週間前までに、既存株主に対して一定の事項を通知又は公告しなければなりません（会法 206 の 2 ①②）。総株主の議決権の 10 分の 1 以上の議決権を有する株主が、この通知又は公告の日から 2 週間以内に反対する旨を会社に対して通知したときは、原則として株主総会決議により承認を受けなければならないとされています（会法 206 の 2 ④）。

②　通知・申込み

会社は、募集株式の引受けの申込みをしようとする者に対し、一定の事項を通知しなければなりません（会法203①）。引受けの申し込みをしようとする者は、会社に対して申込みをします。

③　割当決議

会社は、申込者の中から募集株式の割当てを受ける者及び割当てを受ける募集株式の数を決定します。この決定は、取締役会設置会社の場合は取締役会決議、取締役会非設置会社の場合は株主総会の特別決議によって行います（会法204①②）。

なお、募集株式を引き受けようとする者との間で総数の引受けを行う契約（総数引受契約）を締結する場合は、通知・申込み及び割当決議は不要となります（会法205）。

④　出資の履行

募集株式の割当てを受けた者は、①において定められた払込期日又は払込期間内に払込金額の全額を払い込むことにより、募集株式の株主となります。

5．株式交付

株式交付の概要及び手続の流れについては **2-25** を参照してください。

3-21 個人株主による完全支配関係（支配関係）がある場合の留意点

1. 適格要件の判定

第2章に記載の通り、組織再編が適格組織再編になるか否かには、「完全支配関係（支配関係）」というキーワードが非常に重要な概念であります。当該完全支配関係（支配）の定義は**2-16**、**2-17**の通りです。**2-16**、**2-17**にあるように、個人株主の場合には、「その者とその者の特殊関係者[*1]の有する株式等を合わせて」、当該法人の発行済株式等の100％（50％超）を有しているか否かを判定することになります。

＊1　その者の親族、婚姻の届け出をしていないが事実上婚姻関係と同様の事情にある者、及び使用人等をいいます。

つまり、A社の発行済株式数の50％を社長が、20％をその配偶者が、30％をその父親が所有しており、B社の発行済株式数の60％を社長が、40％をその配偶者が所有している場合におけるA社を合併法人、B社を被合併法人とする合併の場合は、完全支配関係下にある合併であることになります。

【完全支配関係下の合併】

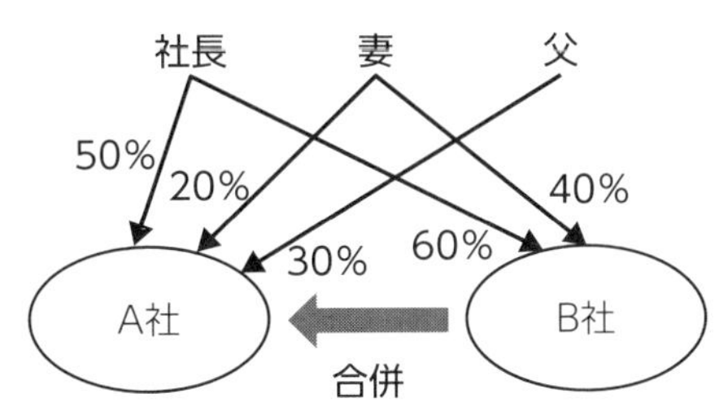

2. 無対価組織再編が適格に該当するか否か

適格要件を判定するに際して、更に「無対価で当該組織再編を行っても、当該組織再編は適格要件を満たすか？」という論点があります。そして、無対価組織再編が適格組織再編になるか否かにおいても、**1.** のように資本関係が関連します。そのため **1.** の完全支配関係（支配関係）の判定と混乱しやすいため注意が必要です。無対価組織再編が適格組織再編になる場合＝ **1.** の完全支配関係がある場合、ではないのです。

無対価組織再編が適格組織再編になるには、**3-9** にある資本関係であることが必要です。つまり、例えば合併であれば「被合併法人及び合併法人の株主等の全てについて」その者が保有する被合併法人株式の持株比率と、合併法人株式の持株比率とが「等しい場合」です。**1.** の完全支配関係のように間接的な概念がありません。この場合には、無対価組織再編を行っても、組織再編後の持株比率も変更されず、対価を省略したとみなされるためです。

また、個人株主の場合、**1.** では特殊関係者を含んで判定しましたが、ここではそのような規定はありません。そのため、**1.** 例で考えると、完全支配関係下の合併ではありますが、「被合併法人及び合併法人の株主等の全てについて」その者が保有する被合併法人株式の持株比率と、合併法人株式の持株比率とが「等しい場合」ではないため無対価組織再編は適格となりません。

3. 現物出資

合併や会社分割は、個人がその当事者になることは不可能ですが、現物出資の場合には個人が法人に現物出資をすることは可能であり、当該個人から法人への現物出資についても、個人による完全支配関係（支配関係）があれば、適格要件を満たすような誤解を生じやすいところです。しかし、「適格」現物出資は、現物出資「法人」と被現物出資「法人」

との間での現物出資について規定されたもの（法法2十二の十四）であることから、例え個人による完全支配関係がある場合であっても個人から法人への現物出資については、適格現物出資になりえません。

4．現物分配

現物出資同様、現物分配も法人から個人への現物分配を行うこと自体は可能です。しかし、「適格」現物分配は、現物分配「法人」から被現物分配「法人」への分配について規定されている（法法2十二の十五）ため、例え個人による完全支配関係がある場合であっても、法人から個人への現物分配は適格現物分配になりえません。

5．グループ法人税制

個人による完全支配関係がある場合にも、グループ法人税制の適用はあります。ただし、寄付金の損金不算入･受贈益の益金不算入の制度は、法人による完全支配関係がある場合に限定されている（法法25の2①、37②）ため、個人による完全支配関係がある場合には通常通り、寄付金は損金算入規制の対象となり、受贈益は益金算入となります。これは、個人による完全支配関係がある場合にも益金不算入としてしまうと、例えば、親が発行済株式100％を保有する法人から子が発行済株式の100％を保有する法人への寄附について損金不算入かつ益金不算入とすると、親から子へ経済的価値の移転が無税で行われることとなり、相続税･贈与税の回避に利用されるおそれが強いことによります（財務省「平成22年度 改正税法のすべて」）。

第4章

実践編
具体事例

Scheme

4-1 繰越欠損金の制限についての事例

Request ①

Information

×5年10月1日、A社を合併法人、B社を被合併法人とする合併を行った。当該合併は適格合併に該当する。B社には繰越欠損金があり合併に際してA社に引継ぎたい。なお、A社は設立以来その発行済株式の100%を親会社C社が保有し、B社は×0年10月1日にグループ外からC社が発行済株式の100%を買収してきた法人であり、それ以降、A社とB社の完全支配関係は継続している。なお、A社B社ともに3月決算法人である。

1. 検討

2-30におけるフローチャートにあてはめます。まず、支配関係がある法人間での組織再編であるため、当該支配関係が5年間継続しているかを検討します。なお、正確には「合併事業年度開始前」5年以内に生じているかどうかですので、合併時期日から5年以内ではない点に注意が必要です。

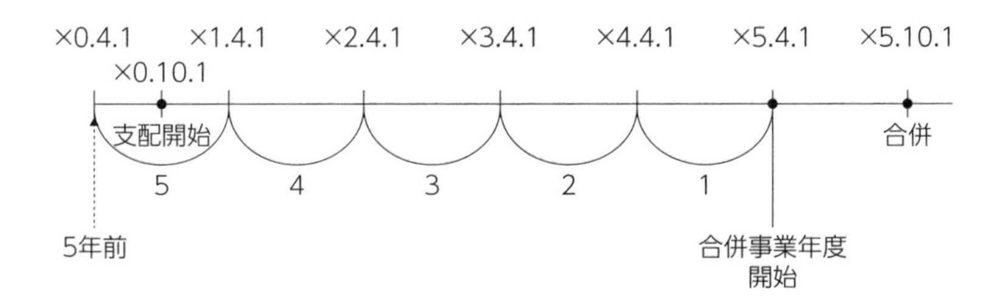

今回のケースでは、合併期日と支配関係が生じた日をカウントすると5年でしたが、合併事業年度開始前から起算すると5年は経過していませんでした。したがって、みなし共同事業要件等を満たすか、満たさない場合には、時価純資産価額が簿価純資産価額を超える場合等の要件を満たさない限りは、繰越欠損金（相当額）の引継制限、使用制限、特定資産の譲渡等損失の損金不算入の規定が課せられることになります。

Request ②

Information

A社はその子会社（100％保有）であるB社から土地の現物分配を受けます。A社には繰越欠損金があり、現物分配に伴うA社における繰越欠損金の使用制限はどのように考えるのか。当該現物分配は適格現物分配である。

なお、B社は最近（現物分配事業年度開始前5年前以内）グループ外から買収してきた法人である。

1. 検討

A社とB社の間には、現物分配事業年度開始前5年前以内に支配関係が生じているため、みなし共同事業要件を検討します。みなし共同事業要件は、①事業関連性要件、②規模要件、③規模継続要件、④経営参画要件のうち、①、②及び③もしくは①及び④を満たす場合に、達成されます（詳細は**2-30**）。いずれも、①を満たす必要がありますが、「事業」がキーワードです。現物分配は、事業を移転するものではありませんので、少なくとも①を満たすことはできません。従って、現物分配に際しては、みなし共同事業要件を満たすことによって、規制を回避することはできません。したがって、時価純資産価額が簿価純資産価額を超える場合等の要件を満たさない限りは、使用制限及び特定資産の譲渡等損失の損金不算入の規定が課されることになります。

なお、現物分配に際して、現物分配法人（B社）の繰越欠損金を引き継ぐ、という概念はそもそもないため、規制自体が存在していません。

2. 土地を移転する場合のその他の注意点

① A社において不動産取得税が課されます（会社分割のような特例無し）。

② 不動産の所有権移転についての登録免許税が課されます。

Request ③

Information

A社を分割承継法人、B社を分割法人とする適格分割を行う。A社には繰越欠損金があるため、その使用制限等の有無について、検討している。そこで、A社とB社には支配関係がありますが、A社とB社の間の支配関係は、分割事業年度開始前5年以内に生じているため、みなし共同事業要件を検討したい。

・A社は、分割前は、倉庫業である。B社は小売業と物流業を行っており、物流業をA社に移転する。移転された事業は引き続きA社が遂行していく見込みである。

・従業員数の推移	支配関係発生時	A社：10人	B社：50人
	分割直前	A社：15人	B社：55人
・資本金の推移	支配関係発生時	A社：5,000万円	B社：3,000万円
	分割直前	A社：5,000万円	B社：3,000万円
・売上の推移	支配関係発生時	A社：1億円	B社：1億5,000万円
	分割直前	A社：2億円	B社：2億5,000万円

・役員については、分割前からA社とB社間で同一の者はおらず、分割後も変更はない。

1. 検討

みなし共同事業要件は、①事業関連性要件、②規模要件、③規模継続要件、④経営参画要件のうち、①、②及び③もしくは①及び④を満たす場合に、達成されます（詳細は **2-30**）。

今回は、分割前からA社とB社間で同一の役員はおらず、分割後も変更はないということなので、分割により、分割前にB社の役員等であった誰かが、分割後にA社の特定役員になるという④の経営参画要件は満たせません。

したがって、①、②及び③を満たすか否かを検討します。

① 事業関連性要件：分割法人の移転事業と分割承継法人が分割前に営む事業のうちいずれかの事業とが相互に関連すること

⇒移転する物流業と、分割前に分割承継法人であるA社が営む事業（倉庫業）は、相互に関連性があると考えます。相互に関連性があるとは、同業種であるという意味に限定されているわけではありません。何かしらのシナジー効果があれば満たすイメージです。法人税法計算規則に、以下の場合に相互に関連しているとみなす規定があります（法規3①二、②③）。

- ・同種の事業である場合
- ・商品、資産若しくは役務又は経営資源（設備、知的財産権等、生産技術又は従業者の有する技能若しくは知識、販売方式、生産方式等）が同一また類似している場合
- ・分割後に移転を受けた事業の商品、資産若しくは役務又は経営資源を活用できると見込まれる場合
- ・分割後に移転を受けた事業の商品、資産若しくは役務又は経営資源を活用し、分割承継法人の事業と一体として営まれると見込まれる場合

したがって、事業関連性要件は満たします。

② 規模要件：移転事業と、分割承継法人の事業のうち移転事業と関連性のある事業のそれぞれの売上金額、従業者の数、これらに準ずるものの規模の割合が概ね5倍を超えないこと

⇒会社分割においては､資本金は指標として利用できません。また、下記では2指標について判定をしていますが、すべての指標において5倍を満たす必要はなく、いずれかの指標で満たせば達成されます。また、分割直前の指標で判定します。

《従業者の数》

分割直前　A社：15人　B社：55人　∴5倍以内

《売上》

分割直前　A社：2億円　B社：2億5,000万円　∴5倍以内

したがって、規模要件を満たすことになります。

③ 規模継続要件：移転事業及び分割承継法人の事業のうち移転事業と関連性のある事業のそれぞれが、最後に支配関係があることとなった時から分割直前まで継続して営まれており、かつ、当該支配関係発生時と分割直前の②で使用した指標が概ね2倍を超えないこと。

⇒従業者の数と売上について、それぞれの法人における規模の推移を検討します（実際はいずれか1つの指標で満たせば達成されます）。

《従業者の数》

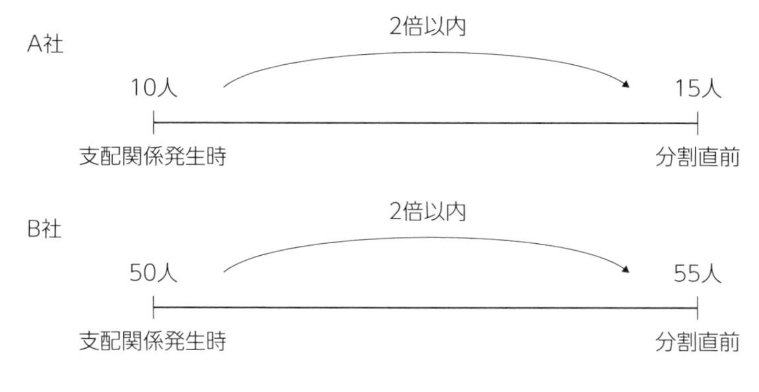

《売上》

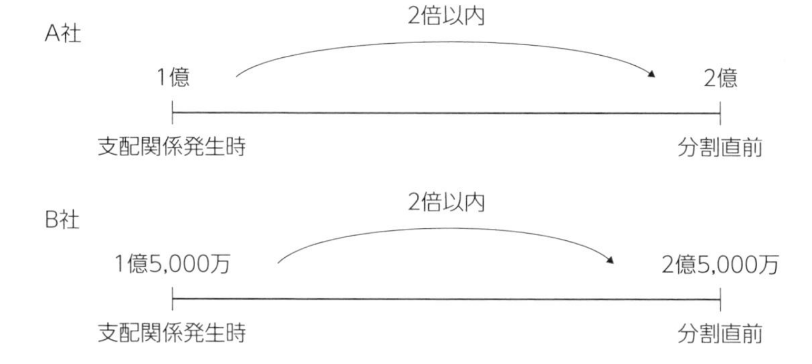

したがって、規模継続要件を満たすことになります。

①、②及び③のすべての要件を満たしましたので、A 社の繰越欠損金の使用制限、特定資産の譲渡等損失の損金不算入の制限は課せられません。

4-2 会社清算時の債務免除についてのシミュレーション

Request

甲社は解散清算を検討している。甲社は青色申告法人である。現在の財政状態は下記の通りである。債務超過であり、このままでは通常清算ができず特別清算になってしまうため、親会社借入金について全額ないし４億の債務免除を検討している。

債務免除のタイミングや金額によって、課税関係に違いはあるのか。

貸借対照表

×1年12月31日　　(単位：千円)

現金預金	100,000	親会社借入金	500,000
		負債合計	500,000
		資本金	200,000
		利益剰余金	△600,000
		純資産合計	△400,000
資産合計	100,000	負債純資産合計	100,000

Information

甲社は 12 月決算法人である。

× 2 年 1 月末に解散決議をする予定である。A 案は、解散前（×2 年 1 月中）に債務免除を行う場合（全額・4 億）、B 案は清算中の事業年度に債務免除を行う場合（全額・4 億）である。

親会社とは 80％の支配関係が 10 年間継続している。

×1 年 12 月期における損益計算書では△ 50,000 円の当期純利益であり、法人税の申告書で申告調整はない。

また、×1年12月期における法人税申告書別表5の1における利益積立金額の期首残高は△350,000千円、翌期首繰越残高は△400,000千円であり、繰越欠損金は300,000千円ある。

×2年1月には、A案における債務免除益以外の損益・所得は発生しない。B案においては、解散事業年度においては何も損益・所得は発生しないとする。

1. スキームの検討

(1) A案：解散前に債務免除を行う場合（全額・4億）

繰越欠損金を超える債務免除益が発生した場合、課税が生じます。

〈全額債務免除〉

債務免除益について、全額を債務免除した場合には100,000千円の現預金を残すことになり、そのような債務免除は、基本的には寄付となり、親会社では損金不算入、子会社である甲社では受贈益として益金算入となると考えます（完全支配関係下にないため、グループ法人税制の適用はありません）。

〈4億債務免除〉

一方で、債務超過額である400,000千円だけを債務免除した場合には、子会社の再建上やむを得ない債務免除とされれば（詳細は3-18参照）、親会社では貸倒損失として要件を満たせば損金算入、子会社である甲社では債務免除益として益金算入になります。

いずれも、子会社では全額の500,000千円ないしは400,000千円が益金算入になり、繰越欠損金は300,000千円しかありませんので、その超える額に課税されます。なお、甲社は資本金が200,000千円であり、法人税法上の中小法人等ではありませんので繰越欠損金の控除制限もかかります。

・全額免除の場合の課税所得：500,000 − 300,000 × 50％ = 350,000

・４億免除の場合の課税所得：400,000 − 300,000 × 50％ = 250,000

〈期限切れ欠損金〉

解散清算においては期限切れ欠損金が利用できますが、利用できる条件は、「その清算中に終了する事業年度」において、残余財産がないと見込まれる場合です（法法59④）。したがって、解散事業年度には使用できません。

(2) Ｂ案：清算中の事業年度に債務免除を行う場合（全額・４億）

親会社で寄付となるか貸倒損失となるかは、**(1)** Ａ案と同じですので **(1)** を参照してください。いずれも、甲社では益金算入されますので、その取り扱いが、解散事業年度か清算中の事業年度かで異なるかが論点です。

〈期限切れ欠損金〉

清算中の事業年度において、残余財産がないと見込まれる場合には期限切れ欠損金を使用することができます。したがって、全額免除の場合には、現預金を100,000千円残すことになり、「残余財産がないと見込まれる場合」を満たせず、Ａ案と同じく青色欠損金を控除した残高350,000千円に課税されます。

400,000千円の免除の場合には、残る100,000千円の借入金は現預金を以て返済しますので、純資産が0となります。「財産がないと見込まれる場合」には、純資産が0となる場合を含むと考えられていることから、「財産がないと見込まれる場合」に該当し、期限切れ欠損金を使用できることになります。

期限切れ欠損金は、以下の①から②及び③を控除した額となります（法令117の5）。

① 適用年度（清算中の事業年度）終了の時における前事業年度以前の事業年度から繰り越された欠損金額の合計額（当該適用年度終了の時における資本金等の額が零以下である場合には、当該欠損金額の合

計額から当該資本金等の額を減算した金額）

② 法第57条第1項（欠損金の繰越し）の規定により適用年度の所得の金額の計算上損金の額に算入される欠損金額（青色欠損金の当期控除額）

③ 適用年度に係る法第64条の7（欠損金の通算）第1項第四号に規定する損金算入欠損金額の合計額（通算法人の場合）

つまり、①は、清算中の事業年度の法人税の確定申告書別表5の1「利益積立金額の計算に関する明細書」の「期首現在利益積立金額」の合計額であり、当該金額がマイナスの場合のその絶対額です（法基通12－3－2）。適用年度終了の時における資本金等の額がマイナスの場合には、当該マイナスの金額も①に上乗せされることになります（マイナスの額を減算するため、結果的にプラスすることになります）。

また、上記の計算式の構造から、青色欠損金と期限切れ欠損金がある場合には、まず青色欠損金を控除します。それでも残った所得に対して、上記で計算された期限切れ欠損金を適用するという流れになります。

青色欠損金を控除した所得は、**(1)** と同様で下記の通りです。

・4億免除の場合の課税所得：400,000 － 300,000 × 50％ ＝ 250,000

期限切れ欠損金とは、期首の利益積立金のマイナス残高ですので、今回の場合400,000千円（B案の場合、解散事業年度には損益・所得は何も生じないので、×1年12月期の翌期首利益積立金額＝×2年1月末における翌期首利益積立金額となり、清算中の事業年度における利益積立金額の期首残高は400,000千円）です。

400,000千円のうち、青色欠損金として控除を行った額150,000千円は除きますので、期限切れ欠損金として利用するのは250,000千円になります。上記金額から250,000千円を控除しますので、

・4億免除の場合の課税所得：250,000 －期限切れ欠損金250,000 ＝ 0
　となり、課税所得は発生しません。

つまり、同じ財政状態でも債務免除のタイミングや債務免除する額によって、課税の生じ方が全く異なりますので注意が必要です。

2. その他の注意点

今回は甲社と親会社に完全支配関係はないため、甲社にある繰越欠損金の引継ぎはできません。その代わりに、親会社では、清算にともなう、甲社株式の譲渡損失相当（株式の消滅損）について損金に算入できます。

4-3 事業を売却（買収）する①

Request

A 社には不動産事業と小売事業があるが、第三者の B 社より小売事業の譲渡について引き合いがあった。甲社及び A 社としても、小売事業は B 社によって経営していった方が今後成長できると考え、小売事業の譲渡に応じることにした。B 社からは、株式の形で購入したいというリクエストがある。

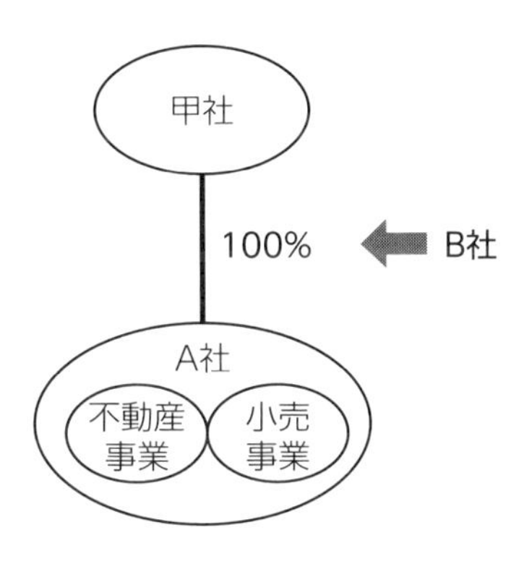

Information

- A 社における不動産その他の不動産事業に関する資産の簿価は 1,000（税務上も 1,000）とする。負債の簿価は 400 とする。
- A 社の株主は甲社のみである。
- A 社の資本金等の額は 500、税務上の純資産は 800 とする。
- 甲社における A 社株式は 500（税務上も 500）とする。

1. スキームの構築

株式での購入をしたいとのリクエストがあるため、小売事業をB社に事業譲渡することはできません。A社のうち、小売事業部分のみを株式で譲渡するということになりますので、分割型会社分割によりA社を2つにわけた上で譲渡をします。具体的には、移転事業を不動産事業とし、分割会社に残る事業を小売事業とし、分割会社株式（A社株式）をB社に譲渡します。従来であれば、分割の前後で、分割会社と承継会社に同一の者による完全支配関係が継続しないことが見込まれている会社分割は、非適格分割でした。これが平成29年度税制改正により、分割後、同一の者と「承継会社」の間に完全支配関係が継続することが見込まれていれば、分割会社を譲渡することが前提の会社分割でも適格分割となりました（法令4の3⑥二イ）。適格分割ですので、分割に際し不動産事業を移転しますが、それに対する含み益が実現することもありません。また、要件を満たせば、承継会社において不動産取得税を非課税にすることも可能です（登録免許税はかかります）。

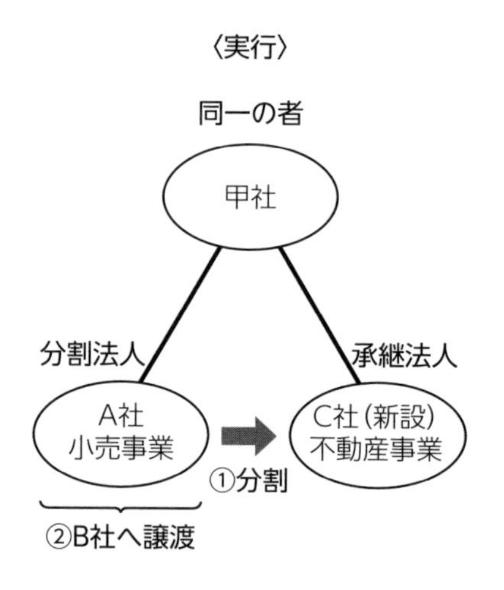

〈実行後〉

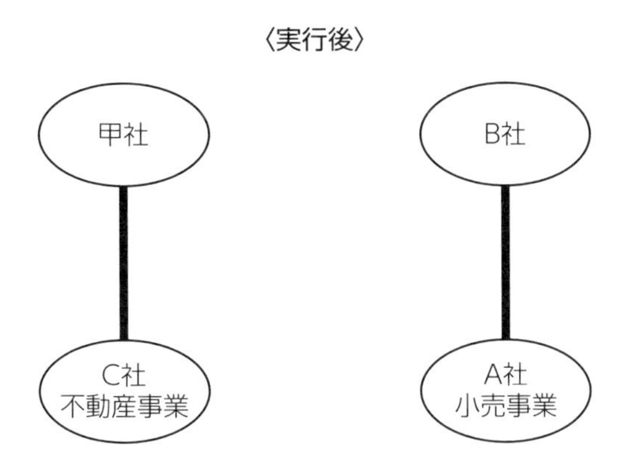

なお、承継会社に不動産事業を移転するということで、承継会社において不動産事業に関連する免許等の準備が必要であるため、新設分割ではなく吸収分割を採用します。承継会社である新会社をC社とします。C社をあらかじめ設立しておき、免許の準備ができた頃に会社分割を実行します。

2. スキームの実行

税務

① 分割法人：A社

不動産事業に関する諸資産及び諸負債を承継会社（C社）に移転させます。適格分割であり税務上の簿価により引き継ぎます。また、分割資本金額等（**2-21**）に相当する額につき、資本金等の額を減額し、移転純資産との差額を利益積立金として処理します。

（借）	諸負債	400	（貸）	諸資産	1,000
	資本金等の額[*1]	375			
	利益積立金	225			

＊1　分割前資本金等の額 500 ×移転純資産 600/ 全体純資産 800 ＝ 375

② 承継法人：C社

承継会社では、税務上の簿価で移転事業に係る資産負債を受け入れます。また、増加する資本金等の額及び利益積立金は、分割会社で減少した金額を引き継ぎます。

（借）諸資産	1,000	（貸）諸負債	400
		資本金等の額	375
		利益積立金	225

③ A社の株主

適格分割であり、A株式のうち、分割純資産対応帳簿価額（**2-21**）分がC社株式に置き換わったように処理をします。その結果譲渡所得課税は生じません。みなし配当も生じません。

（借）C社株式[*2]	375	（貸）A社株式	375

＊2　分割前A社株式簿価500×移転純資産600/全体純資産800＝375

④ 繰越欠損金

分割法人：A社

会社分割においては、分割会社の繰越欠損金を承継会社に引き継ぐことができません。したがって、引継制限の規定もありません。

承継法人：C社

適格分割を行った場合、承継法人には繰越欠損金の使用制限がかかります。ただし、今回のケースでは、C社の設立時より会社分割まで継続して完全支配関係がありますので、使用制限及び特定資産の譲渡損失等の制限はかかりません。

具体的適用は、**2-30**を参照してください。

3. その他留意点

(1) A社が歴史のある会社である点

今回のようなスキームの場合、B社に譲渡するのはA社株式となります。A社は分割会社であり､過去から存在していた会社です。したがって、設立したばかりのC社株式を譲渡するよりも、取引コストがかかる可能性があります（A社のデューデリジェンス等）。

(2) 借入金

今回のケースでは不動産事業を移転事業とし、負債を同時に移転していますが、不動産事業には不動産を担保に入れている借入金が存在しているケースが多くあります。借入先である銀行に対しては債権者保護手続を行いますが、当該会社法上の形式的な手続とは別に、取引関係上、事前に重要な債権者には、会社分割を行いA社株式を譲渡することについて説明しておくことが、スムーズに会社分割を行う上でキーになります。

(3) 届け出

今回のケースでは、不動産事業を移転事業としていますが、適格分割によって移転した固定資産について、分割会社において、会社分割までの減価償却費を損金算入するためには、「適格分割等による期中損金経理額等の損金算入に関する届出書」の届け出を提出する必要があります。提出期限は、適格分割の日から2か月以内です（一括償却資産についても同様の届け出があります）。

当該届け出の提出がない場合は、分割法人の分割事業年度の期首帳簿価額によって分割法人から承継法人に移転されます。

4-4
事業を売却（買収）する②

Request

① 事業が急成長しており、かねがねM&Aにより事業拠点を拡大したいと考えてきた。

② 最近になって、立地・規模感がちょうどいい同業者をM&Aすることが決まったのだが、M&Aにあたり、株式譲渡、第三者割当増資、事業譲渡、会社分割等様々な手法があると聞く。自社にとって一番有利な買収方法はどれであろうか。

Information

・A社（買収元オーナー社長）は、設立から10年たらずの卸売企業である。ここ数年事業は急成長しており、拠点の拡大を考えていた。

・買収先のB社も卸売業である。設立約50年の老舗であるが、近年営業の主力であった従業員の定年退職が続き、売上が減少し続けている。

・B社のオーナーはこの度の事業売却を機に引退を考えている。

・卸売業を行うにあたって、重要な許認可等は存在していない。

・両企業とも従業員の待遇に大きな差はないが、急成長企業と老舗の違いもあって、従業員の年齢構成が大きく異なっている。

・A社とB社の財務データ等は次の通りである。

財務データ等

	A 社	B 社
従業員数	120人	35人
平均年齢	36歳	52歳

(単位：千円)

	A 社	B 社
売上高	3,400,000	800,000
利益額	200,000	10,000

B社貸借対照表　(単位：千円)

事業用資産	80,000	事業用負債	40,000
非事業用資産	500,000	純資産	540,000

※事業用資産の主たる内容は営業債権と棚卸資産、事業用負債は営業債務である。営業拠点等を2か所有しているが、いずれも賃貸である。また、資産・負債の時価と簿価は一致している。

1. スキームの構築

(1) 各企業の特徴

まず、A社は急成長のベンチャー、B社は老舗の企業だということがポイントとなります。従業員の年齢構成の他、企業文化も大きく異なることが予想され、この点を踏まえて組織再編スキームを考慮しなければ、M&Aが失敗に終わる可能性も考えられます。

また、財務諸表上、B社に非事業用資産が大きく計上されていることも検討しておかなければなりません。A社は事業のみを買収したいのであって、非事業用資産については買収する意図を有していません。

(2) スキームとメリット・デメリット

B社のオーナーは、M&Aを機に引退を希望されています。M&Aスキームにおいては、第三者割当増資や合併、吸収分割等B社の株主が株式の保有を継続する手法等もありますが、本件では対価の支払いによって、買収を成立させる手法を選択することが必要となります。

【参考：B社株主が株式の保有を継続するM&A例】

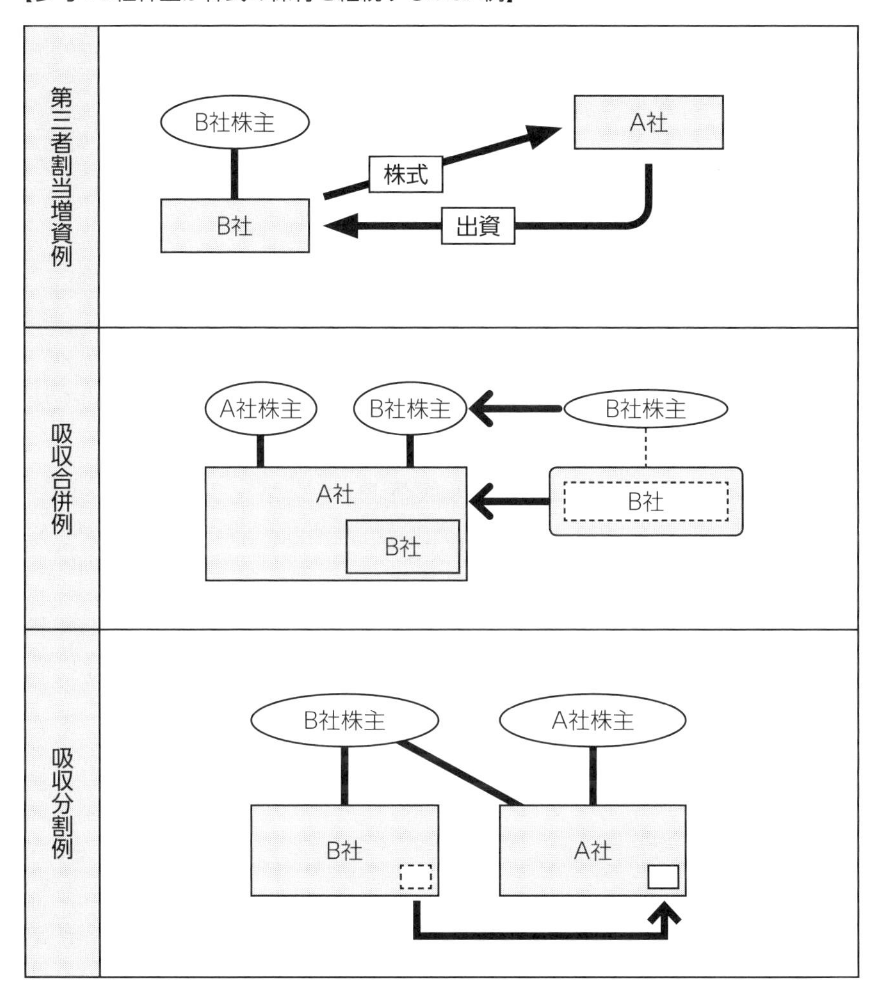

以上をふまえて、検討しているスキームは株式譲渡、事業譲渡、会社分割の3通りです。

①　株式譲渡

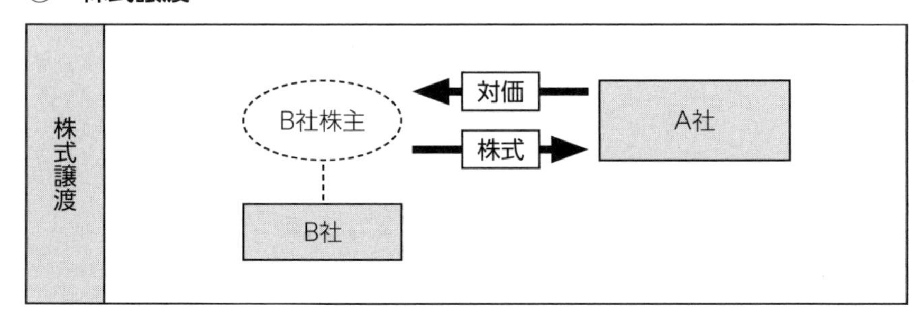

株式譲渡は最も簡便な方法の一つです。

A社自身又はA社関連企業が対価を支払い、B社株主から株式を購入する手法となります。

手続は、売買契約の締結や譲渡承認請求とシンプルです。

資金面からは、売手は会社の価値相当額の資金を得ることができる反面、買手は当該資金を準備しなければなりません。

税金面では、株式の譲渡対価から取得価額（個人株主の場合、取得価額が不明なときは概算取得費として5%を用いることができます）や手数料等を差し引いた金額に約20%の税金が発生します。

会計上は、個別財務諸表上では購入価額相当額の子会社株式が計上されるのに対し、連結上は支払った対価のうち、B社の時価純資産額を上回る部分について「のれん」が計上され、償却をしていきます。

	メリット	デメリット
株式譲渡	手続がシンプル (譲渡契約と取締役会決議等) 等	・買手は資金が必要 ・売手に利益の約20%の税金が発生、とりわけ売手における株式の簿価が低い場合、譲渡税も大きくなる 等 ※考え方によっては約20%なのでメリットともうけとれる

②　事業譲渡

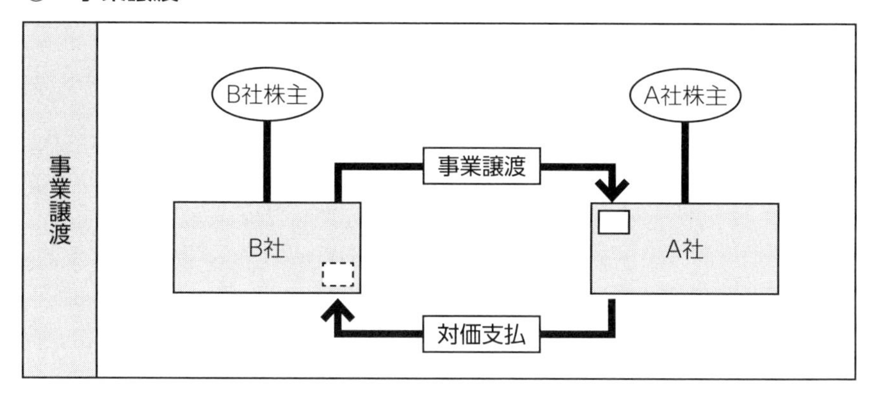

事業譲渡は、対象事業の移転について個別に承継手続を行わなければなりません。手続面の負担は大きいですが、元々B社が有していた事業に関するリスクを分断できる方法です。

手続上は事業譲渡契約の締結や取締役会・株主総会の承認が必要となります（株主総会については省略できる場合があります）（**3-4** 参照）。さらに、対象となる事業に関し、契約を個別に引き継がなければならないため、事務負担が煩雑になります。一方、個別に承継手続を経ることから、事業が元々有していたリスクを分断できることが大きなメリットとなります。

資金面では、対価が現金の場合、売手であるB社は事業の価値相当額の資金を得ることができる反面、買手は当該資金を準備しなければなりません。

税金面では、売手であるB社に対して、事業の譲渡対価からその帳簿価額等を差し引いた金額に対して法人税等が課税されます。また、消費税法上も課税取引*1とされるので、当該負担もあわせて発生します。

一方、買手企業については、資産・負債の時価と対価の差額について、税務上「資産（又は負債）調整勘定」を認識しなければなりません。認識した資産（又は負債）調整勘定（**2-19** 参照）は60か月にわたり、益金又は損金として償却を行います。消費税については、売手が課税取引*1と扱われたように買手も課税取引としての扱いを受けることとなります。

事業譲渡において注意したいのは不動産取得税や登録免許税等の取引コストです。取引コストについては、会社分割と取扱いに大きな差が生じますので、当該インパクトを十分に事前に検証しなければなりません（**2-31** 参照）。

会計上は、売却側では事業の譲渡損益を認識します。一方、譲受側では、B 社の受け入れた時価と対価との差額が「のれん」として計上され、償却をしていきます。

＊1　ただし、譲渡資産のうち土地等非課税資産は非課税取引

	メリット	デメリット
事業譲渡	・偶発債務のリスクを遮断 ・譲受側で税務上資産調整勘定の償却額につき損金算入（負債調整勘定が生じる場合には益金算入となるので注意） 等	・現金対価の場合、買手は資金が必要 ・個別の手続をとらねばならず、事務負担が複雑 ・不動産取得税や消費税等のコスト発生 等

③　会社分割

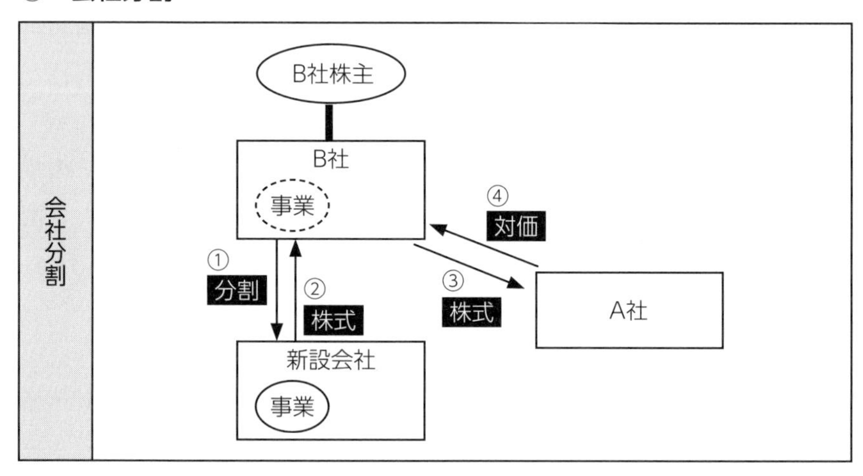

会社分割を検討するにあたり、B社のオーナーはM&Aを機に引退を希望されていますので、吸収分割ではなくシンプルな新設分割を選択します。

事業譲渡と会社分割の大きな違いは、第一に、個別の契約引継が必要か否かという手続面があげられます。事業譲渡は個別の契約の引継が必要なので、引継対象契約が多数に上る場合、手続面が煩雑です。これに対し、会社分割は債権者保護手続等が必要となるものの、包括的に事業を引き継ぐことができます。そして、個別の契約の引継ぎを行うか、包括的に事業を承継するかの違いからリスクを分断できるか否かに差があらわれます。事業譲渡であれば個別に契約を行うので事業が譲渡前から有していたリスクを引き継ぐことはありません。なお、新設分割における手続には、分割計画書の作成、株主総会等の決議、債権者や労働者保護手続があります。

税務上は、新設会社の株式が買収先であるA社に譲渡される（前頁図）ことが前提となるので非適格組織再編となり、事業を時価で新設会社に引き継がなければなりません。一方、A社側はB社に支払った対価が子会社株式の帳簿価額となります。

取引コストの面でも、会社分割は事業譲渡と異なります。事業譲渡では不動産取得税、登録免許税等が発生し、消費税法上も課税取引とされるのに対し、会社分割では不動産取得税等が非課税となる場合があり、消費税も不課税取引です（**2-31** 参照）。

	メリット	デメリット
会社分割	・債権者の個別同意が不要 ・許認可の承継が円滑になる場合がある ・消費税が発生しない ・不動産取得税等のコストが安くなる場合がある 等	・偶発債務を引き継ぐリスク ・債権者保護手続が必要 ・非適格に該当し、課税が発生 ・買手側に資金が必要 等

2. 採用スキーム

事業、資金、税務、会計、取引コスト等を総合的にA社と話し合った結果、A社が新設する会社に事業譲渡を行うスキームを採用することになりました。

採用スキーム
A社が新設する会社に対して対象事業を事業譲渡

A社の最優先の要望は事業の融合でした。B社とA社は同業であるとはいえ、従業員は年齢構成も大きく異なり、何より老舗とベンチャーとは企業文化が違いすぎるとのことです。そのような違いを認識せず直ちに事業を一体化するのは、他のM&Aにみられるように失敗に終わる可能性があります。まずは、新設会社に事業を受け入れて時間をかけて引継ぎを行うことにしました。

株式譲渡のスキームは資金の面から採用できませんでした。B社は社歴が長く、純資産が事業に関連しない資産により積みあがっており、退職金をB社の社長に支給したとしても、譲渡対価が高まってしまいます。

また、事業譲渡と会社分割いずれを採用するかを検討しましたが、買手側にのれんが発生する事業譲渡を採用することにしました。事業譲渡は一般的に手続が煩雑で採用が難しいことも多いのですが、B社はA社と同様卸売業で取引先が特定されており、営業の引継数が限られていました。そして、事業に許認可もなく、資産は営業債権債務と棚卸資産が中心でした。さらに、拠点は賃貸でしたので、不動産取得税等の発生の心配がなく、個別の契約の引継ぎが可能でした。

従業員の引継ぎについては、B社の社長の協力の下、十分な注意を払いながら進めていくとのことです。

会計の観点は、A社・B社ともに上場企業ではなく、あまり重要視していません。一方、税務については重要で、のれんが償却できるというのが大きな魅力となりました。

具体的なスキーム交渉に入ると、B社のオーナーも先代から引き継いだ企業自体は残したいという考えもあり、事業を譲渡した後に資産管理会社として再出発できるということで、事業譲渡となりました。

最終的な価額交渉の結果、事業の譲渡対価としてA社側はB社に1億円を払うことで合意、円満な事業の引継ぎを行うことができました。

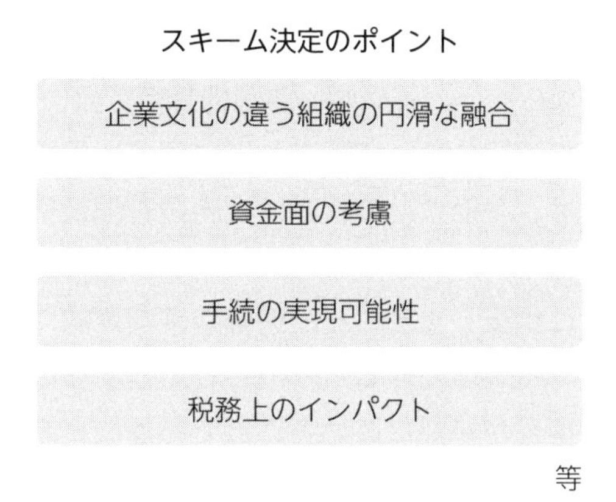

3. 会計・税務処理

一般的に、中小企業においては、税務上の処理により会計処理も行います。

(A社側) (単位：千円)

(借)			(貸)		
	事業用資産	80,000		事業用負債	40,000
	のれん	60,000		現金預金	100,000

※のれん（資産調整勘定）は税務上5年で償却される（**2-19** 参照）
※消費税等について考慮対象外

(B社側) (単位：千円)

(借)			(貸)		
	事業用負債	40,000		事業用資産	80,000
	現金預金	100,000		売却益	60,000

※売却益に対して法人税等が課税される
※消費税等について考慮対象外

4-5
事業承継：有利な新事業承継税制が終了するが…

Request

① A社は創業して30年、そろそろ後継者の育成や引退の時期を考えなければならない。長男がいるが他業種に勤めておりまだ若く、長女は会社の経営には一切関与していない。長男が会社に戻らないのであれば、今後会社の経営は社内の幹部社員にまかせようと思っている。

② 顧問税理士に相談したところ、創業以来安定的に利益を積み上げてきたので、株式を売却したり贈与したりするにしても通常は多額の資金や税金が必要だということである。一方、最近事業承継税制が新しくなり、これを有効に利用することができれば株式に関する税金の心配が減るという。ただ、承継に関する計画を令和6年3月末までに役所に提出しなければならないらしい。

③ 幹部社員に聞くと長男の状況次第では代表取締役を引き受けるとはいってくれている。しかし、株式の買い取り資金はなく、また、銀行から大きな借金はしたくないらしい。

④ 事業承継の検討をはじめるにあたり、A社にとって最適な方法は何であろうか。

Information

・現代表はA社（製造業）を経営している。

・事業には重要な許認可は存在していない。

・現代表が創業者で株式の80%所有、残りは配偶者が所有している。

・現代表は61歳、配偶者は58歳、長女は36歳、長男は34歳である。

・会社の純資産額は約14億円であり、事業に関連しない資産が約12億円ある（内訳は投資不動産約9億円及び投資有価証券約3億円）。

1. スキームの構築

(1) 特徴

A社の現代表には長男がいますが、現在他業種に勤めている上まだ若く、長女は経営に一切関与していません。長男の状況によっては社内の幹部社員が会社の経営を引き継ぐ可能性があるようです。

長男が後継者になる場合には親族内事業承継、幹部社員の場合は親族外事業承継に当たります。親族内事業承継において円滑に株式を長男に移転するには新事業承継税制が有効です。一方、親族外事業承継においては幹部社員が現代表より株式を買い取ることが考えられますが、A社の純資産額は高額で難しそうです。

(2) 考えられるスキーム

① 親族内事業承継における新事業承継税制の適用

新事業承継税制を適用すると、承継対象株式の全部についての相続・贈与税が100％猶予されます。

適用するには、令和6年3月末までに承継計画を策定のうえ都道府県庁に提出し、令和9年末までに株式を先代から後継者に相続・贈与する必要があります。

従前の制度では、例えば株式の承継後5年間は平均して80％の雇用を維持する必要があること等の要件がありましたが、新制度ではこれが緩和されました（旧事業承継税制との相違点については**3-12**参照）。

適用にあたっては後継者、先代、その他の要件があります。

後継者の要件

会社の代表権がある

18歳以上

役員就任より3年以上経過

後継者・特別の関係がある者で50%超の議決権数を保有

等

先代の要件

会社の代表権を持っていた

贈与時には会社の代表権なし

贈与者・特別の関係がある者で50%超の議決権数を保有し、かつ、後継者を除いて最も多くの議決権数を保有していた

等

その他の要件

上場会社・中小企業ではない会社等に該当しない

株式を継続して保有

知事・税務署長に報告・届出

等

② 所有と経営の分離

株式には事業支配の側面と財産としての側面があります。長男は現在会社の経営に関与しておらず、今後も関与するか否かは現時点では不透明ですが、仮に現代表又は配偶者に相続が発生した場合、株式は長男・長女が所有することになります。

A社の株価が高い大きな理由は、事業に関連しない資産を多く保有していることです。当該資産は安定経営を行ってきた過程で投資した資産であり、事業を幹部社員にまかせるにあたって直接必要とはされません。

そこで、将来長男・長女が事業の経営には関与しないが、株主として事業のガバナンスを行いやすいような仕組みを構築することを検討します。

具体的には、事業と資産を分離するために資産管理会社としての持株会社を設立することが考えられます。

持株会社の設立の方法には、

・親会社を設立する方法

・事業を子会社として分割する方法

があります。

資産管理会社としての持株会社の設立方法

株式移転
分社型新設分割

等

まず、親会社を設立する方法には株式移転等があります。

株式移転で新設された会社が事業会社の株式を100%保有する持株会社となります。その後、配当等により事業会社が保有する事業に関連しない資産を親会社に移します。

また、事業を子会社として分割する方法には分社型新設分割があげられます。

事業に関連しない資産をそのままに、事業のみ子会社として切り出す手法です。

資産管理会社として親会社を設立する方法のメリットは、事業は現会社に残すので、債権者や労働者保護手続、許認可等の手続を気にしなくてよいという点にあります。一方、事業を子会社として分割する方法のメリットは、事業に関連しない資産を現状のまま残すので、不動産取得税等取引コストがかからないという点にあります。

どちらのスキームを選択するかは企業ごとの個別の状況を十分に検討する必要があります。

	メリット	デメリット
会社分割	・不動産取得税等取引コストを低く抑えられる	・債権者保護手続や労働者保護手続が必要 ・許認可を再取得しなければならない可能性 等
株式移転	・債権者保護手続や労働者保護手続を必要としない ・許認可等再取得の心配がない 等	・その後に不動産等事業に関連しない資産を移す際、取引コストが発生する可能性あり

なお、いずれの手続においても、税制適格の要件を満たせば法人税等は生じません。税制適格の要件を満たしていなかった場合、資産・負債を時価評価しなければならなくなりますが、当面の目的は、親族外事業承継を行うにあたって資産管理会社を設立し、事業に関連する資産とそうでない資産を分離、すなわち所有と経営を切り離すことですので、税制適格の要件を満たして組織再編を行うことになります。

<table>
<tr>
<td>現状</td>
<td>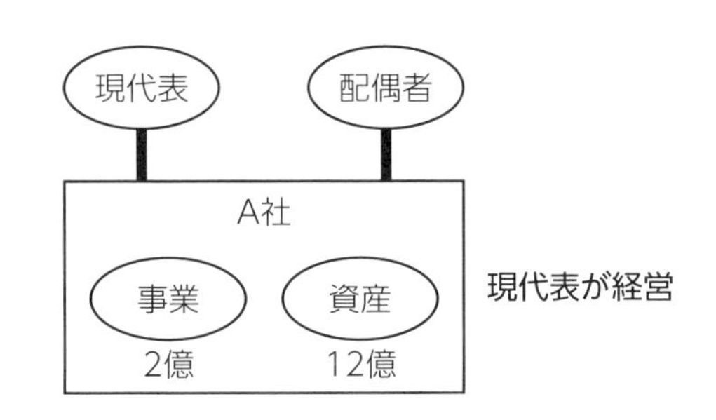
</td>
</tr>
<tr>
<td>資産管理会社設立、所有と経営を分離する</td>
<td>税制適格新設分割あるいは株式移転により、資産管理会社設立。非事業用資産を資産管理会社に集約することで資産と事業を分離。
事業経営を行わない推定相続人である長男・長女は、将来株主として事業のガバナンスを行っていく。
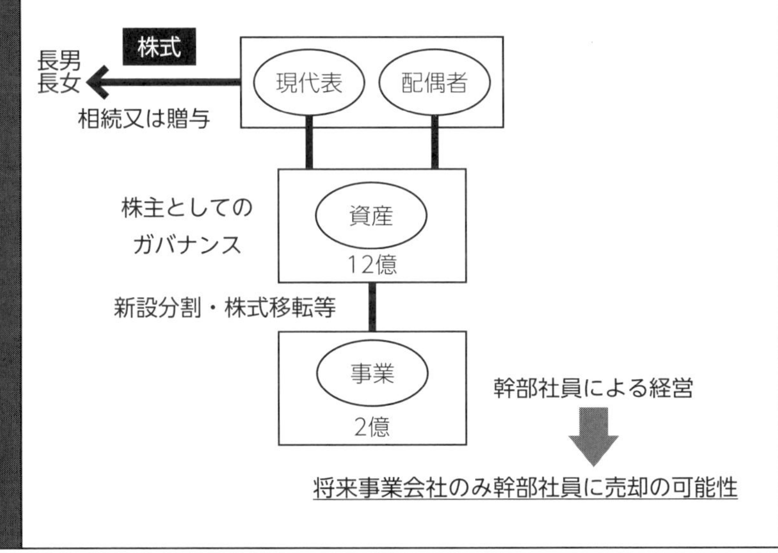
</td>
</tr>
</table>

2．スキームの実行

有利な新事業承継税制がもうすぐ終わってしまうとのことで、現代表と長男が今後の話し合いを行いました。長男は会社を継ぐ意思があるようですので、ただちに長男の入社と承継に関する計画を提出できるよう準備し、入社と同時に取締役に就任させることにしました。新事業承継税制を適用するためには、令和9年末までに長男が会社の代表権を有することが必要です。ただ、長男は34歳とまだ若く、仮に会社を継ぐとしても令和9年末までに代表者となり全社の舵取りを任せられるかは定かではありません。そこで、入社後令和9年末近くまで長男の成長ぶりを見守り、その時点で現代表が経営を任せることができるようであれば有利な新事業承継税制を適用、まだ時間がかかるようであれば、有利ではなくなるものの従前の事業承継税制を適用し株式を長男に移すこととしました。

一方、長男が会社になじめず、幹部社員が後継者になる可能性も現時点で残しておかなければなりません。その時のために、所有と経営の分離ができる持株会社体制に移行することを選択肢として残します。具体的には会社分割による方法により事業を子会社として切り出す方法を選択する予定です。債権者保護手続や労働者保護手続は必要となるものの、株式移転により親会社を設立し、事業に関連しない資産を移した場合に比べ、不動産取得税等の取引コストが低く抑えられるからです。また、税制適格組織再編に該当するため法人税等は発生しません。

この場合、現代表は、会社分割を機に資産管理会社の社長及び事業子会社の会長に就任するとのことで、事業のガバナンスを仕事の中心にすえ、事業会社の経営は社長となる幹部社員に任せます。

現時点では幹部社員に事業株式を買い取る意思はありませんが、将来長男・長女が株主となり、ガバナンスが負担あるいは困難になったときのために資産を分離しているので、事業会社の株式は幹部社員等にバイアウトしやすい組織形態にもなっています。

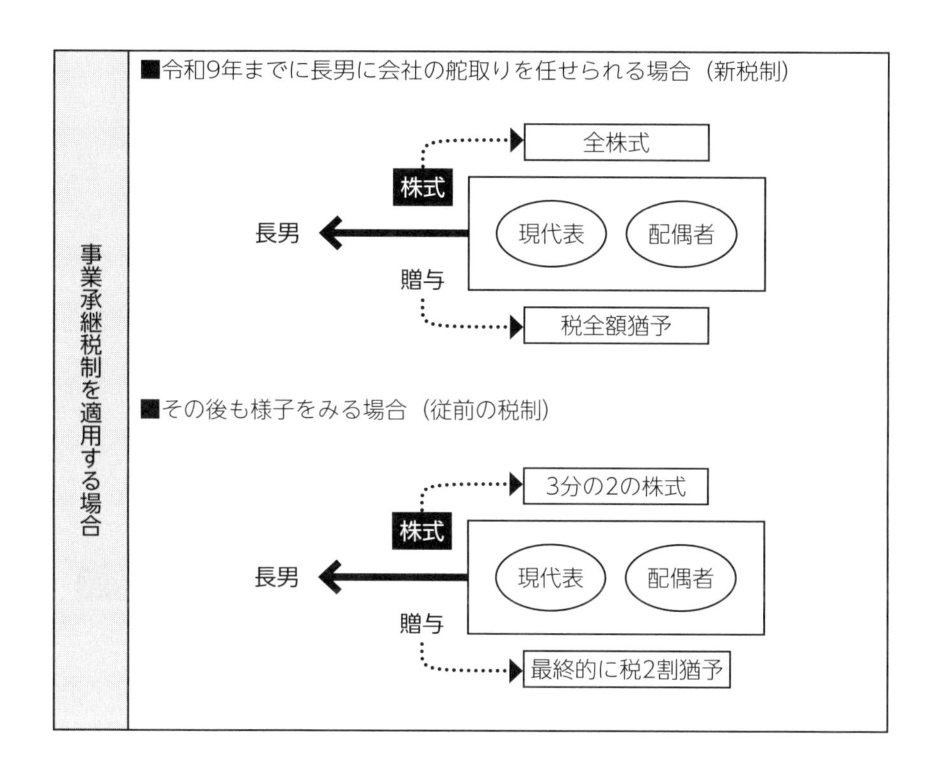
事業承継税制を適用する場合
■令和9年までに長男に会社の舵取りを任せられる場合（新税制）
全株式
株式
長男
現代表
配偶者
贈与
税全額猶予
■その後も様子をみる場合（従前の税制）
3分の2の株式
株式
長男
現代表
配偶者
贈与
最終的に税2割猶予

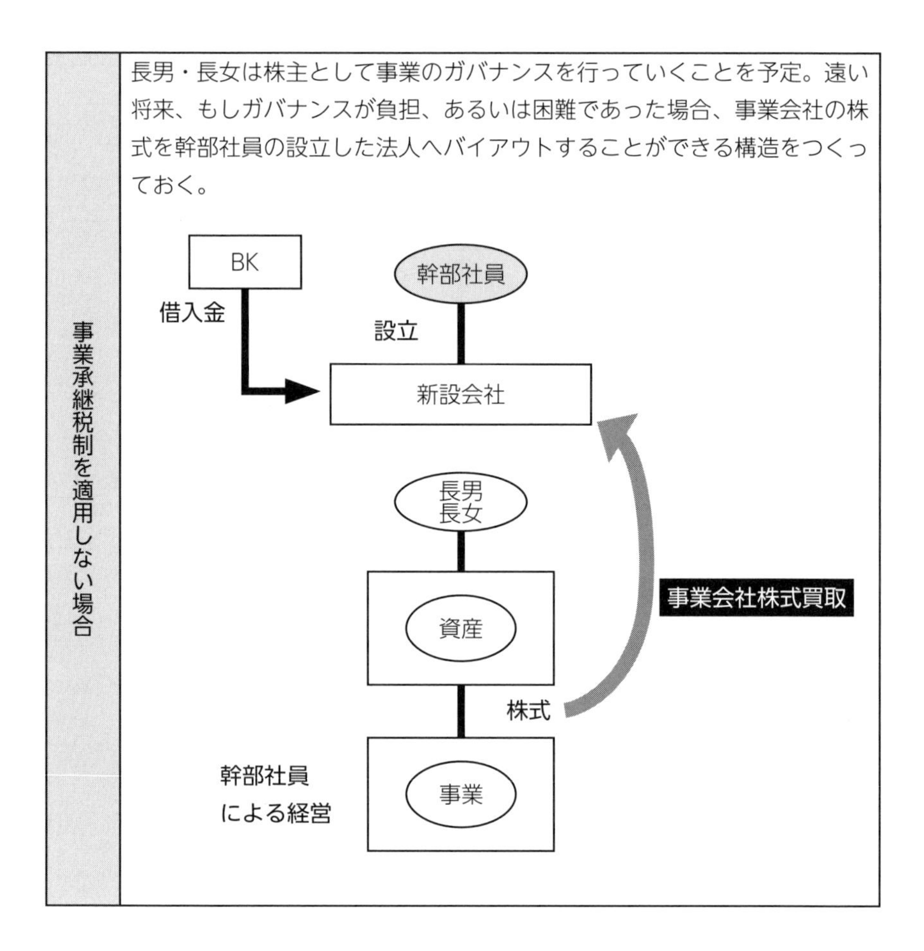
事業承継税制を適用しない場合
長男・長女は株主として事業のガバナンスを行っていくことを予定。遠い将来、もしガバナンスが負担、あるいは困難であった場合、事業会社の株式を幹部社員の設立した法人へバイアウトすることができる構造をつくっておく。
BK
借入金
幹部社員
設立
新設会社
長男
長女
資産
事業会社株式買取
株式
幹部社員
による経営
事業

4-6 事業承継：株式移転により持株会社を設立し長男への承継を行う

株式移転は会社が発行済み株式のすべてを新たに設立された株式会社に取得させる会社法上の組織再編行為です。通常、株式移転は、親会社を新たに設立し、複数の事業会社を経営統合するために活用されるほか、ホールディングカンパニー体制への移行のために活用され、親会社が複数の事業会社を完全子会社として傘下に置く際に利用されます。

その際、事業会社の買収資金を必要としません。また、適格要件を満たすことにより、株式移転時の譲渡益課税を回避でき、株式の相続税評価額を条件によっては軽減できるため、結果として事業承継対策として機能する可能性があります。当ケースでは、非上場会社の自社株の相続税評価額が軽減できるところを解説します。

Request

① ㈱オークラ印刷は、現社長が 1990 年に設立し、設立当初オンデマンド印刷で従来の印刷業との差別化をはかったものの期待されたほどの増収が得られませんでしたが、最近の DX ブームに乗り、ネット上での顧客集客や顧客層を大企業へとシフトし、システム化に成功し成長している印刷会社です。今後とも成長性が高く業績は好調と予想され、何の対策も取らなければ自社株評価も上昇が予想されます。

② 社長は現在 65 歳、妻は 63 歳、長男 38 歳、長女が 35 歳です。長男は既に常務に就任して 5 年を経過しています。今後の㈱オークラ印刷の更なる成長が予想される中、長男への事業承継・財産承継を実現するための持株会社の設立が必要ということを顧問の

税理士から聞きました。いかに有利に事業承継が実行できるかを提案して欲しいのです。

Information

・社長は大学卒業後、大手システム開発に7年間勤務した後に独立し㈱オークラ印刷を設立しました。経済産業省が掲げる我国レガシーシステムのDX化戦略に乗り一時低迷していた業績も回復、直近の売上高は30億円を超えてきました。今期以降、営業利益も大幅に拡大することが予想されます。

・長男は国立大学工学部を卒業後、大手金融システムベンダーで10年間システム開発の上流工程に従事し、大手金融機関の大型プロジェクトのマネジャーとして手腕を発揮しました。それらの経験をひっさげ、㈱オークラ印刷の部長に就任したのが5年前です。

・従来のオフセット印刷業はデジタル化が遅れ労働集約的ビジネスでしたが、今後の印刷業界の急速な変革に対応するため、長男に社長の座を譲ることこそが㈱オークラ印刷の持続的成長を実現する最優先の課題と社長は考えているものの、これまで事業の成長に明け暮れ、株価対策や後継者への株式移転対策はほとんど実行してきませんでした。

・現在、㈱オークラ印刷株式の80%は社長が保有し、早急に長男に過半数の株式の承継をしたいと考えています。顧問税理士からは自社株評価は上昇しており、今後5年程度は㈱オークラ印刷の業績が拡大する可能性は高く、益々自社株上昇が予想されるとの説明を受けました。

・社長の現状の財産は、自社株が266百万円、金融資産は90百万円、不動産388百万円、生保保険・年金保険が47百万円程度あり、一次相続時に相続税の納税予想額が125百万円、二次相続でも105百万円程度の納税が予想されます。

・同族内の事業承継を前提としますが、M&Aの可能性又は株式公開の可能性も今後ないとは言えません。

・㈱オークラ印刷の財務データと中期経営計画は下記の通りです。

財務データ等

1. 売上、利益配当予想　　単位：百万円

	2021年12月期(実績)	2022年12月期(実績)	2023年12月期(予想)	2024年12月期(予想)	2025年12月期(予想)
売上高	2,846	2,911	3,400	4,000	4,800
営業利益	22	37	170	225	300
税引前利益	53	44	154	215	276
当期利益	38	33	100	140	180
配当	5.28	4.8	6.58	6.58	6.58
1株当たり配当	1.6円/株	1.45円/株	2円/株	2円/株	2円/株
従業員		130人	150人	180人	210人

2. 貸借対照表　　単位：百万円

2022年12月末			
現預金	551	買掛金	146
売掛債権	335	短期借入金	264
有価証券	119	未払金	26
棚卸資産	36	未払法人税等	4
その他流動資産	230	借入金	491
投資有価証券	133	資本金	160
敷金保証金	83	資本剰余金	5
その他投資	85	利益剰余金	476
合　計	**1,572**		**1,572**

※有価証券・投資有価証券は50百万円の含み益が発生しています。
※その他の資産については、簿価及び相続税評価額は同一とします。

財務データ等

3. ㈱オークラ印刷　株式保有割合

社　長	80　%
妻	10　%
長男	10　%

4. 類似業種株価データ（1株当たり）

業種目大分類　　製造業（10）
業種目中分類　　印刷・同関連業（18）
業種目小分類　　―

直前期末資本金等の額　165百万円
直前期末発行済株式数　3,290,000株

業種：

	印刷・同関連業（18）
A株価	192円
B配当金額	4.1円
C利益金額	17円
D簿価純資産価額	279円

とする。

有価証券及び投資有価証券に合計で50百万円の評価益があります。

1. 対 策

社長は、長男が前職でもシステム開発の巨大プロジェクトでそのマネジメント力を適切に発揮し、ソフトウェア開発という業務においては才能が有ると認めてはいましたが、㈱オークラ印刷全体の会社経営においても才能を発揮できるかは別の問題と考えていました。益々競争が激化し変革を要する印刷業界において、多くの従業員と価値観を共有し、パーパス経営を実行することは、㈱オークラ印刷の現状の企業経営からは必須であると社長は考えています。

一方で、相続税財産評価基本通達に基づく株価を低位に継続的にコントロールし、株式を長男に移転することは、相反する課題を同時に実行することと社長は認識しています。

社長は、自らは代表取締役社長を退任し、代表権のない会長に就任するとともに、長男を代表取締役社長に就任させ、二世代、三世代にわたる所有と経営の安定化を実現することが重要と考えています。

さらに、同時に、低位株価による長男への自社株の移転集中を実行し、まず、第一に、過半数の議決権を長男に集中させる戦略の実現可能性を検討すべきと考えました。

当ケースにおいて、㈱オークラ印刷株式を直接個人が所有し、贈与及び相続により社長から長男に移転する方が有利なのか、又は、㈱オークラ印刷の親会社である持ち株会社株式を社長が長男に贈与、相続する方が有利なのかを検討すべきと考えられます（図表1）。

図表1　㈱オークラ印刷株式の100％を直接保有した場合の株価予想

		2022年12月末	2023年12月末	2024年12月末	2025年12月末
株価予想（円）	類似業種比準方式	① 80	⑤ 174	232	288
	純資産価額方式	② 204	⑥ 232	273	326
	自社株評価／株	③ 80	174	232	288
現状事業会社株価評価（百万円）		④ 263	⑦ 572	763	947

図表1は、㈱オークラ印刷株式の100％を直接個人が保有した場合の相続税評価額を試算しており、類似業種比準方式に係る下記A、B、C、Dの値が不変であり、中期経営計画が予想通り実現したとすれば、2023年の12月末には572百万円、2024年の12月末には763百万円、2025年の12月末には947百万円の評価と試算されます。

$$A \times \frac{\frac{Ⓑ}{B} + \frac{Ⓒ}{C} + \frac{Ⓓ}{D}}{3} \times \begin{pmatrix} \text{大会社0.7} \\ \text{中会社0.6} \\ \text{小会社0.5} \end{pmatrix}$$

A：類似業種株価
B：類似業種１株当たり配当
C：類似業種１株当たり利益
D：類似業種１株当たり純資産価額
Ⓑ：評価会社１株当たり配当
Ⓒ：評価会社１株当たり利益
Ⓓ：評価会社１株当たり純資産価額

2. スキームの実行

(1) 持株会社を新設して㈱オークラ印刷株式を適格株式移転

社長と妻と長男が、持株会社㈱オークラホールディングスを新設し、㈱オークラ印刷株式を持株会社に移転します。㈱オークラホールディングスは、㈱オークラ印刷株式を100%保有し、また社長は㈱オークラホールディングスの株式を80%、妻は10%、長男が10%を保有することになります。株式移転する㈱オークラ印刷の株式の対価として㈱オークラホールディングス株式以外の資産の交付がなく、㈱オークラホールディングスが㈱オークラ印刷を100%継続して保有する予定であり、その際、適格株式移転となり、株式移転時点では課税されません（図表2）。

図表2　株式移転スキーム

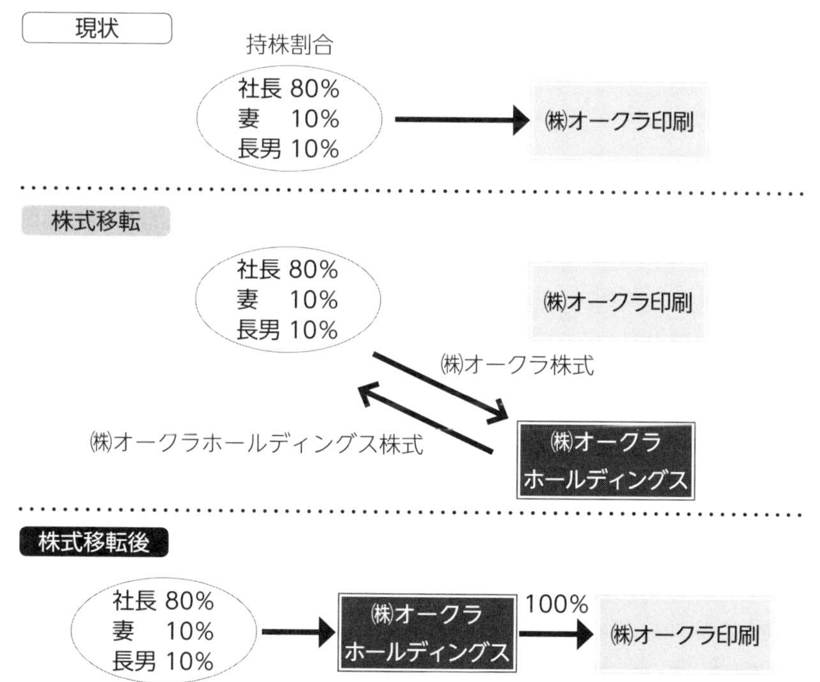

①　持株会社新設の場合の保有株価への効果

この際、株主である社長と妻と長男は、従前まで㈱オークラ印刷株式を保有財産として評価していたわけですが、株式移転後は三人の株主は㈱オークラホールディングス株式を保有財産として評価することになります。

㈱オークラホールディングスが保有する資産の100%が㈱オークラ印刷株式であるので株式保有特定会社に該当し、「自社株評価の方法が類似業種比準方式は適用できず、純資産価額方式によって株価が計算される」こととなります。なお、株式保有特定会社とは、「課税時期において評価会社の有する総資産に対する株式及び出資の相続税評価ベースの合計額の占める割合が50%以上の会社」をいいます。

$$\frac{\text{株式・出資の価額}}{\text{総資産価額}} \geqq \quad 50\%\text{（当ケースの場合は 100\%）}$$

そして、株式移転後に㈱オークラ印刷の株式の評価額が上昇した場合は、㈱オークラホールディングス株式の純資産価額を計算する際、含み益に対して法人税等相当額の37%が控除できます。

（社長が、事業会社の株式を直接所有するよりも、持株会社を社長と事業会社の間に介在させることにより、つまり事業会社を持株会社の子会社にすることにより、評価上のルールにより子会社の含み益の実効税率分は控除できるため、社長が所有する持株会社の株式の評価が低くなります。）

そのため、㈱オークラ印刷株式の評価が継続的に上昇した場合、㈱オークラホールディングス株式の評価は、直接㈱オークラ印刷株式を保有する場合の評価益の63%（1 − 0.37）となり、継続的に株価が上昇すると見込めるならば、株式移転による持株会社の設立は税務上効果が大きいといえます（**図表3**）。

図表2は株式移転のスキームを表しており、**図表3**は2022年12月末に持株会社化を実行し、その後の持株会社㈱オークラホールディング

ス株式評価額の推移を表しています。

例えば2022年の12月末に株式を移転した場合、2023年の12月末の㈱オークラホールディングスの株価評価は直接保有が572百万円に対し、持株会社により間接保有した場合は、458百万円となり、含み益に対する法人税相当額（37%）が控除されています。

図表3　㈱オークラホールディングスを新設し㈱オークラ印刷株式を間接所有する場合

		2022年12月末	2023年12月末	2024年12月末	2025年12月末
株価予想（円）	類似業種比準方式	80	174	232	288
	純資産価額方式	204	232	273	326
	自社株評価／株ⓐ	80	174	232	288
㈱オークラ印刷株価評価（百万円）		266	ⓐ 572	763	947
株式移転後持株会社の株価評価（百万円）			ⓑ 458	ⓒ 578	ⓓ 694

ⓐ　図表1の⑦を参照
ⓑ　174×3,290千株－（174－80）×0.37×3,290千株＝458,033千円
ⓒ　232×3,290千株－（232－80）×0.37×3,290千株＝578,250千円
ⓓ　288×3,290千株－（288－80）×0.37×3,290千株＝694,321千円

②　現社長役員退職慰労金の支給

株式移転による株価上昇の緩和対策は、株式移転後の株式の含み益が発生した場合に効果があります。従って、株式移転時点の事業会社の株価が低く、その後株価が上昇した場合は、より大きい株価の上昇に対する緩和効果が期待できることになります。

当ケースの場合、例えば株式移転の直前事業年度に㈱オークラ印刷の課税所得が小さければ、㈱オークラホールディングスの株価の上昇割合は軽減されます。

元社長が代表取締役を退任して役員退職慰労金240百万円を収受すると、㈱オークラ印刷の2023年12月期の当期利益が△86百万円となり、2023年12月末に株式移転を実行したとします（退職慰労金を最終報酬倍率方式で計算：役員報酬250万円×在任32年×倍率3倍＝2億4,000万円）。

㈱オークラホールディングスの株価は、その後の法人所得が中期経営計画通りであったとすると、その後の株価は**図表4**とシミュレーションされます。

図表4　役員退職慰労金240百万円を支払った場合

		2022年12月末	2023年12月末	2024年12月末	2025年12月末
環境予想（円）	売上高	2,911	3,400	4,000	4,800
	税引前利益	44	△86	215	276
	配当	4.8	6.58	6.58	6.58
	純資産（会計）	641	548	711	885
㈱オークラ印刷株価予想（円）	類似業種比準方式	80	44	ⓒ 225	ⓕ 282
	純資産価額方式	204	176	ⓓ 225	ⓖ 278
	自社株評価／株	80	44	225	278
株式移転後持株会社の株価評価（円）			ⓐ 44	158	191
株式移転を実行した場合の持株割合100％の評価（百万円）			ⓑ 144	ⓔ 519	ⓗ 628

2023年12月末の㈱オークラホールディングスの株式の相続税評価は144百万円、2024年の12月末の株価は519百万円です。退職金を支給しない場合が、それぞれ458百万円、578百万円ですので、a）当該2年間は株価が低く、その間に現社長から長男へ40％程度の持株を暦年贈与するか、又はb）2023年12月末に相続時精算課税により40%の持株を社長から長男に移転する対策が効果的です。

もし、社長から長男に、2023年12月末に持株会社株式の40％を暦年贈与し、長男の持株を50％とすると（144百万円×0.4 ＝ 57,600千円を暦年贈与）、2,467万円の贈与税の負担となりますが、早期に長男が株式の過半を持つ目標は達せられます。

（類似業種比準方式の評価の構成要素である「利益」が、退職金支給により大幅に減少又は0となるため、類似業種比準価額が低くなり、又これに持株会社の含み益控除が加わり評価額が低下することになります。）

③ 株式保有特定会社はずし

株式保有特定会社に該当しなければ、㈱オークラホールディングスは原則的評価により株価が計算されることになり、類似業種比準方式により株価が計算される可能性が出てきます。純資産方式よりも類似業種比準方式のほうが一般的に評価が下がります。

そのためには、持株会社自身が株式出資以外の資産を保有し、相続税評価ベースの総資産額の50％未満に株式、出資の価額をおさえればよいです。例えば事業法人が上場会社であり、上場会社の持株の相当割合を保有する場合、株式保有特定会社規定を外すことはかなり困難ですが、事業法人が非上場株式の場合は、難しくないケースもあると思われます。

ア　銀行借入による賃貸不動産や事業法人に貸し付けるための不動産の取得

イ　銀行借入により被保険者を役員とする一時払い終身保険、並びに一時払い変額個人年金保険への加入

ウ　グローバルアセットアロケーションによる資産運用

等により、株式保有特定会社の規定が外れる可能性があるともいわれています。その後は類似業種比準方式の適用が可能となれば、1株当たり利益及び1株当たり配当をコントロールし、事業会社の株価を劇的に軽減することも可能となります。

その際、1株当たり利益は50円額面換算後で、1円未満に抑えるとともに、1株当たり配当は0.1円を維持し、比準要素の2要素以上0円とならないよう留意すると、類似業種比準方式の株価を軽減できます。

※上記スキームは事業上の理由、経済合理性を十分検討の上実行してください。

株式保有特定会社規定をはずした時のB/Sイメージ

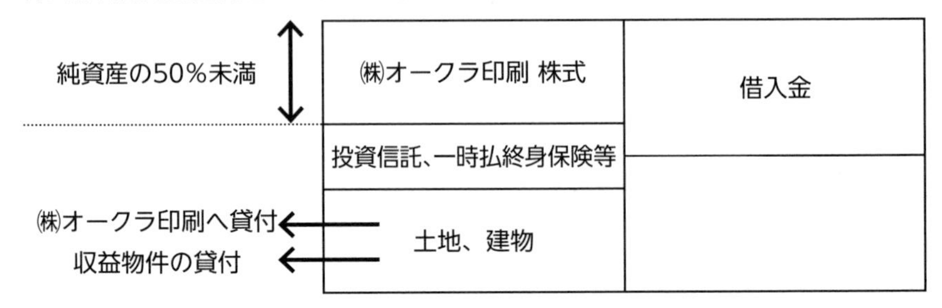

現状株価評価予想（図表１）　　　　（単位：百万円）

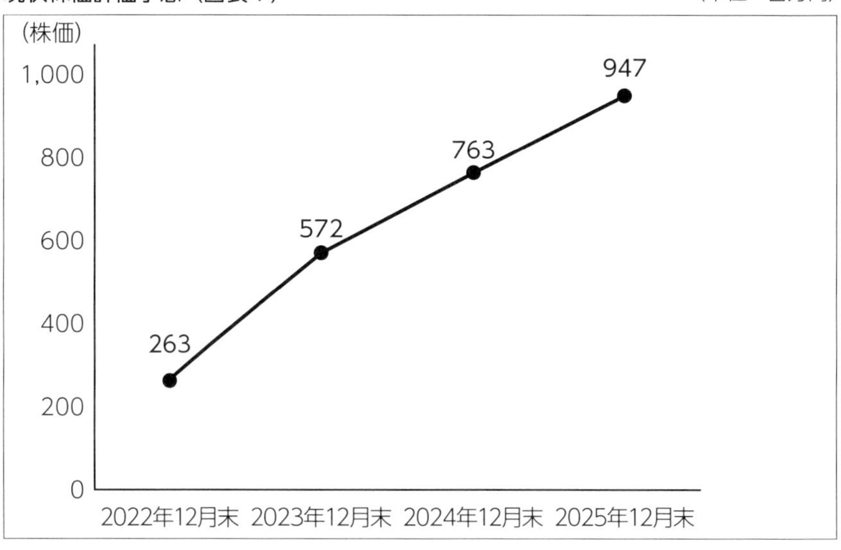

株式移転した場合（100％保有）　　　　（単位：百万円）

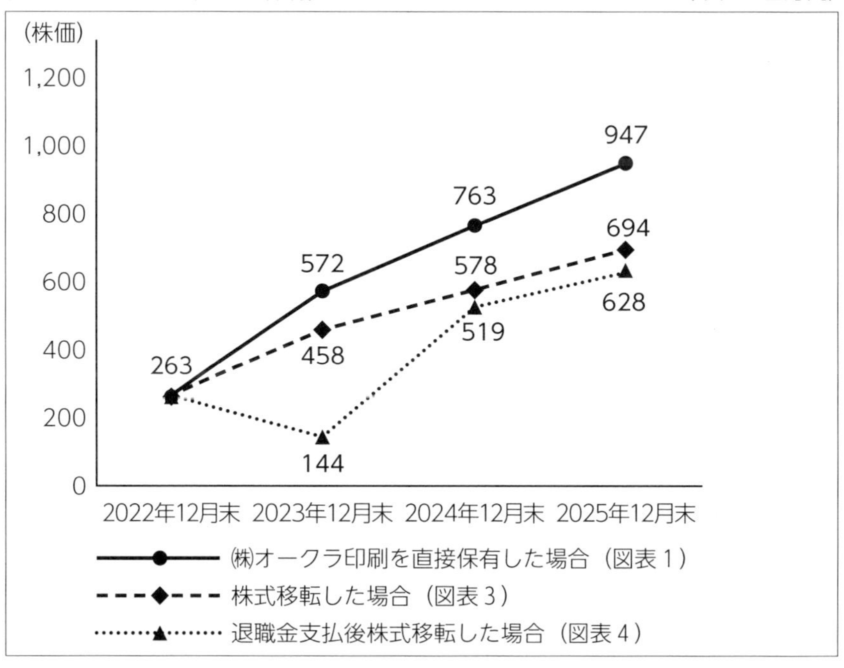

4-7
完全子会社化の手続

Request

① A社はB社の子会社であり、A社はB社の発行済株式総数20,000株のうち、15,000株（議決権割合75%）を保有している。
② A社のその他の株主は、Cほか18名のいずれも個人であり、Cは500株（議決権割合2.5%）、その他の株主は各250株（議決権割合各1.25%）ずつ保有している。
③ B社の完全子会社となれば株主管理の煩雑さを免れ、B社の他のグループ会社との組織再編等も迅速に行うことができると考えるが、完全子会社化するためにはどのような手続をとればよいか。

Information

・A社は非上場であり、約50年前に設立された株式会社である。
・A社の個人株主はいずれも創業当初の株主の相続人であり、現在は会社経営に一切関与していない。うち何名かの者は音信不通である。
・種類株式や新株予約権は発行していない。
・株券は発行していない。
・取締役会設置会社である。

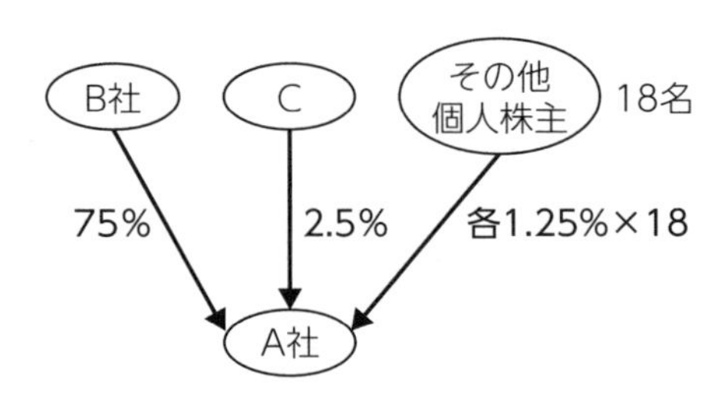

1. 少数株主が生じる理由

上場会社であれば、誰でも株式市場において株を購入することができますので、多くの個人株主がいることは通常ありえます。

これに対し、非上場でさほど大きくない会社であれば、多数の株主が出現することはあまりないようにも思えます。しかし、平成2年の商法改正以前においては、発起設立の場合は設立時に発起人（設立当初の出資者）が7名いなければならないとされていたため、設立時から7名以上の株主がいるということが通常でした*1。

また、その発起人たちも実際に会社経営に参画している人たちばかりではなく、親戚・知人等から発起人になってほしいと依頼され、半ば形式的に発起人として名を連ねており、ほとんど会社に関わってこなかったような人もいました。

このようにして発起人を集め設立した会社は、当初から複数名の株主がおり、しかも会社との関係が比較的希薄な株主が存在することもありうる状態でした。そして、設立後長期間が経過すると、自然人の株主であれば当然相続が発生します。相続が発生すれば、相続人は1人とは限らず複数の相続人が財産を相続することもありますから、さらに株主が増えてしまうことになります。また、長い年月の間に、従業員や取引先に株を交付するようなこともありうるでしょう。

このように、さほど大きくない非上場の会社であっても、社歴の長い会社であれば、多くの個人株主がいることもまれではありません。

＊1　現在の会社法では、株式会社を設立するに際して発起人は1名いれば足ります。

2. スキームの検討

まず、各株主と合意の上で株式譲渡契約を締結し株式を取得する方法が最も単純な解決策です。しかし、株主と個別に合意を取り交わすわけですから、必ずしも全ての株主と合意できるとは限りません。また、本ケースでは何名かの株主が音信不通とのことですので、交渉すらできない状態です。

したがって、個別の合意によらず完全子会社化できる手続を検討しなければなりません。完全子会社化を実現するための手続については、概ね下記の方法が考えられます（詳細は**3-19**を参照ください）。

①　全部取得条項付種類株式を利用する方法 ②　株式併合による方法 ③　株式等売渡請求による方法 ④　株式交換による方法

ここでは、比較的容易であり、近年よく用いられる、②の株式併合による方法を利用することにします。

3．実行

①　株式併合割合の決定

株式併合によりスクイーズ・アウトを実行する場合、まず株式併合割合を検討します。すなわち、株式併合後において、支配株主のみが整数の株式数となり、それ以外の株主の持株数が1未満となるような併合割合を設定します。

本例では、1,000株を1株にすることとします。そうすると、株式併合後の株式数は下記のとおりとなります。

【1,000株を1株に併合した後の株式数】

B社：15株 C：0.5株 C以外の個人株主：各0.25株 端数合計：5株

② 株主総会招集（取締役会決議）

株式併合を行うには、株主総会の特別決議が必要となります。株主総会を招集するには、取締役会決議によって日時など一定の事項を決定します。

取締役会決議を経た後、株主に対して招集通知を発します。

招集通知は、株主名簿に記載もしくは記録されている株主の住所または株主が通知した場所もしくは連絡先に宛てて発すればよく（会法126①)、その通知・催告は、通常到達すべきであった時に株主に到達したものとみなされます（会法126②)。

③ 事前開示

会社は、株主総会の2週間前の日又は⑤の通知・公告のいずれか早い日から、株式併合に関する一定の事項を記載した書面等を本店に備え置かなければなりません（会法182の2)。この書面等は、会社の株主から請求があった際には閲覧等をさせる必要があります。

④ 株主総会決議

特別決議による承認が必要です。特別決議は、議決権を行使できる株主の過半数が出席し、その議決権の3分の2以上の多数により行います。本例では、B社は単独でA社の議決権の75％を有していますので、問題なく可決することができます。なお、取締役は、総会において株式の併合を必要とする理由を説明しなければなりません（会法180④)。

⑤ 株主への通知又は公告

株式併合によって端数が生じる場合、効力発生日の20日前までに、株主に対して通知又は公告をしなければなりません。この通知又は公告は株券を発行していない会社でも必要ですこれは反対株主の買取請求権行使のために設けられた制度です。

⑥ 反対株主の株式買取請求

株式併合により1株に満たない端数が生ずる場合、次の株主は株式の全部を公正な価格で買い取ることを請求できます。

・株主総会に先立って反対の旨を通知し、かつ総会で反対した株主
・議決権を行使できない株主

株式買取請求は、効力発生日の20日前から効力発生日の前日までの間にすることができます。

⑦　効力発生日

株主総会で定めた効力発生日に、株式併合の効力が発生します。本例では、B社のみが15株の株主として残り、その他の個人株主は⑨で売却した代金の交付を受けることとなります。

なお、株式併合による発行済株式数は減少することとなりますが、公開会社の場合、株式併合後の発行可能株式総数（授権枠）は、発行済株式総数の4倍を超えてはならないこととされています（会法180③）。本例のA社は公開会社ではないためこの規制の適用はありませんが、公開会社の場合、株式併合とともに発行可能株式総数を減少させる必要がありますので、注意が必要です。

⑧　事後開示

会社は、効力発生日後遅滞なく、一定の事項を記載した書面等を本店に備え置かなければなりません。この書面等は、株主又は株主であった者から請求があった際には閲覧等をさせる必要があります。

⑨　端数の売却

株式併合により1株未満の端数が生じる場合、これを競売し、売却代金をもとの株主（本例のC等の個人株主）に交付します。もっとも、非上場株式は競売で買い手が付くことは難しいですし、競売は時間もかかりますので、裁判所の許可を得て任意売却の方法による（会法235②、234②）ことが多いです。

著者紹介

貝沼 彩（かいぬま・あや）

公認会計士・税理士

公認会計士試験合格後、大手監査法人勤務、個人会計事務所勤務を経て、現在、貝沼公認会計士事務所 代表、税理士法人みなと東京会計 代表社員、ミャンマージャパンビジネスクリエイト合同会社 代表社員、一般社団法人日本美容業会計税務協会 理事長、爽監査法人 社員。組織再編を始め、美容室開業、ミャンマー進出支援等の専門分野に精通し、その他大学での講義を行う等、幅広い業務をワンストップで提供している。

著書に、『現場の視点で疑問に答える収益認識［会計・法務・税務］Q&A』（清文社）、『債務超過会社の会社分割 Q&A』（中央経済社）、『公認会計“女子”をナメるなヨ〜男社会で「女子力」を上げる秘訣〜』（NATULUCK）、監修図書に『失敗しない美容室開業 BOOK』（日本実業出版社）、『公認会計士の仕事図鑑』（中央経済社）がある。

北山 雅一（きたやま・まさいち）

公認会計士、税理士

大阪府生まれ。慶應義塾大学商学部卒業、大手監査法人で銀行監査、証券会社監査に従事する。

日本証券アナリスト協会検定会員。日本証券アナリスト協会プライベートバンキング研究会研究委員。

1990 年に㈱キャピタル・アセット・プランニング（https://www.cap-net.co.jp/）設立、代表取締役就任。FP 業務戦略立案、金融・税務等のコンサルティングサービス、FP 向け資産管理システムおよび研修サービスを提供。生命保険会社、メガバンク、大手証券会社等、金融機関向けフロントエンドシステム、事業承継財産承継プラットフォームを提供している。

東京証券取引所スタンダード市場上場 証券コード 3965

清水 博崇（しみず・ひろたか）

税理士　米国税理士（EA）　日本証券アナリスト協会検定会員

早稲田大学商学部卒業、早稲田大学大学院商学研究科修了

大手金融、不動産、税理士法人等を経て、現在㈱キャピタル・アセット・プランニングにて富裕層向けコンサルティングに従事。

事業承継関連の執筆を主に担当。

齊藤 修一（さいとう・しゅういち）

司法書士・社会保険労務士

齊藤司法書士・社労士事務所代表。平成15年司法書士登録（東京司法書士会）、平成22年社会保険労務士登録（東京都社会保険労務士会）。

企業向けには、株式会社・合同会社・一般社団法人等の設立、組織再編、増資、種類株式やストックオプションの発行等の法務企画から登記手続に関する業務を中心として行うほか、主に中小企業・ベンチャー企業に関する社会保険・労働保険手続事務の代行、就業規則や各種規程の整備・労使トラブルの予防や労務管理に関するコンサルティング業務を取り扱っており、法務から労務までの一貫したサポートを得意としている。

個人向けには、相続・遺言・後見・民事信託に関する法務手続やコンサルティングを中心として業務を行っている。

第3版／〔目的別〕組織再編の最適スキーム
法務・会計・税務

2023年12月20日　発行

著　者　貝沼 彩／北山 雅一／清水 博崇／齊藤 修一 ©

発行者　小泉 定裕

発行所　株式会社 清文社

東京都文京区小石川1丁目3-25（小石川大国ビル）
〒112-0002　電話 03(4332)1375　FAX 03(4332)1376
大阪市北区天神橋2丁目北2-6（大和南森町ビル）
〒530-0041　電話 06(6135)4050　FAX 06(6135)4059
URL　https://www.skattsei.co.jp/

印刷：亜細亜印刷㈱

■本書の内容に関するお問い合わせは編集部までFAX（03-4332-1378）又はメール（edit-e@skattsei.co.jp）でお願いします。

■本書の追録情報等は、当社ホームページ（https://www.skattsei.co.jp/）をご覧ください。

ISBN978-4-433-74123-5